許我向你看

下

辛夷塢

第一章　死不掉，就活過來

謝桔年說完了一個故事，簡陋狹窄的牛肉麵館裡，只有那台老舊的電風扇還在朝她們吱吱呀呀地吹著。朱小北並不是個沉默的人，然而在桔年的牽引下，她彷彿在舊時的光陰中真真切切地走了一回。那些人、那些事、那些面孔鮮活得歷歷在目，她完全可以閉上眼睛，在腦海裡勾勒出當時的少年臉上每一個細微的變化……她覺得一切不應該就此結束，而桔年的故事卻真的已經說完。

她們這才注意到，天已經完全黑了下來，晚飯的時間早已經過去，原先人頭攢動的小店已經人去舖空，除了在昏黃的燈光下算帳的老闆娘和忙著收拾殘羹冷炙準備打烊的服務員，就剩下了她們。兩人面前的牛肉麵早已冷卻如冰，結了一層紅色的油，朱小北覺得自己的心似乎也糊著這樣一層厚重的東西，涼了之後更顯得悶而膩。

「巫雨……他就這樣死了？妳就這樣坐了牢？」半晌朱小北才從喉嚨裡擠出這樣一句

話，雖然桔年有案底的事她早已知曉，從她所了解到的種種跡象看來，也找不出別的可能，然而她仍然覺得，不應該是這樣的啊，不應該！陽光下攜手飛奔的兩個孩子，石榴花下純白如斯的少男少女，他們是那樣美好，那樣善良，他們在自己的小天地裡與世無爭，為什麼到頭來竟落得一個橫死、一個鋃鐺入獄的下場。

桔年嘴角有一絲隱約的笑意，短髮的碎影遮住了她的眼睛，「小北，妳也看武俠小說吧。小說裡，所有的主角失足掉下山崖，都會有高人相救，或者機緣巧合，學得一身絕世武功，從此脫胎換骨。可是在現實的世界裡，大多數人都沒有這樣的幸運，掉下去，就真的死了。」

朱小北還沒緩過來，桔年又招呼服務員過來收錢，「說好了這頓我請。」

在她的笑容面前，朱小北覺得推辭是一件很無聊的事情，便也笑著將面前的碗往旁邊推了推，說道：「這老闆娘沒趕我們，也算是奇人一個了。桔年，這一頓，就當為我餞行吧！」

「真的要走？」

「當然。」

「那這邊……」

「妳是說韓述吧？」朱小北會意得很快，「現在可別讓我看見他，要是他現在出現，我恨不得一巴掌把這小子打到外太空去。」

桔年莞爾一笑，想了想，說道：「小北，那畢竟是另外一個故事裡的他，而且都是過去的事情，他並不壞，妳……」

「別說了，我知道妳的意思。在妳告訴我之前，我一直以為，妳和他過去一定發生了什麼，而他是妳的那些故事裡的男主角，最好笑的是，大概他自己也是那麼以為的。我靠！其實他不過是路人甲。是吧，桔年，所以妳才輕易地原諒了他。同樣的，對於韓述而言，我也是路人甲，我跟他是半路搭的草台班子，散就散了吧。找個好人嫁了，呵呵，跟買彩票似的，一買就中不遭天譴才怪。」她半開玩笑地朝桔年攤開手掌，「謝大師，幫我看看掌紋，算一算我的姻緣，是不是真要到退休的那一天，才等到我五十五歲的初夜。」

桔年合上了朱小北的手，「命愈算愈薄。」她也笑了起來，安慰道，「小北，妳肯定是有福的，實在鬱悶到不行的時候，就想想比妳更衰的人好了，比如說我。」

「我不能跟妳比，真的，如果我是妳，不知道死過去多少回了。」朱小北說的是實話。

桔年說：「死說難不難，說容易也不容易。死不掉，那就只有活過來。」

死不掉，那就只有活過來。

在牢裡的那幾年，桔年也曾反覆地對自己說過這句話。

離開牛肉麵館後，桔年和朱小北在不遠處的岔路口揮手告別。桔年看著小北被路燈拉得修長的影子，平日裡百無禁忌、爽利無比的女子，竟也有了幾分淒清的味道。桔年知道，也許小北此行的目的，不過是求個結局，而小北到底是個豁達的人，她終有一天能夠走出來，她需要的只是時間。

只有時間才是無敵的。

然而，當年桔年卻沒有贏得時間的寬恕。只怪事情發生得太過突然，她的「小和尚」就那麼離開了，留給她整個天地的空茫。也許只是一秒鐘的時間，前一瞬，他還用最柔軟的聲音說「妳從來沒有說過」，頃刻之間就被無邊無際的血海覆蓋。她沒有任何防備，猶如在平坦的大道上一腳踏空，一切無跡可尋，就這麼下墜、下墜……直至萬劫不復。惡夢接踵而來，一場接著一場，她哭不出，也緩不過來，因為她還來不及清醒。他走了，只剩下她，也回去了。

關於那幾年牢獄生涯的細節，桔年很少跟人提起，即使是在給朱小北講述的故事裡，她也隻字不提。很多東西她不願意說，是因為並不期待有人懂，就好像你永遠不要試圖讓一個健康的人去體會病床上滿溢的絕望，健康的人嘴裡說「健康真的很重要」，其實一樣揮霍健康，不會真的了解疾患的苦痛。

包括桔年自己，其實都很少去回憶那一段光陰，她只知道一件事——世界上唯有兩樣東西是永遠不可逆轉的，一個是生命，另外一個是青春。許多東西都可以重來，樹葉枯了還會再綠，忘記的東西可以重新記起，可是人死了不會復活，青春走了也永遠不會再來一遍。巫雨活不過來了，謝桔年的青春也死在了十一年前。現在她刑滿釋放了，就像一個普普通通的二十九歲的單身女人，平淡地活著，舊時的波瀾和鐵窗裡的歲月似乎沒有在她身上烙下明顯的印記。只是她在每個清晨醒過來，在陰涼的浴室裡看著鏡子裡依舊平滑緊緻的肌膚，那雙眼睛告訴她，她再也不是當年的那個女孩了。

有一句人生格言說：上帝關了一扇門，就會給你開一扇窗。在監獄的時候，桔年每次想起這句話，都會笑起來。監室的門緊閉著，只留下一扇方寸大小的鐵窗，這不正印證了上帝的幽默感嗎？

監獄裡把剛送進來的囚犯稱作「新收」。「新收」是那個封閉的天地裡最無助的群體，除了要經歷入獄初的訓練和老犯人的「教育」，最難過的一關還是自己。沒有哪個原本自由的人在入獄後不會感覺到天地顛覆一般的絕望，你不再是個正常的人，不再是個有尊嚴的人，甚至都不再像是一個人。十二個人擠在一間狹小的囚室裡，每天有著繁重得讓人喘不過氣來的勞役指標，難見天日的生活、心理扭曲的室友、嚴苛的獄警……「新收」們一進來就以淚洗面，甚至尋死覓活的不在少數。

在牛肉麵館遇見朱小北之前，跟桔年坐在一起的平鳳，就是跟她同一批被收監的。桔年當時不過是剛過十八歲，是監獄裡最年少的犯人之一，而平鳳比桔年還小一個月，瘦弱得像個十五六歲的孩子。那時，她們被關在同一個監室，每天晚上，桔年都聽得見平鳳的哭聲。

桔年很少哭，她只是睡不著。

深夜裡的監獄是死一般的黑，沒有一絲光。桔年睡在最靠窗戶的鋪位，也看不到窗子的具體所在。她總是坐著，面朝著大概是窗戶的方向，聽著平鳳飲泣，靜靜地發呆。一個夜晚的時間有時過得很快，有時過得很慢，時間彷彿是沒有意義的。由於刑事訴訟的一系列程序，判決書正式下達的時候，桔年已經在監獄裡度過了近三週的時間，接下來，她還有至少一千八百多個夜晚要這樣度過。

那個晚上，平鳳哭累了，漸漸睡去，桔年忽然聽到了從窗戶的方向傳來一陣輕微的碎響。她知道，那是昆蟲撲打翅膀的聲音。監獄裡有蒼蠅，有蚊子，有跳蚤，但都是一些小的蟲子，大一點的難得飛進來。聽那聲音，比蜻蜓、甲蟲什麼的要微弱，但又比小飛蟲有力，徘徊掙扎著，總也找不到出口。桔年看不見牠，她想，那也許是一隻蝴蝶。一隻從毛毛蟲艱難蛻變而成的蝴蝶，為什麼不在花間徜徉，卻又回到這陽光照不到的角落？

巫雨，是你嗎？

桔年在心裡默念。是你終於破繭而出，卻捨不得我，所以回來看我一眼嗎？

她摸索著，茫然地伸出手，牠卻未曾停在她的掌心。

一整夜，桔年就這麼倚著鐵床的支架，聽著那翅膀扇動的聲音，心中悲喜難辨。她希望牠留下來，多陪自己一刻，又希望牠飛走，去牠嚮往的地方，再也不要回來……天漸漸地亮了。

監獄規定，夏天是早晨五點起床，冬令時則改成六點。起床後必須像部隊裡一樣摺疊好被子，然後整齊地坐在床沿等待獄警來開監獄的門——她們把這稱為「開封」。接下來是各個監室輪流出去洗漱、上廁所，再回到監室吃早餐。所有的監室裡都沒有廁所，廁所在每一層走廊的盡頭，平時是鎖著的，只有規定的時間才會開啟，早晚各一次。清晨的第一縷光射進桔年的監室，整個監獄已經有了起床的動靜，只是還沒有輪到她們這一間開封。桔年急不可待地借著那點光線去找尋蝴蝶的蹤跡，果然，在鐵窗邊緣，她找到了牠。

那哪裡是什麼蝴蝶，不過是一隻灰色的蛾子。

牠是醜陋的，髒而斑駁的顏色，臃腫的身體，最讓人絕望的是，牠長著畸形的翅膀，顯然是剛從蛹裡破出來不久，不知怎麼落到了這裡，註定是飛不起來的。

桔年想起了巫雨說的那個關於毛毛蟲的故事。他說得對，每一隻蝴蝶都是毛毛蟲變的，但是，他也忘了，不是每一隻毛毛蟲都能變成蝴蝶。也許牠會死在繭裡，永遠見不了天日，或者經過死一般的掙扎，才知道自己竟是隻醜陋的蛾子，連翅膀都長不健全。

桔年難過地發現自己明白了巫雨想要告訴她的意思，然而，如果他知道是這樣的結局，是否會甘於在深埋的地下和另一隻毛毛蟲相親相伴，小心翼翼地分享那點兒可憐巴巴的陽光？又或者他註定是要走的，無論結局多殘忍，都是他的選擇。

只是，巫雨的故事沒有說完，他沒有講到，如果他變不成蝴蝶，那隻在上頭等待他的彩蝶會不會飛走。他不能跟她比翼雙飛，又再也回不到毛毛蟲，而那隻蝴蝶卻仍可以自由來去。他也沒有說到，沒有了一隻毛毛蟲，剩下來的另一隻獨自在黑暗中應該怎麼度過接下來的歲月。

桔年不忍心看那隻蛾子竭力地做著無用的掙扎，她輕輕地伸出手指，想要推牠一把，可是沒有用，她的手指剛剛觸到牠，牠就從窗臺摔到地板上，她還來不及有別的舉措，一隻穿著鞋子的大腳橫空落下，頓時將地上的蛾子踩扁。當大腳抬起，桔年只看到一小攤令人作嘔的漿液，還有半邊殘缺的翅膀。牠活著那麼艱難，死卻如此輕易，甚至沒有掙扎的機會。這就是生為蟲子的悲哀。

桔年心中一慟，抬起頭看了下腳的人一眼。

「怎麼，妳心裡不爽？」那個人問她。

桔年低下頭，緩緩地搖了搖，「沒有。」

她鬥不過也不想跟那個人鬥，即便沒有這一腳，蛾子早晚也是要死的。牠是個殘缺的怪物，然而陽光已然灑在牠身上，牠試過了，是否死而無憾？

一腳踩死蛾子的人叫戚建英，是她們這個監室裡「資格」最老的犯人。戚建英長得高而肥壯，聽說，她年輕的時候是個身材苗條、容顏姣好的女人。八年前，還是一個手無縛雞之力的家庭婦女的戚建英，聽聞自己經商的丈夫出軌之後，操著一把尖頭的水果刀找到了姦夫淫婦的愛巢，敲開門，冒著被比她強壯數倍的丈夫打死的危險，硬是頂著男人的拳腳，一刀一刀地捅進了她恨之入骨的那兩個人的身體。當那對狗男女倒下之後，戚建英一身是傷地坐在血泊裡打了報警電話。據說員警趕到的時候，她握著刀，臉上竟是欣慰的笑。

男人的情婦死了，可那個男人卻在醫院被搶救了過來。戚建英被逮捕，法庭念在事發前她丈夫對她多次施用家庭暴力，判了個死緩。進了監獄後的第三年，她才摘了死緩的帽子，改為無期徒刑，就算她還能爭取再一次減刑，等待她的也是漫長的監禁。她現在已經四十多歲了，就算二十年後可以出獄，也已是風燭殘年的老婦，這一生算是葬送了。

戚建英入獄後性格大變，古怪而暴躁，誰都怕她三分。

同樣是犯人，在監獄裡也是分三六九等的，除了刑期不同，不同的罪名境遇也有所不同。在女子監獄裡，最讓人畏懼的通常是殺人犯，如戚建英這種，她心夠狠，什麼事都做得出來，刑期又夠長，她誰都不怕，別人在她手上吃了啞巴虧也只能認了。僅次於殺人犯的是搶劫犯、毒販、拐賣人口的，也是狠角色居多，經濟犯、盜竊犯之流再次之，最末端、最被人欺負看不起的就是賣淫的。平鳳就是因為賣淫被抓進來的，吃的苦頭比誰都多，桔年雖然也是「新收」，看起來也文靜，但是大家都知道她是因搶劫罪入獄，摸清底細之前多少有些忌憚，欺負也不至於太過，日子竟比平鳳好過一些。

有些老犯人，凡事占點小便宜，髒活累活丟給「新收」幹，那是再正常不過的事，還有更多不堪的「齷齪」讓許多出獄的人難以啟齒——監獄裡沒有男性，有人說，飛過的蚊子都是公的。那些正當年的女人，尤其是刑期長的，必須忍受生理和心理上的雙重寂寞，自然難耐。有些女犯雙雙對對、假鳳虛凰地湊在一起，也有不願意的，那些弱勢的、新來的免不了要受欺凌。桔年夜裡睡不著的時候，在黑暗裡睜著空洞的眼，有時能在平鳳的哭泣聲中聽到戚建英的喘息、搧耳光的響動、肉體摩擦的聲音，還有平鳳事後壓抑羞憤的嗚咽。

那段時間，平鳳常常鼻青臉腫，舖位也被強迫換到了戚建英的下舖——只有新來的和地位低下的犯人才會睡在下鋪，因為監室裡只有一條窄窄的走道，吃飯、睡覺、做手工活經常都是在床上，下鋪往往是一片狼藉。桔年知道，每天夜裡醒著的並不只她一個人，同監室的人大多都看在眼裡，不過都被打怕了，敢怒不敢言，或者根本就是麻木地在暗處看好戲。

桔年同情平鳳，但是她連自己都救不了，又能拯救誰呢？入獄時間長了，很多人也看出了她這個「搶劫犯」也就是黔之驢，沒有什麼招式，紛紛開始把她踩在腳下，她吃的耳光也愈來愈多，誰又來同情她？女人和男人不一樣，鮮少有天性凶殘的女人，女監裡的人或為情，或為財，或被逼無奈，大多經歷了難以想像的苦難。

桔年想，總有一天她也會變得對這一切麻木吧。五年對於一個十八歲的女孩來說，比一輩子還長。入獄兩個月後的一個晚上，她再次聽到暗處戚建英對平鳳的凌辱和毆打，那一次，比以往下手都狠。也許戚建英厭倦了平鳳，也許平鳳的「伺候」讓她不滿，拳頭落在肉身上的悶響在寂靜中讓人膽顫心驚，隨後，桔年聽到戚建英按著平鳳的頭往牆上撞的聲音。她明白她不該多事，然而當她閉上眼睛塞住耳朵後，僅僅一分鐘，她還是衝到窗前，大聲地喊肚子痛要上廁所，終於喚來了值班獄警。

平鳳撿回了一條命，只是在額頭上留下了一個暗紅的傷疤。桔年的舉措既違反了監獄管理條例，又擾人清夢，觸怒了不少犯人，尤其是戚建英。後來的苦楚她很少願意去回想，她不知道自己的極限在哪裡，只知道閉上眼睛，明天還是會來，她還是要面對那永遠完成不了的活計。她跟平鳳一樣年輕，卻比平鳳更清秀更乾淨，早就是不少女犯覬覦的物件，而她異於年齡的沉默讓她們觀望不前。終於，戚建英看出了她只不過是個打落了牙往肚子裡吞的主，在某天結束了一天的勞作後，她爬上了桔年的床。

桔年在戚建英肥碩的身軀下掙扎著，每一個動作都換來戚建英的迎頭毆打。監室裡的人都裝著打起了鼾，她的反抗像溺水時的撲打般愈來愈弱。從林恆貴到韓述，還有現在的戚建英，難道這是她逃不過的惡夢？

那天晚上，整個監獄的獄警和犯人都聽到了那聲響徹靜夜的號叫。當值班獄警狂吹著口哨，在剎那間的燈火通明中趕來，打開她們監室的門，只看見滿臉是血的戚建英發瘋似地朝桔年的身上踢打，桔年像煮熟的蝦米一樣緊緊地蜷成一團，一聲不吭，嘴裡死死咬著一塊血肉模糊的東西——那是戚建英的整個左耳。

獄警分別抬走了這兩個人，地上有兩大攤的血。

桔年在病床上躺了將近三個月，她自己都不知道竟然有那麼久。在昏迷和清醒邊緣的那些日子，她隱約知道監獄已經向她的家人下了病危通知單，但是沒有人來看過她，她也不期待任何人來。也許這一次，就死了吧，孤單的最後一條毛毛蟲，說不定死後在另一個天地，會在花間遇見幸福的巫雨。

可是她死不了，監獄醫院這麼普通的救治條件居然撿回了她的一條命。兩個月後的某天清晨，她無比清醒地看到了枕畔灑著的陽光。

巫雨，你現在還不想見我是嗎？

死不了，那就好好地活。她聽見巫雨在冥冥之中這麼說。

桔年再一次說服自己跟命運握手言和，也許她的一生還很長，跟這一生相比，五年並沒有那麼難熬吧，或者她留在監獄裡的時間還可以更短一些。早上送藥過來的護士推門而入，看到虛弱地用手指去捕捉陽光的桔年在病床上擠出了一個笑臉，「護士小姐，妳的頭髮很漂亮。」

因為某種特殊的原因，桔年的病因在她的檔案上只留下極其含糊的一筆。病癒回到監獄，缺了一隻耳朵的戚建英被調離了她們監室。桔年跟病前判若兩人，雖然依舊沉靜，別人卻總記得她咬著戚建英的耳朵時血淋淋而面不改色的樣子，多少有些心有餘悸。而她變得更友善和豁達，她放過了自己，也善待周圍每一個人。

監獄的勞役活計大多是手工縫紉活。監獄從外面的廠家攬回來的任務，由一干犯人負責完成，有繡花的、釘珠子的、打毛衣的……大多是各自領回當天的指標在監室裡完成。憑勞作掙得改造分。桔年對環境適應得很快，她從一開始釘鈕子扎得滿手是針眼，到完成了自己的指標還能騰出餘力幫助監室裡的其他人。後來監獄改進了「裝備」，引進了縫紉機，她踩縫紉機也是飛快，做出的東西既平整又好看。後來她想，這也算是監獄教會她謀生的一技之長。

因為桔年人際關係好，又算是小有文化，學東西快，不但是監友，就連獄警都頗為喜歡她。她當上了室長、醫務犯、圖書管理員，還報名參加了自考課程，代表監獄參加各項知識競賽都得了名次……

戚建英耳朵受傷後，在醫院的常規檢查中，不期然竟發現她患有肝硬化，這個消息瞬間壓垮了她，從此身體每況愈下，枯年入獄一年半時，戚建英已經臥床不起。因為前事，枯年和她應該算是夙敵，現在戚建英病懨懨的，再也沒有了耍橫的本事，做為當時的醫務犯，枯年有責任照顧其他生病的犯人，獄警考慮到她們的情況，想過刻意將她們分開。然而枯年表示沒有那個必要，她平靜地照料著日漸枯瘦的戚建英，甚至在戚建英報復性地在她手掌虎口處咬下了一排牙印時，也沒有吱一聲。終於有一天，她正給戚建英細細地擦身體時，那個捅了丈夫和第三者整整三十一刀，在監獄裡無人不懼的女人，在枯年面前哭得像個孩子。

「他以前是那麼愛我，我跟他走過最好的時光，創業時陪他吃過所有的苦，為了他把所有娘家人都借遍了，他成功了，竟然告訴我，他不要我了……嗚嗚，他不要我了……我的兒子說我是條毒蛇。」

這是枯年第一次從戚建英嘴裡聽到那一段往事，此刻的戚建英，不過是個可憐的女人。

戚建英涕泗橫流地問：「妳為什麼不恨我？謝枯年，妳是老天派來的嗎？」

平鳳也說過這樣的話。

枯年笑了起來，她沒有回答。她不是什麼天使，許多人，她都是恨過的，只是恨到最後，忘記了。因為恨無濟於事，因為人生是由無數個微不足道的細節構成的，深不可測，有些事，有些結局，她也不知道是誰造成的，是她恨過的人，還是她自己？她想不明白，所以放過別人，也放過了自己。她在監獄裡做的一切，不是渴望道德上的優越感，也不求任何人的感激，她只想讓時間過得快一些，再快一些。

她要出去。她還不知道巫雨的身後事是怎麼了結的，沒有人告訴她。幾年來，只有一個人探視過她一次，然而那個人毫不知情。她盼望著自由之後，哪怕到埋著他枯骨的地方看上一眼，一眼就夠了。

兩年後，桔年獲得了減刑，沒有人覺得不應該。

然而，她還是經常做一個夢，夢到黑得不能呼吸的監室，壓抑著的氣息，蝴蝶在她看不見的鐵窗上撲打著翅膀，獄警的鞋子走過走道，清晨傳來第一聲哨響，「開封」了，然後她感覺到清晨的光，還有光裡被踩扁的蛾子……她總在這一幕中幽幽地醒過來。

醒來後，她已經帶著一個叫作非明的女孩，在長著枇杷樹的院子裡靜靜地生活了八年。

第二章　鏡子的兩面

桔年在枕畔睜開眼睛，沒有蛾子，沒有蝴蝶，沒有尖銳得刺痛靈魂的哨聲，沒有擁擠的洗漱，只有院子裡清晨特有的清新氣味，透過窗臺灑進來的樹葉的碎影。她彷彿還可以感覺到，等待的那個人在樹下閒適地閉目小憩，也許下一秒，他就會微笑著推門而入。

她覺得，再沒有什麼比此刻更讓她感覺到安詳和寧靜。

簡單地洗漱後，桔年照例是到財叔的小店拿牛奶。財叔見到她，臉上笑得像開了朵花。

「桔年啊，股神怎麼好一陣不來了？」財叔試探著問，半是鄰里間的八卦，半是對自己手裡幾檔股票的期待。

桔年笑道：「他怎麼敢老來，你要是在股市裡賺大發了，怎麼還有心思打理這小賣部，那他大老遠地跑來，到哪兒去找全市最好喝的牛奶去？」

財叔三年前盤下的這個小商店，早已從它最初的主人那裡幾易人手。林恆貴當年在巫雨的刀下僥倖撿回一條性命，「害他的人」都沒有落得好下場，他也因此過了幾年頗為愜意的日子。只是巫雨家的小院雖然落到了他的手中，他卻一直也沒有真正地住進去。因為死裡逃生的林恆貴漸漸篤信鬼神，他始終覺得那間小院有散不去的冤魂在徘徊，只要他深夜靠近，彷彿就可以看到巫雨浴血的面容。漸漸的，那住著兩代殺人犯的小屋不吉利的傳言不知怎麼就散了出去，他想轉手出售，已是難上加難。

桔年出獄的半年前，林恆貴重傷痊癒後的殘軀再也沒能耐住日復一日的酗酒，終於在一次宿醉後猝死在小商店裡。草草將他收殮之後，做為林恆貴的堂兄堂嫂，也是唯一可知的親屬——桔年的姑媽和姑夫得到了他留下來的小商店和房子。房子沒有人肯要，但做為附近生意最為興隆的小商店，轉手還是相當順利的。就這樣，多年之後，小商店輾轉到了財叔的手中。

財叔也是這一代土生土長的人，可以說看著桔年和巫雨長大，後來桔年跟回了父母，許多年未見，她又帶著個孩子住回了這裡。這一帶的舊時街坊換了不少，有錢的早就住進了市區，沒錢的也多為生計原因，走的走，散的散，後來這一帶漸漸成為外來流動人口相對密集的區域，知道桔年他們當年那段舊事的人已經不多，財叔算是其中一個，他是知道林恆貴一貫的奸猾和可惡的，在老實厚道的財叔眼裡，怎麼也沒有辦法將桔年跟一個因搶劫坐牢的女人聯繫起來，他篤信自己半輩子的識人眼光，總不肯聽從居委會對桔年提防著些的告誡，看她的時候從來沒有戴上有色眼鏡，所以近年來，財叔竟成了附近跟桔年一家兩口最說得上話的人，不時還能寒暄幾句。至於其他人，桔年也知道別人對自己的背景有著或多或少的顧忌，她也不想招惹任何人，一直都是帶著孩子默默地來去，比影子更淡。

桔年回到家，非明還沒有醒。桔年把牛奶放在她的床頭，轉身的時候，不期然看到仍在睡夢中的非明懷裡緊緊地擁著一件東西。桔年湊過去看了看，竟然是韓述送的那把羽毛球拍，她怕球拍硌著孩子，試著抽出來替非明放在床頭，稍稍施力，球拍在非明懷裡卻紋絲不動，這孩子抱得太緊了。

非明是如此珍視這件禮物，那珍視已遠遠超過一把球拍本身的意義。這也是桔年沒有強迫非明把貴重的球拍退還給韓述的原因，雖然她有那樣做的理由，但是她不想讓看似合理的理由傷害到孩子。非明小時候並不是個健康的孩子，大概為體弱多病所苦，她在夢裡總是習慣性地蹙著眉，喜歡死死地抱住被子、啃手指。桔年試過許多辦法，也沒有什麼改變，然而她現在看到睡夢中的非明，臉上的表情是舒展的，甚至是幸福的，像是陷入了一個甜甜的夢裡。桔年都不忍心將她叫醒，可非明必須得起來了，不然就要遲到了。

上學前的準備猶如一場戰鬥，非明先是將自己小小的衣櫥翻了個底朝天，在鏡子前比畫了許久，才確定了她這一天要穿的衣服，然後她又拒絕了桔年姑姑給她紮頭髮，因為桔年只會綁最簡單的馬尾辮。當非明穿著一身粉紅色的裙子，在無數根小辮子的彙總處繫了個炫目的蝴蝶結出現在桔年面前的時候，桔年開始隱約意識到，這大概是個非同尋常的早晨，至少對非明來說是這樣。

按照往常，要是桔年上早班，就會跟著非明一道出門，陪著她走到公車站，各自上公車。在這一點上，桔年必須承認非明比同齡的孩子更早地學會了自己照顧自己。因為她既是一個單身女人，又要工作養家，難免有照顧不夠周全的地方，所以從一年級開始，非明就獨自坐公車上學。

從走出小院的那一刻開始，非明就熱切地左顧右盼，她還不會掩飾自己的激動，一張笑臉紅撲撲的，眼睛亮得跟探照燈似的。

「非明，約好了李特一起上學嗎？」桔年打趣著。李特是非明班上最受女生歡迎的男孩子，非明雖然拒絕承認，但是有時桔年看到她晚上捉刀為李特寫作業，一筆一畫，比描紅還認真。

非明臉一紅，撇了撇嘴說：「姑姑，你們大人的想法真庸俗。」

桔年還來不及搭話，就聽到了兩聲汽車喇叭的聲響，尋聲看去，停靠在財叔商店不遠處的那輛車不就是韓述的斯巴魯嗎？韓述看見她們，笑著探出頭揮了揮手，方才還學小大人裝淡定的非明就像一隻歡快的喜鵲一樣朝韓述飛去。

桔年遲疑了一會，只得跟了上去。她走到車邊時，非明已經湊在韓述的身邊韓叔叔長、韓叔叔短的嘰嘰喳喳說個不停，頭上醒目的蝴蝶結在清晨的風中搖啊搖。韓述看起來聽得很認真，眼睛卻不時地朝桔年的方向瞄過來。

「姑姑，韓叔叔說要送我到學校去！」非明大聲說，話語裡還透著激動和自豪。上小學後，除了生病，還從來沒有人送她上過學，更何況是酷斃了的韓叔叔開著酷斃了的車子送她去。

「呃，我覺得……你要是送她到學校，再折回去上班，應該趕不及了吧。」桔年慢吞吞地說，她摸了摸非明頭上幾乎比頭還大的蝴蝶結，「非明，謝謝叔叔。但是妳不能讓叔叔遲到。」

非明掩不住一臉強烈的失望之色，桔年移開了眼睛。

韓述忙說：「放心吧，今天早上我是在外邊辦事，送了非明再去，正好順路，對了，我辦事的地點跟妳上班的地方也很近，上車吧，我送妳。」

這廂非明已經迫不及待地坐進了車裡，拍著身邊的座位連聲說：「姑姑，上車，我們一起啊。」

「是啊，我們一起啊。」韓述重複著非明的話，「我們」「一起」，聽起來就像一家三口，這話裡的曖昧讓韓述感覺到異樣而心動。

「不了，我今早也要出去辦事，不順路。非明，路上要聽話。」桔年拗不過非明，只得對韓述說了聲，「麻煩了。」

她說話的時候眼睛甚至沒有看著韓述。韓述失望了，而車裡的小姑娘彷彿跟他心靈相通。

「姑姑，上來嘛，上來嘛。」

這孩子，儼然自己就是這車的主人了。

桔年笑著跟非明揮手道別。

「姑姑，妳去辦事韓叔叔也可以送妳啊，妳坐公車去比這更快嗎？」

桔年說：「姑姑搭神六去。」

韓述的車子載著非明遠去，最後，只餘非明頭上蝴蝶結的那一抹紅在桔年眼中招展。先前她似乎還聽到韓述很有紳士風度地稱讚非明的打扮相當之「酷」，非明聽後喜不自禁。韓述總是知道如何在恰當的時候讓一個女孩子心花怒放，也許長大後褪去了少年時生澀彆扭的他更是如此，風度翩翩、能言善辯，對各個年齡層的女性殺傷力都不弱。

在獄中，桔年拒絕了一切別人捎進來的物件，唯獨留下了羽毛球場上那張四個人的照片。那張照片陪伴她度過了那三年裡最陰暗的日日夜夜，照片的背面是韓述的筆跡——「許我向妳看，一九九七年」。這已經是那個男孩所能做的，最深切最無望的表達。

桔年問過自己，面對韓述的糾纏，她是否心動過，哪怕一點點也罷。

有嗎？

沒有嗎？

正值花季的少女，面對韓述這樣一個男孩的青睞，如何能不心動。雖然他滿不講理，胡攪蠻纏，可笑如斯，卻也純潔如斯。假如沒有小旅館那一夜的骯髒回憶和後來法庭上無邊的蒼涼，當桔年回憶起他，是否會帶著一絲笑意？而「許我向你看」，這不也正是她在心裡對

「小和尚」默默唸誦的一句話嗎？韓述看著她，她卻看著「小和尚」，如何顧得上回頭？然而「小和尚」看的又是誰呢？

現在桔年倒是常常在非明入睡後凝視著這孩子的面容，她總是期待著從非明的臉上看到自己渴望著的影子，然而卻一次又一次地失望，並且，這失望隨著孩子的漸漸長大而與日俱增。

非明長得太像她的生母。

她漂亮、好勝、勇敢、執拗、虛榮。

桔年沒有辦法從非明那裡找到似曾相識的熟悉，透過那張小小的臉蛋，倒是時常顯現出另一張美麗的容顏，那容顏的主人克制著眼裡的淚水，咬著牙說：「說好了一起走，他答應過的，就不能改了！」

遺傳的力量是多麼匪夷所思。

對於一個囚犯來說，探監是「既期待又怕受傷害」的一件事，一方面，這意味著能和自己的親戚或是友人見上一面，在暗無天日的生涯裡，這是沙漠中的甘霖；另一方面，伴隨著探監而來的，常常是死亡、離異、分手的噩耗。

三年裡，桔年並不期待有人來探視。爸媽是不會來的，她知道，她的所做所為讓謝茂華夫婦覺得蒙上了畢生難以洗刷的奇恥大辱，說真的，要是爸媽真的出現在她面前，桔年也不知道該如何面對，她寧願做一隻鴕鳥，既然見面只會讓大家感到難堪和痛苦，那還不如不見，就當她死了吧。也許在她爸媽心中，早已這麼認為。

提出過探視桔年的有蔡檢察官、韓述的同學方志和，她還收到過一張詭異的電匯，上面是一筆相當可觀的錢，獄警讓她簽字，委託監獄負責暫管，桔年沒有簽，也拒絕見以上的任何一個人。她唯一接受的一次探視是在監獄的第二年，請求探視桔年的人，是陳潔潔。

桔年一夜未眠。她不想見這個世界上的任何一個人，可陳潔潔不一樣。拋開愛恨恩怨，陳潔潔是見證了那段歲月的人。彼時桔年已經在牢裡待了七百餘天，黑暗裡舊時種種恍若一夢，她無數次伸出手，抓到的只是虛空，她需要陳潔潔活生生地站在面前，證實那些經歷的真實存在。桔年曾經拿起過圖書室的剪刀，想要剪掉那張四人照片的其他兩個人，只剩下她和巫雨。但是她最終沒有這麼做，她剪不斷那些凝望的眼神，剪不斷看不見的地方緊緊相握的手，剪不斷照片背後千絲萬縷的糾纏。

她想看一眼陳潔潔。因為很多時候，她恍然覺得，陳潔潔就是她，她就是陳潔潔，她們是鏡子裡的兩面，相悖卻又相通。

第三章　沒有期限的離別

「說好了一起走，他答應過的，就不能改了！」

說這句話的時候，陳潔潔坐在探視室裡。照例，她背對著緊閉的大門，和桔年面對面地坐在綠色油漆斑駁的長桌兩端。負責看守的女獄警百無聊賴地玩著自己的手指甲。兩個同齡的女孩，曾經在同一張課桌上度過苦讀的歲月，如今隔著太過狹長的桌子，隔著兩年的光陰，她們在第一秒認出了對方，卻仍然感覺到陌生。

陳潔潔沒有問那句「妳好嗎」，也許她已經察覺到這句話的虛偽。她知道，坐在桌子另一面的應該是她自己，命運的翻雲覆雨擅自改變了她們的位置。大好年華葬送在鐵窗之中，如何會好？可是時至今日，她們中的任何一個，都無力抗拒這結局。

「我求過他的，火車就要開了，還有兩個小時……兩個小時後，我們就可以遠走高飛。他說過要帶我到他祖輩生活的地方去，他還說，在那裡，他會給我一個新的生活。他答應過我的，怎麼可以食言？」

陳潔潔所處的位置背著光，一直緘默的桔年只看到一個瘦得脫了形的影子。

「妳以為你們走得了多遠？」這是桔年面對陳潔潔說的第一句話，從頭到尾，她彷彿也一直都是這句話。

「我不管！」坐在她對面的影子驟然向前一傾，差點驚動了一旁的獄警，「我不管走多遠，一里也好，一千里也好，只要他帶我走，結局怎麼樣，我不怪他。可是他呢？他說，『潔潔，我得再見桔年一面，我欠她一個承諾。』到了那個時候，他還是不要命地往回走，只不過為了跟妳說聲再見。他信守了對妳的承諾，那我呢，他對我的承諾呢？」

桔年緩緩地垂下頭去，她在陳潔潔勾起的回憶中品嚐著「小和尚」給她的最後的迷惘、甜蜜和酸楚。雖然她和陳潔潔都永遠不可能知道，兩個女孩的承諾，究竟在那個逝去的少年心中各自意味著什麼。

「我那麼努力地哭著，求他，不要去冒險，留在我身邊，留在我們的孩子身邊，可他還是走了。他說，只要他還有一口氣，就會回來。我坐在候車室的角落傻傻地等，一個小時，兩個小時，車到站了，廣播在催，汽笛響了，車開走了，我一直等，一直等，他沒有回來。天黑了，後來又亮了……我像個傻瓜一樣在原地等到人事不知。當我醒過來時，我看到了我爸媽的臉。從那一刻起，我開始恨他！」陳潔潔說起這些，語氣如冰，然而桔年知道，她在另一端已淚如泉湧。

「妳恨我嗎？桔年，恨我奪走了他。可是除了最後一天，我從沒有求過他什麼，沒有求過他愛我，沒有求過他帶我走。回去之後，我爸媽沒有再給我逃脫的機會，除了我的房間，我哪兒都去不了，整個世界都與我絕緣了。沒有人告訴我後來發生了什麼。不過我知道，巫雨他死了。他會不要命地去跟妳道別，可是如果他一息尚存，他就會回來找我的。我媽媽每天把飯送進我的房間，起初，竟然沒有人知道孩子的事，後來，肚子開始藏不住了，我比誰都清楚，我的孩子，我也留不住了。」

桔年下意識地看了一眼陳潔潔，除了瘦，還是瘦。她當時笑自己傻，兩年了，不管孩子是生是死，又怎麼還會停留在母體之中。桔年很難讓自己跳過法庭上的那段記憶，陳潔潔的父母，那對愛他們唯一的女兒愛到偏執瘋狂的夫婦，他們眼裡有對女兒無邊的寵溺和維護，然而在看向她時，卻是那麼殘忍而理性。她永遠不會忘記當時刻骨的寒，那是把她壓入深淵的最後一塊石頭，也許有生之年，她也未必能夠以其人之道還治其人之身，但那段記憶會伴隨著她，永不會消逝。她也知道，陳氏夫婦一旦知道女兒肚子裡的「孽種」，沒有什麼是做不出來的，他們會掃平一切有可能毀了他們女兒的東西，桔年是如此，孩子也是一樣。

「他們要殺了我的孩子，這對我爸媽來說太容易了，在他們眼裡，那不是他們的外孫，而是巫雨留在我身上的最後的罪惡。可這也是巫雨留給我的最後一個紀念，我的孩子，我保護不了她……」

「孩子……沒了？」桔年的話裡帶著一絲震驚。

陳潔潔置於桌上的雙手緊緊地握起，又慢慢地鬆開。桔年借著窗外的光線，這才留意到，那雙曾經塗滿了蔻丹的美麗的手，只餘下光禿而醜陋的指甲。

陳潔潔笑了一聲，那笑在陰冷的探視室裡顯得如此突兀。

「我只對我爸媽說了一句話：如果孩子死了，他們的女兒也就死了……如果讓我生下她，那麼……那麼他們就可以把她從我身邊帶走，我有生之年都不會去看她……我的孩子，我當著我爸媽的面發了毒誓，一生一世都不再見她，就當她從來沒有來到過我身邊……只要她活著，只要她還在。如果有違誓言，讓我生生世世不得善終，讓我這輩子都不知道幸福的滋味。我爸媽是了解我的，我不是一個好女兒，但縱使有千般缺點，我還是個說話算話的人。後來我生下孩子，是個女兒，我沒有看過她一眼，只知道她生在一月的最後一天。我遺棄了她，可是她離開我身邊的時候，至少還活著，這是我能做的最後一件事情。」

「那現在呢？或者是以後，妳沒有想過要找回她？」

陳潔潔的回答只有一個字，「不。」

「這兩年我都休學在家，也是孩子出生後不久，我才斷斷續續地得到巫雨最後的消息，還有妳的事……我不知道該怎麼說，說什麼也不能挽回。我比不了妳，到底還是一個自私的人，妳可以恨我，看不起我，可是，如果可以，我願意跟妳交換位置……」

「他葬在哪裡，是誰葬了他？」桔年終止了那個沒有意義的話題，她不是神父，不接受任何人的懺悔。她有更急切需要找到答案的疑問，這疑問高於所有的懺悔和眼淚。

陳潔潔搖頭，「我爸媽對我放鬆了一些，也不過是最近的事情。我打聽過，因為他沒有親戚和朋友認……認領，政府出面葬了他。我聽監獄這邊說，妳獲得了減刑，將來妳有什麼打算？」陳潔潔到底是聰明人，她太知道自己的立場，所以提到這些，每一個字說出口都很艱難。

桔年低聲說：「這是我的事。」

陳潔潔強笑道：「我爸媽給我找了一所大學，在上海，他們的生意也會漸漸轉往那邊。我爸和我媽還不到五十歲，頭髮都已經白了，這輩子我做他們的女兒，也不知道是誰欠了誰的。我答應過他們，會過他們希望我過的生活，愛他們希望我愛的人……」

「還有，忘記他們希望妳忘記的東西……」桔年說。

陳潔潔收好自己的手，「是，這樣也不錯。很久以前，我就跟巫雨說過，如果他沒有承諾過我，那麼我等待，是我願意的事。如果他答應過我卻最終失約，那麼，我不會再等他。至少這輩子不會了。」

她是想平靜地把最後該說的話說完，末了還是哽咽起來，「我害怕沒有期限的離別。」

桔年說：「妳愛怎麼樣就怎麼樣吧。不過，妳要知道，妳想走的時候可以走，想回頭的時候還可以回頭，可巫雨不一樣，他只有一條路。走不通，就到盡頭了。」

「其實我也想過，假如他真的帶我走，也許有一天我會怪他、會回頭，然後像個普通的女人那樣繼續生活，他也在另外一個地方結婚生子，我們兩兩相忘。就跟很多人的青春年代有過的叛逆生涯沒有什麼不同，不知道要去哪裡，不知道為什麼要出走，只是想要有一種帶我飛出去的感覺，只要幾年，大家就倦了。有些青春放肆過了，可以回頭，可是巫雨死了，我……」

她最終也沒有把話說完。桔年後來想，陳潔潔也許是對的，她又何嘗不是這樣。陳潔潔把巫雨看成窗下的羅密歐，可羅密歐卻死在了另一個茱麗葉的身邊；而桔年以為拉著她的手在風中奔跑的是屬於她的大俠蕭秋水，卻沒有想到，自己並不是唐方。她們不約而同地把少女的夢想寄託在巫雨身上，其實巫雨誰都不是，巫雨就是巫雨，一個羸弱的蒼白少年。

他在世界上的停留太過短暫，像佈滿霧氣的窗戶上用手抹下的一道痕跡。也許許多年後的今天，只有兩個能證實他曾經存在的青春：那就是溫暖著桔年的回憶，和一個叫作非明的女孩。

第四章　好察非明

非明的名字是桔年取的，出自古諺「好察非明，能察能不察之謂明；必勝非勇，能勝能不勝之謂勇」。很久很久以前，桔年曾經用這句話開導過一個眉目鬱鬱的蒼白少年，事實上，她也一直試圖將此做為自己的人生箴言，戒狷狂，戒好勝，抱樸守拙，安分隨時，難得糊塗。後來她想了很久，又覺得這樣的信條其實大多時候不是智者所為，更多的是弱者的自我寬慰。桔年一直認為自己正是這種怯懦的人，然而正因為這怯懦，許多事情，大概還是不要看得太明白為好。

黑的另一面就是白嗎？愛的另一面就是恨嗎？死的另一面難道就是生？說起來都是一筆糊塗帳。桔年出獄後的第一件事，就是費盡一切心力去尋找巫雨的葬身之處，這曾是支撐她在獄中度過漫漫黑夜的唯一希望，是她扮演好一個模範女囚的動力，快一點走出去，再快一點，就可以回到他身邊，哪怕他已經深埋地底。她不知道看那一眼究竟有什麼意義，然而這確實讓她把高牆之中的煎熬減到了最低。

她出獄那天是個雨天，裡面的獄友和熟悉的獄警都對她說著應景的祝福：雨水能夠蕩滌一切前塵和污穢，昭示著新生。可桔年穿著當年入獄時的衣服——也就是蔡一林最後送給她的那套衣服，緩慢地走出女監鏽跡斑駁的鐵門時，外面空無一人，除了將天地連成一片的雨幕。她不知道路在哪裡，也就只能怪雨水遮住了她的眼。

父母早就不認她這個女兒，家是回不去了。世界上唯一會牽掛她的人在某處靜靜長眠，等待她的探訪。桔年懷揣著那張出獄證明和在獄中用工分換得的二百六十二元錢，卻找不到回城的公交線，只得一遍一遍地伸手攔著偶爾過往的計程車。那些車輛無一例外地從她身邊呼嘯而過，水珠從她短髮的盡頭滙流成無數道蜿蜒的小溪。她在焦慮過後漸漸也覺得荒唐，哪個司機肯停下來搭載一個監獄門口渾身濕透的女人？

天地無限大，大得荒涼，一個人卻沒個安生處。

這時，桔年看到一個雨中撐著傘急急走來的女人。

是平鳳。她穿著最豔俗的紅色連衣裙，火一樣燒在雨中，額角有汗，嘴裡漫不經心地說：「來晚了，最後接的那個傢伙，跟打了雞血似的，我×他娘的……」

那些粗鄙的話流暢地從平鳳精巧的嘴角吐出，桔年一愣之後，擁住了這世俗而真切的溫暖氣息。

之後的一段時間，桔年一直暫住在平鳳窄小凌亂的出租屋裡。平鳳先於桔年半年出獄，毫無意外地重操舊業以謀生。她不怎麼跟桔年說什麼肺腑之言，總是很忙。那時，桔年也正在為找一份飯碗四處碰壁，身上有限的錢很快所剩無幾，她知道，沒有平鳳，她走不過那些日子。除了閒暇的時候把平鳳狗窩似的出租屋打理得井井有條，桔年無力再做別的。

平鳳年輕、漂亮、妖嬈，在同行裡算是頂尖的，生意也總是很好，夜裡她通常不在，為了桔年，她從不將「客人」帶回住處。桔年一直在平鳳的支持下不遺餘力地打聽著巫雨遺體的下落，跑了不少地方，看了不少臉色，終於得償所願。

跟陳潔潔所知的基本吻合，因為無人認領，巫雨被政府安葬在市郊。沒有像一些死囚一樣被送往醫學院的實驗室，在桔年看來已屬萬幸。桔年憑著知情人的大概指認，依稀找到那個荒涼的地方。由於路程遠，到的時候已近黃昏，佇立在那些野草前，迎著夕陽的方向，餘暉最後的炫目讓桔年幾乎睜不開眼睛。很長的時間她心中都是一片混沌，分不清眼前的一切究竟是真實的還是虛幻的。從城市的一個邊緣到另一個邊緣，從一個被人遺忘的角落到另一個角落，這就是巫雨的一生？裡面悄無聲息的人真的是他嗎？

桔年站到兩腳僵麻，才在平鳳的催促之下離去。離去之前，她木然地將高二那年巫雨送給她的那片「最好的枇杷葉子」掩埋在泥土裡。他說過的，石榴和枇杷，巫雨和桔年。就讓這點熟悉的氣息陪伴長眠的人吧。

很意外的是，在整個過程裡，桔年滴淚未落，不只平鳳擔心她憋出了病，她也一度以為在這一刻自己會崩潰，然而沒有，什麼都沒有。她甚至並非是在心痛之下忘記了哭泣，只是覺得茫然和陌生，竟如沒有感情一般麻木地完成了一個長久以來渴盼履行的儀式。難道是永久的別離和數年高牆中的孤寂鈍化了刻骨的思念？

平鳳嚼著口香糖陪著桔年往回走，眼裡卻不無憂色，桔年的平靜和漠然讓她有些毛骨悚然，直到走出了墳場，她剛鬆一口氣，一直在她身畔的桔年卻停住了。

桔年像聽不到平鳳的呼喚一樣衝回之前的地方，一言未發，俯下身子就用雙手奮力地扒著猶有些鬆動的泥土。平鳳嚇了一大跳，害怕桔年做出什麼驚人之事，而桔年只是從泥土中翻出了不久前埋下的那片枯黃的葉子。

「妳怎麼了？」平鳳挽著桔年問了一句。

桔年捏著那片葉子，突兀地向平鳳笑了一聲，她說：「我真傻，巫雨怎麼可能在這裡。」

是啊，巫雨怎麼可能在這裡？黃土之下那副死寂的枯骨怎麼可能會是桔年的「小和尚」。他土葬也好，火葬也罷，就算在醫院的實驗室裡被解剖得支離破碎又如何，那不是他，只是一副被丟棄的軀殼。

「可是他們明明說……那他在哪裡？」

桔年笑笑不語，拉著平鳳離去。

她沒有說，是怕平鳳以為她瘋了。可她知道自己很清醒，從眼睜睜看著巫雨在她面前一腳踏空那時起，她從未這樣清醒過。

她的「小和尚」從未死去，他一直都在，只是他在看不見的地方注視著她，就好像離開姑媽家的那天，他在石榴樹下目送桔年離開。他不說話，不肯看她，也許只不過是打了個盹，總有一天，他會睜開眼睛，在和風花雨中轉過身來，朝她粲然一笑。

心事既了，現實又擺在眼前，要生存下去，總得找到謀生之所。不管願不願承認，那三年的監獄生涯都是桔年端起謀生飯碗的障礙，你可以不在乎，卻不能當它不存在。如今找工作的人多如過江之鯽，用人單位誰不願意選擇身家更為清白的物件。

最絕望的時候，已經足夠樂天知命的桔年也在屢次失望而返的疲憊中陷入長久的沉默。她畢竟不是幻想世界裡跌到谷底學得絕世武功的幸運兒，相反，她一無所有，平凡如斯。

平鳳在天明時分歸來，鞋也不脫就仰頭躺倒在桔年的身邊，她知道身邊的人睡不著。

「要不……」

「不，平鳳，不……」

桔年在平鳳遲疑地說出那句建議之前斷然回絕，她倉皇地發現自己並非義正詞嚴，而是那麼害怕自己的動搖。

平鳳沉默了一會，繼而發出了微不可聞的一聲冷笑。

「也對，妳當然說不，妳跟我不一樣。我是髒的，妳還是乾淨的，我不該拖妳下泥潭。」

桔年何嘗聽不出平鳳話裡的譏誚，她側過身來。

「髒？乾淨？我和妳有什麼區別，可我們又比誰髒。平鳳，我只是想，總還是會有別的選擇的，一定有的。」她試圖讓自己的話聽起來少一些不確定，這是對平鳳說的，也是對自己說的，「平鳳，也許我們都會有另外一種出路。」

「是嗎？我睏了……」

平鳳再沒有說話，似乎已沉沉睡去，桔年在沉默中閉上眼睛。然而一個相同的疑問在兩人心中久久揮之不去。

別的選擇和出路，會有嗎？

也許是有的，這「出路」對於習慣了寬廣大道的人來說不值一提，然而在需要的人看來，已經足以得到一片天。也是全賴幾年來在獄中的良好表現，女監的一個負責人輾轉得知桔年出獄後的窘境後出面幫忙，終於為桔年在本市的一所福利院裡謀得了一個幹勤雜活的工作，每月收入雖不多，但已足夠維持生計。桔年感激之餘，勤奮工作自然不在話下。

福利院是一個被照顧的地方，也是一個被遺棄的地方。這裡有年邁無依的老人、年幼失怙的孩子，桔年協助院裡的工作人員，每日打掃衛生、清洗被單，忙忙碌碌，倒也沒有人太在意她的過去。她只是害怕那些臨終老人的眼睛，更害怕那些走了又來的棄兒。每次看到那些小小的身影，她無法自控地想起陳潔潔說的，那個永遠不再相見的孩子。

然而命運的安排自有它的奇妙之處。桔年在市福利院工作大半年後的一個午後，她正在拖著走廊的地板，無意間聽到院裡的護工和外來的愛心人士提到的一個可憐的孩子。那是個女孩，三歲，據說父母不詳，一出生就被人收養。孩子兩歲左右時，養父母在給她餵飯的過程中發現她突然出現了面頰青紫、手腳痙攣的症狀，開始還以為是不慎誤食而窒息，送到醫院後竟被診斷出患有先天性癲癇。養父母得知後大受打擊，多次帶著孩子輾轉各醫院就診，但均被告知目前仍無有效根治手段。雖然這病並非時常發作，但是只要它存在一天，就不啻於一個定時炸彈。由於自身家境也不算極好，養父母再三考慮後還是退縮了，雖然不捨，還是將這個女孩又送回了福利院。其後雖然還有想要孩子的夫婦有過收養的打算，但是一聽到這個病，無不打了退堂鼓。

桔年也不知道那個下午她把那條走廊拖了多少回，從這一端到那一端，又從頭開始。直到院長走過，好心地提醒了一句：「小謝，這地板已經亮得能照出人影了。」她停下來，這才知道自己很累很累。

一個三歲的女孩，身患癲癇，被人遺棄。

桔年對自己說，在福利院這大半年，可憐的例子看得還不夠多嗎，這跟我又有什麼關係？可是放下了手中的清潔工具，不知怎麼的，她還是鬼使神差地走到了孩子們午後的活動室。

那時正巧有一對打算收養孤兒的夫婦在場，院裡的工作人員召集所有會走路的孩子圍成一個半圓唱著兒歌，等待挑選。沒有人給桔年任何指引和暗示，她遠遠地就看見那個孩子，在那個半圓裡她個子最小，頭髮稀疏，又瘦又弱，要不是身上衣服的顏色，幾乎難以辨認性別。她跟隨其他孩子拍著手掌唱歌，時不時地打錯節拍，眼裡是這裡的孩子慣有的空洞。

那對年輕的夫婦最終選擇了一個剛八個月的嬰兒，這個階段的孩子沒有太多的記憶，更容易培養感情。那些落選的孩子紛紛散開來，有些互相追打嬉戲，有些獨自玩耍。

桔年拉住看護孩子的工作人員，遲疑地指了指那孩子問：「王姊，那就是癲……癲癇被退回來的孩子？」

被叫作王姊的女人點了點頭，話語裡不無憐憫，「也怪可憐的，三歲多的孩子看起來跟兩歲差不多，又是個女孩。」

桔年不知道自己是怎麼走到那孩子身邊的，那孩子坐在一張木頭小凳子上，不說話，睜著一雙大大的眼睛直勾勾地看著身邊的人。

桔年伸出去的手一直是抖著的，無數個瞬間，她都在說服自己迴避這樣的一次碰觸，就像當初，她一個人推著破舊的自行車在風裡快樂地奔跑，不要回頭，千萬不能回頭，如果她那一天沒有看到巫雨粲然的笑臉，沒有開始，也就不會有那個結局。

如今，多少驚瀾都已漸漸平寂冷卻，她已經不再每晚夢見血光裡自己緩緩張開的手，什麼都握不住，只有孤清的掌紋。

是這個孩子嗎？這就是那個改變了她半生的命運卻素未謀面的孩子？

桔年的手落在孩子疏軟的頭髮上，孩子居然沒有動，只是看著她。眼神是陌生的。

桔年的手往下，橫在孩子的眉目間，遮住了那雙眼睛，女孩薄薄的嘴唇終於有了熟悉的痕跡，彷彿就是這樣一張唇說出：無論走到哪裡，我都會記得跟妳說再見。再見，再見，就是這般宛若在眼前？

桔年是咬著牙的，淚水卻有它的重量，狠狠打落。那淚水彷彿是滴進乾涸龜裂的土地的一線生機，瞬間被吞噬，卻喚醒了久旱的記憶，更覺得難言的苦楚，再也遮不住。桔年蹲在什麼都不懂的孩子面前，沒有聲息地痛哭，她從沒有這樣暢快地流過眼淚，假如一切都是真的，這個孩子，一半是她的劫，另一半卻是她的魂。

孩子感覺到異樣，側了側腦袋，閃躲開桔年遮擋她眼睛的手。

「阿姨，我給妳唱歌。」

孩子顯然是誤會了。跟這裡所有的孩子一樣，她本能地渴望出現領養人將她帶走。這些日子，她見了不少前來領養孩子的成年人，院裡的阿姨說，只要他們夠乖，就會有新的爸爸媽媽。她已經做到最乖，可是沒人挑中她。她還以為蹲在自己面前的年輕阿姨也是一個領養人，笨拙地想要給她表演。

桔年搖頭。

「阿姨，妳能把我帶走嗎？」

福利院的孩子，雖溫飽無憂，但絕對不是生長在溫暖的花室中，沒有哪個不渴望離開。

桔年聞言，心中一涼，這才從她自己吹起的一個彩色泡沫中醒了過來。她是信感覺信命的人，但是誰敢說這個孩子就一定是巫雨的骨肉？世上同患癲癇的孩子不知道有多少，何況，怎麼能肯定他的孩子就一定不幸遺傳了癲癇病，又機緣巧合地被命運送到她的身邊？她現在的境況，拿什麼去照顧一個孩子？就算這真是巫雨的女兒，那這孩子身上也流著另一半她不願意靠近的血液，親生的母親尚且不再尋找孩子的下落，她為什麼要背上這個包袱？不，她為他們背得已經太多，別人的荒唐，憑什麼由她來付出代價？

「會嗎，阿姨？」孩子溫軟的手碰觸到桔年面頰的眼淚。

桔年觸電似地縮了一下，飛快地起身逃離。

「不，不會。」

一整個晚上，巫雨的臉、陳潔潔的臉，還有韓述的臉，反覆在桔年腦海裡重疊，重疊成孩子的面容，一會兒像白天那個孩子，一會兒像巫雨，一會兒竟然有幾分像她自己；一會兒是恐怖的妖孽，一會兒是一攤汙血……她想尖叫，在幻境裡瘋狂地揮手，什麼都觸不到。

她氣喘吁吁地醒來，汗津津的，很涼。平鳳還沒有回來，夜的黑包容而寂寥。桔年擁被坐起，拭了拭額角，呼吸慢慢趨於平緩，好一陣之後，她從枕下翻出了一張上個月的本市晚報。

報紙是平鳳從客人手上拿回來的，版面右下方有一則小小的圖片新聞——「著名旅英油畫家謝斯年近期將在家鄉舉辦個人畫展」。桔年在獄中曾對平鳳提起過自己的這個堂兄。平鳳是個有心人。

「為什麼不去找他？他是妳的親戚，又有錢，說不定可以撈一筆。」平鳳這樣問過。

當時桔年已經在福利院找到工作，收入雖然不豐，但生活漸趨安定，所以她搖頭。斯年堂哥回來了，她是高興的，但不去見，除了不敢，也是不想。年幼的時候，斯年堂哥常說她是個有靈氣的女孩，她不願意一個被生活消磨得平庸甚至有著不堪歷史的年輕女人打破堂哥的記憶。就讓他的記憶裡的小堂妹永遠是那個外表乖巧內心精怪的女孩子吧。況且她要的平靜生活，堂哥幫不了她。

不過，現在不一樣了。從見到那個孩子的一刻起，桔年的人生軌跡註定要改變。她知道，她不可能當那個孩子不存在，不可能把她孤零零地留在福利院裡。不為什麼，假如她可以，她就不是今天的謝桔年。

五天以後，謝斯年在他的畫展上，遇見了一個怯怯的卻在微笑的年輕女子——還有，從她身後探出頭來的另一個小小的身影。

桔年至今感激斯年堂哥，他是她生命中給了她最多實質性幫助的人，而且完全不求回報。桔年的父母跟謝斯年早已疏於聯絡，桔年自己也和堂哥多年不見。可是謝斯年很快地幫桔年辦妥了所有的事情，甚至比她所期望的更多。

桔年未婚，不能合法收養孤兒，另外，她心底裡也不願意這個孩子叫她媽媽。謝斯年說他跟他所愛的人結婚了，雖然他愛的人已經病入膏肓，但這並不妨礙他們領養一個孤兒。由於謝斯年的名氣和財力，領養手續辦理得出奇順利，孩子很快改姓了「謝」。

此外，在得知桔年的近況之後，謝斯年輕易地從桔年北上做生意的姑媽和姑父手中買下了他們所繼承的、林恆貴從巫雨手中奪走的小院落，以此做為桔年和孩子的安身之地。安頓好這一切之後，他並沒有久留。

就這樣，桔年帶著孩子竟然回到了巫雨出生和成長的地方。桔年對孩子說，謝斯年原本就是她的父親，只不過之前一不小心把她弄丟了，現在終於找了回來，因為工作忙，就托桔年這個做姑姑的代為照應。

孩子那時還太小，許多事情不懂得分辨，哪有不信的道理。安定的生活容易覆蓋灰色的痕跡，何況三歲以前的記憶原本就是模糊的，並不需要太久，孩子慢慢淡忘了曾經的養父母和福利院裡的生活。

為了避嫌，桔年也辭去了福利院的工作，靠著在獄中學會的一手嫺熟的縫紉技能，應聘到如今的布藝店做了店員。歲月好像自此翻開了新的一頁。桔年曾經勸過平鳳，盡早從那一行抽身，現在是她回報平鳳的時候了，平鳳可以搬過來跟她還有孩子一起生活。但是平鳳對這個建議付諸一笑。她說：「我這輩子就這樣了。妳也談不上回報我，妳欠我幾個月的房租，但是我欠過妳一條命，妳自己好好過吧。」

是啊，好好過吧。桔年牽著孩子站在落著枇杷葉的院落裡，前塵舊事，恍若電光幻影，南柯一夢，驚石擊碎的水面恢復得安寧如蒙塵的古境，彷彿什麼都從未發生過，她從來就是在這裡，一直都在。只有那棵當年巫雨親手種下的枇杷樹已今非昔比，這讓桔年很容易想到歸有光的句子——

「庭有枇杷樹，吾妻死之年所手植也，今已亭亭如蓋矣。」

那況味，淒涼藏在平靜背後，她是懂得的。

可她何必淒涼。平鳳曾怨她傻，收養一個毫無血緣關係的孩子，更何況，那孩子是不是故人之後還不一定，天底下未必有那麼巧的事，也許所謂的直覺只不過是桔年思念之下的錯覺。桔年沒有反駁，也許平鳳是對的。但是她給孩子取名叫「非明」。太明白，未必是幸福的。她選擇跟隨自己的心。

風吹過院子的矮牆，樹影婆娑，聽說這棵枇杷樹已經結果。桔年的世界一直都是自己一個人，巫雨是徘徊得最近的一個，卻也從來沒有叩門而入。現在，桔年反倒覺得他就在這裡，他回來了，陪伴著她和孩子，只是她看不見。

桔年攤開掌心，巫雨送給她的那片葉子被風拂到樹根。她的世界從未如此圓滿。

她朝空蕩蕩的牆角淺淺一笑，關上了院門。

第五章　相逢猝不及防

在布藝店，桔年的工作一直是盡職盡責的，不僅因為這工作維持了她和非明的生活，更因為她對店主存了一份感激之情，在她處於艱難境地的時候，是這家店的老闆給了她一個機會，而且兩年多前，還任命她為店長，絲毫沒有提及她的前科。

桔年也並不是生來喜歡手工的，純白的少女時代，她把所有屬於自己的時間都留給了巫雨和自己內心的遐想世界，真正開始接觸縫紉是在監獄裡。從笨拙到熟練，日復一日地踩著縫紉機，無比枯燥而苦悶。說不清從什麼時候開始，她學會了適應這個活計，並且嘗試著喜歡它，至少不那麼討厭。只有這樣，那些漫長的勞役時間才沒有那麼難以打發。也許是用了心的緣故，同樣是流水線上機械的操作，她手中出來的東西竟比別人的要精細一些。說起來，這樣的陰差陽錯，是否就好像世間某些人與人，也許一開始並沒有愛，天長地久，別無選擇，因此也平生出幾分無可奈何的情致，藉以聊度此生，竟也沒有那麼寂寞？

桔年沒有想那麼多，只是還在監獄裡的時候，她就學著用針線將剩餘的布頭拼湊起來，做成個小玩偶什麼的。也沒有師傅教她，更談不上什麼書籍教程，就這麼自娛自樂地做了又拆，拆了又做，後來，大家都說她做的小玩意兒精緻得彷彿有了魂。她也樂得把這些成品送給平鳳，送給其他的獄友，甚至是相熟的獄警，拿到小玩偶的人沒有不稱讚桔年手巧的。

帶著非明一起生活後，桔年偶爾也給孩子縫個布娃娃。非明小的時候非常喜歡，可是上了小學之後，她開始更喜愛那些同學們買來的玩具布偶、芭比娃娃、維尼熊，至於姑姑做的小東西，是再也不肯拿出家門了。

桔年多少知道孩子的這點小心思，也不氣惱，她很少強迫非明必須要做什麼或者不做什麼，既然不喜歡，她就再也不做了。在力所能及的情況下，她也會滿足孩子的一些小小的要求，日子雖不寬裕，一兩個小玩具還是買得起的。

非明會把那些買來的玩偶小熊、小娃娃收集起來，整整齊齊地排放在床頭，還正經八百地給它們起個名字，而且還很了解它們的特點，比如，這個小熊最特別的是衣服上的釦子，那個娃娃的頭髮跟別人都不一樣，一件件如數家珍。這個習慣總是讓桔年不經意想起某人，在這點小嗜好上，非明跟他倒是挺相似的，算得上志趣相投。也難怪孩子對他感覺比較親暱，而他也荒唐地一口咬定非明是他的骨肉。這算是有緣分還是沒有緣分，桔年很少往下想。不為難自己，是她一個很大的優點。

這天，桔年給一個顧客趕製一套訂作的布藝抱枕，略略推遲了下班的時間。做店長後，很多手工活基本上已經不需要親自去做，但是如果有顧客指名要求，她也會親自動手。做完的時候天已經暗了下來，桔年跟接班的同事交接好工作，東西還沒有收拾好，一個電話就打了過來。

「桔年，妳在哪兒……店裡？快，妳趕緊過來。」電話那頭是平鳳的聲音。

平鳳是個急性子，卻也很少這樣心急火燎地找過桔年，電話裡她的聲音焦灼，背景嘈雜。桔年問了幾句，對方卻只是說了個地址，來不及解釋究竟，電話就被中途掐斷了。

桔年心中擔憂，也顧不得心疼錢，出門招手攔了輛計程車就朝平鳳說的地址趕去。那地方是G市小有名氣的酒吧一條街，彙集了不少Pub、夜總會、娛樂城和洗浴場所。剛入夜，這裡的熱鬧和喧嘩剛剛開始，不少車輛和人流漸漸向這一段彙集。

按照平鳳的提示，桔年找到那家夜總會並沒有花費太多的時間。她繞過正門，果然見到一條小巷子，這小巷子正是通往酒吧街背後的小路。

不過是一路之隔，走了不到十分鐘，這裡的陰暗跟先前的不夜霓虹已是兩重天地，猶如兩極。桔年過去聽平鳳說過這種地方，同樣一條街，正反兩條路，一條車水馬龍的屬於花錢找樂子的客人，另一條自然屬於她們這些「撈世界」的人。

此時夜幕徹底籠罩了下來，小巷裡的僻靜讓行走中的桔年有些不安，她正想再打個電話確認一下平鳳的位置，一雙手從後面伸出來，不期然地將她一拽。

桔年的驚叫聲差點脫口而出，幸而及時轉身發現是平鳳。被平鳳扯到暗處，桔年捂著胸口的手一直都放不下來。

「有點出息好不好，看把妳嚇得。」平鳳嘴裡埋怨，心裡自然也是有數的，桔年再怎麼安分怕事，可僅憑自己的一通電話，她就在不知底細的情況下貿然赴約，不是好姊妹，斷然是不會這樣做的。

長吁了口氣後，桔年細看，這才發現平鳳一身狼狽不堪，頭髮亂蓬蓬的，為「出工」特別穿的一身俏麗短裙，上身肩帶斷了一邊，本來就半遮半掩的，現在洩漏出了更多的春光，短裙下白生生的大腿上也有不少紅腫淤傷的痕跡。

「妳……」桔年著急得話都說不出來。

平鳳側過臉去揮了揮手，「嗨，誰敢占我便宜啊，老娘也不是好欺負的。說起來今天也算走運，撿了頭肥羊，小撈了一筆，誰知道剛才完事了出來，就遇上了那些王八蛋，差點被她們整慘了。」

「她們？她們是誰？」桔年小聲地問。

平鳳草草地解釋道：「她們就是原本混這裡的人。」

桔年不笨，短暫的一怔後頓時恍然。原來做平鳳這一行的也有「地域觀念」，就像計程車司機載客一樣，大家都有各自常在的地段，所以彼此都心照不宣，很少互相搶飯碗。跟計程車司機相比，平鳳這一行的地域感更強一些，因為她們通常在一個熟悉的區域裡撈營生，還不時需要被這個地段的「雞頭」抽取分成，而「雞頭」在拿到錢之後，往往也充當仲介或著隱形保護者的角色。

平鳳過去並不常在這一帶出沒，據她說撈了一筆，自然也就意味著搶了某些人的「生意」，被人發現，所以吃了虧。

「妳也是的，妳一個人這麼冒失又是何苦？」桔年分開平鳳遮住傷口的頭髮，皺了皺眉。

平鳳說：「我也不是故意的，今天遇到了一隻老肥羊，是他把我帶到這裡來的，反正不撈白不撈。」

「老肥羊？我看妳才是小肥羊火鍋，被人煮了涮了都不知道。」

平鳳笑了一聲，牽到嘴角的傷，也不敢放肆，低聲說：「我也是被逼得沒辦法了，家裡那幫討債的催得緊，老三要交學費。」

桔年頓時沒再往下接話，緩緩歎了一聲，往更黑的地方縮了縮，這才問：「那現在妳要怎麼樣？」

平鳳從貼身的衣服裡抽出被她捲得細細的紙鈔，塞到桔年手裡。

「她們認得出我，我怕待會又遇上，錢沒了，那不是竹籃打水一場空？妳是生面孔，趕緊走，等我脫身了，明天再去找妳。」

事已至此，多說無益。桔年回頭看了看被昏黃的路燈襯得更陰暗的巷子。遠遠的，在另一個背光的角落，隱隱看見停著一輛車子，車旁有一對糾纏的身影。是偷情的愛侶，還是一場交易，誰知道。

對平鳳說了聲「小心點」後，桔年也不敢久留，仔細收好平鳳交給她保管的錢。平鳳說，最好不要走來時的路，桔年便朝相反的方向低頭快步離開。

大概是還沒到這裡生意紅火的時段，來往的人並不多，不時有一兩輛車子無聲地擦過。桔年一路走得只聽見自己的心跳聲，她還是沒能把膽子練得更壯一些。當無可避免地跟停在角落的那輛車、那對人影迎面而過的時候，她把腳步放得更輕，頭埋得更深，恨不得自己化作黑夜裡的一道煙。

還沒等她安然走過，砰的一聲悶響，嚇得桔年暗自抖了抖。視線的餘光掃過不遠處的人影，恨不能兩人併作一個的影子分開了，但令人驚愕的是，這發出動靜的一對，不是他和她，而是他和他。

他們壓低了聲音爭執，桔年聽不真切，只覺得暗處的那兩個人都是衣冠楚楚。她並不是好管閒事之人，心中雖也驚訝，但匆匆一瞥後趕緊將視線調開，只盼速速離開是非之地。

也許她把事情想得太過順利，路口在望，忽然，一聲女人的驚叫再次把桔年嚇了一跳，然而這一次她沒有辦法置身事外，因為她聽得出這個聲音來自平鳳。

桔年回頭，平鳳手腳並用地跟兩女一男撕打著，顯然是落了下風，頭髮被別人拽在手裡，發出介於哭泣和憤怒之間的尖叫，沒有人回應，沒有人在乎，那些拳腳落在平鳳身上，彷彿一點聲音也沒有。

桔年從小到大，哪裡是一個會打架的人？她只覺得一顆心就吊在嗓子眼，下一秒就要脫腔而出。誰來幫幫她，有誰？她病急亂投醫地把視線投在了那對男女，不，那對男人身上，回應她的是毫無意外的漠然。平鳳的尖叫刺痛耳膜，桔年咬咬牙，只得心一橫，奔了過去。

她也不知道自己能做什麼，手上空空如也，連個借力的東西都沒有，到了打平鳳的人跟前，她情急之下只喊出一聲：「你們就不怕員警嗎？」

可憐她連這句有些可笑的警告都說得毫無底氣，尾音還在發顫，一張臉不知道是憤怒還是緊張，彷彿被開水燙了似的熱。話音剛落，桔年好像就聽到了失笑的冷嘲聲，竟不只一處，就連混戰中的平鳳都苦笑了一聲。

就在不知如何收場的時候，跟巷子垂直的小路上有車燈亮起，由遠及近。大概與平鳳撕打的那些人原本就心虛，錢搜不到，人也教訓了，看見光亮，手下頓時有了遲疑。兩個女人最先鬆了手，見好就收地想走，只剩那個形容猥瑣的小個子男人，揪著平鳳的胳膊，將她狠狠地推搡到正逼近的車前。

「平鳳！」

「啊……」

桔年撲身向前，然而已來不及，原本就狹窄的丁字路口，開車的司機也沒料到憑空會有一個人迎面撲向他的車頭，車避閃不及，跟平鳳撞個正著。剎那間桔年腦子裡一片空白，緊緊閉上雙眼再不願睜開，記憶中的血腥味讓她連呼吸都感到困難。她難以控制地哆嗦著，直到聽見了一聲若有若無的呻吟。

這聲呻吟讓桔年一個激靈，忙走近平鳳，血肉橫飛的慘狀並沒有出現，平鳳倒在地上，面露痛楚地蜷成一團，身上除了抓傷和淤青，沒有大面積出血的痕跡。想是那輛黑色的轎車也是路過，由於道路狹窄，路況黑暗，又是路口，因此車速並不快，加上剎車及時，平鳳才沒有在那小人一時的怨毒之下成為車底亡魂。饒是如此，那一撞的威力也不輕，桔年剛觸到平鳳的小腿，她就更加慘烈地呻吟了一聲。

黑色的轎車裡，駕駛座的位置好像落下了車窗，有人探出頭來望了一眼，打開了車門，剛踏出一隻腳，又迅速地收了回去，接著是引擎聲傳來。車主竟然想要趁亂倒車離開。

桔年沒法考慮太多，追上去拍打著車窗，「你不能走……別走……拜託你……至少把她送到醫院！」

車子的力量緩慢地帶著她退後，退後，再前進，她的阻攔無異於螳臂當車。然而，透過慌亂間未及時關緊的車窗，桔年看清了駕車人那張年輕的臉。

她像魔怔一般啞了聲音，緊緊抓住後視鏡的手也變得輕飄飄的，失去了力度。那張臉已不是幼時模樣，卻仍看得出與她有幾分相似。

望年，她一母同胞的弟弟。

桔年從來沒有想過自己跟望年會在這樣一個關口狹路相逢。這個一出生就奪走了她原本生活的弟弟，桔年還記得他幼時黏在自己身邊奶聲奶氣地叫著「姊姊」的樣子。他們姊弟倆最後一次見面是在去年，桔年第一次，也是唯一一次嘗試著將非明帶回父母面前。

那次，望年沒有再叫桔年「姊姊」。桔年從弟弟眼裡看到了跟父母面對她時相似的神情，那神情分明寫著一句話：我因妳而感到羞恥。

桔年至今無法坦然回憶親人的目光落在她身上時的尷尬和難以言述的羞慚，那種感覺到現在仍讓她面孔滾燙、耳際通紅。所以這一刻她在望年面前竟然手足無措。她捫心自問，不管自己曾經做過什麼，終歸沒有傷害過望年乃至父母中的任何一個人，為什麼她在面對他們的時候會這樣自慚形穢、無地自容？也許她心中的軟蝟甲防得了陌生人的千蛛萬毒手，卻防不了親人給的透心涼。

「車子是領導的，妳想害死我嗎？」望年比姊姊更快地從猝不及防的震驚中恢復過來，牙縫裡輕輕擠出這句話。

桔年頓時鬆手，車子貼著她滑過，如幽靈般隱沒在小路的盡頭。

「渾蛋！就這麼走了？我的錢……桔年……」平鳳不解其中關係，痛楚讓她的聲音漸低。

「錢在我這兒，妳別說話，我送妳到醫院。」桔年回神，邊攙扶邊安慰著平鳳。救護車到底能不能找到這裡，平鳳能不能支撐著跟她走到路口，她無法安慰自己。

刺眼的氙氣大燈亮得她睜不開眼睛。桔年蹲在平鳳身邊，一隻手半遮在眼前，看著一直潛伏在暗處的車子緩緩駛向她們身邊。

一個男人的聲音說：「上車，先去醫院。」

「這就是你的解決方式？寧可送兩個妓女到醫院，也不肯面對我的問題？」這憤怒的質疑自然來自於另一個人。

桔年眼觀鼻鼻觀心，試圖置身事外，除了受傷的平鳳，她眼睛看不見，耳朵聽不見。在男人的幫助下，逐漸失去意識的平鳳很快被安置在車內，桔年遲疑了一下，也上了車，而另外一個男人留在原地。

車子啟動的時候，桔年看到那個站著的男人輕輕扶了扶眼鏡。

「很好……唐業。」

第六章　卑鄙的善良

陌生人的車子拐出陰暗的小巷，朝最近的第三人民醫院開去。桔年坐在後排，平鳳臥躺著，頭枕著桔年的腿，豆大的汗水漸漸將臉上的濃妝暈開，依稀露出變得蠟黃的肌膚。

桔年輕撫平鳳的頭髮，祈禱著快點到醫院，車子裡沒人說話，除了平鳳偶爾模糊的呻吟，便是三個人的呼吸聲。桔年本不善與陌生人相處，何況事情起源於那樣紛亂而難堪的一個場景，所以她甚至不怎麼敢從後面放肆地打量前排的人，只記得他黑色的衣角和隱隱的古龍水味道。

等待紅綠燈的間隙，男人打開窗子，點了支菸，桔年被煙霧一嗆，沒憋住，咳了一聲，那男人聞聲側了側頭。桔年一窘，她知道和平鳳能上這輛車已是難得的幸運，唯恐自己的態度被人誤以為是對抽菸一事有微詞，顯得不知好歹，連忙漲紅著臉，吞吞吐吐地說：「我不是……你抽吧，儘管抽。」

男人的身子側了側，桔年的頭更低了，不說話還好，說了反倒是矯枉過正。她想，其實自己這個時候最應該做的是道一聲感謝，萍水相逢，別人本沒有義務幫她們，何況這件事看起來導致了另一樁不愉快，不管事實上是否由她們而起。

「謝謝你。」她低聲說。

紅燈已過，前排車輛開始緩緩移動，男人熄滅了半截香菸，坐正了身子，專注於前方的路況，對桔年的感謝沒有表示任何的回應。

也是，正如他的「朋友」所說，送「兩個妓女」到醫院，有什麼光彩的，之所以出手相助，大概只因為他不是個見死不救的人，至於她的感激，他並不放在眼裡。

這樣想著，桔年的心裡反倒平靜下來，一心只想著什麼時候到醫院，平鳳的傷不會有什麼事才好。

夜晚，醫院的急診室也並不平靜。平鳳被抬進了治療間，醫護人員對傷勢進行察看，診斷結果除了部分軟組織輕微損傷外，最嚴重的就是腿部，X光的結果還沒有出來，醫生憑經驗基本上可以認定為外力引起的大腿股骨粉碎性骨折，建議進行內固定手術。

「妳是病人的家屬嗎？」醫生問桔年。

桔年看了平鳳一眼，點點頭，平鳳雖然父母健在，兄弟姊妹眾多，但是可倚靠的也只有她而已。

「準備好入院費用吧，她的傷勢不輕，妳先到收費處把錢交一下。」醫生打量著桔年說。

這個時候平鳳已經清醒，用手半撐起身體，問了句：「多少錢？」

「先交五千吧，其餘的過後再說。」

「我×！」平鳳忍著痛咒罵了一句，「有沒有搞錯，怪不得都說你們醫院是喝人血的，至於宰這麼狠嗎？」

那急診科的女醫生聞言冷笑道：「錢也不是收進我的口袋，說實話，妳交不交我都沒有損失的。妳腿上的傷要是找民間大夫，敷敷草藥，弄點兒偏方什麼的，估計也就是五百塊錢能拿下的事，而且再怎麼著也死不了人，不過是以後走路瘸一條腿，妳們省了錢，說不定還能落個殘缺美。」

「妳怎麼說話……」平鳳氣惱，掙扎著就要起來，桔年趕緊按住了她，她雖不服，可腿傷也著實磨人，想橫也橫不起來，咬著牙，暗自裡自認倒楣。

那醫生見這個情景，又說了一句：「看妳的傷也是被人撞的吧，誰撞的找誰去啊……怎麼，沒抓著肇事者？」

桔年的臉刷地一下慘白了，平鳳也一時沒了話說，過了一會兒，翻出先前讓桔年藏著的一小捲錢，她今天賺了一筆，恨不得拿命來護著，其實數來數去也不過千元，加上自己手頭的一些積蓄和桔年身上的所有，兩千塊錢都不到。

平鳳捏著錢，一雙眼睛慢慢地黯了下去，她橫什麼？醫院是個再現實不過的地方，她能拖得了幾天，明天一樣得交錢。她身無長物，唯一能靠的就是這副年輕的軀體，如果瘸了一條腿，誰會花錢去買一個殘廢的妓女。她不想讓醫生看低了自己，可一行眼淚還是掉了下來。

「唉，妳們想想辦法吧。」醫生的嘴雖然刻薄，畢竟惻隱之心仍在，也沒再繼續雪上加霜。

「我家裡還有一些，先回去拿。」桔年拍拍平鳳的肩膀起身就要走。

平鳳一把拉住她，「妳有多少錢，我能不知道？妳還有個小的要養呢。」

「總要想辦法啊。」桔年手頭上可以動用的確實也不到千元，孩子上學、衣食住行的費用不低，她基本上難有積蓄。想辦法，想辦法，辦法在哪裡，她也不知道。清貧避世的生活她並不覺得苦，但是到了這種時候，現實迎上門來，才再度體會到貧賤的可怕。堂哥不知道人在哪裡，她連個能借錢的人都找不到。

「那些開車撞人就跑的司機確實是可恨。」一旁的小護士看不下去，也插了一句。

就在這時，平鳳的眼睛忽然一亮，拉住桔年的手收緊，另一隻手抹了抹眼淚，急聲說道：「他應該還沒走遠！」

「誰？」醫生和桔年俱是一愣。

「我想起來了，送我來的人，送我來的那個男的，就是他撞的我！別讓他走了……」

桔年難以置信地看著平鳳，平鳳的眼神是清醒的，清醒中帶著哀求，桔年讀得懂她沒有說出來的話，「那個男人看起來有錢，五千塊錢對他來說算什麼！」

「男人？送妳來的，高高的，穿黑衣服的那個？」女醫生最先反應過來。

「對，是他。」平鳳用力點頭，她的手掐痛了桔年。

女醫生沒有遲疑，立即吩咐身邊的小護士：「妳追過去看看，跟院裡的保安說一聲，看還能不能攔住。」

桔年微微張口，話到嘴邊，卻說不出來，眼看著小護士飛快地掉頭跑了出去。

「妳們也是，這麼大的事情，怎麼不早說，這點自我保護意識都沒有？」女醫生皺眉訓道，「還不給交警打電話，肇事的人就要讓他付出代價。」她說著，又轉向桔年，「妳跟她一起來的，她動不了，妳出去看看，要是保安追回來了，也可以辨認一下。」

桔年垂下了眼簾，睫毛微微撲閃，光與影交織著。她輕輕拉開平鳳死死揪住她的手，點頭走了出去。

桔年跟醫生一前一後地出了治療室，正好看到剛才那個小護士氣喘吁吁地從大門方向跑回來，撫著胸口說道：「還好跑得快，保安在停車場截住了一個，黑衣服，高個子，是不是剛才送妳們來的那個人？真看不出來，斯斯文文的，我還以為他見義勇為，差點就讓他溜了。」

緊接著，那男人的身影在一左一右兩個保安的「簇擁」下走了回來。

桔年是難受的，韓述說過，她是個謊話精。謊言她確實沒少說，但她沒有傷害過任何人，何況是幫助過自己的人。她的頭幾乎要貼在胸口，只看見幾雙鞋子環圍在自己周圍，再度聞到了那股淡淡的古龍水味。

他的褲腿挺括，鞋子得體而整潔。桔年可以感覺得出這是個生活在良好環境中的人，就跟韓述一樣。可平鳳也有一雙修長漂亮的腿，雖然這雙腿上總是穿著廉價而豔麗的鞋子，可她不能瘸了。但凡有選擇，桔年不會這麼做，可世界上那麼多罪惡，多少是自願的呢？公平從來就是相對的，如同善良一樣。

「妳倒是看看，是不是他啊？」女醫生在催促。

桔年緩緩抬頭，揚著下巴，迎上那雙冷冷的審視的眼睛。

「是他。」她果然是天生的謊話精，顛倒是非的話說出口，反倒如此沉著。

「呵。」男人撇過臉去笑了起來，彷彿自我解嘲，「我撞了她？」

「你沒有嗎？」女醫生面露鄙薄。

「如果我撞了她，我絕對不會就這麼走了。可惜很遺憾，撞人的不是我。」他並沒有桔年意料中那麼憤怒而激動，字字清晰地為自己開解，「撞人的是一輛黑色奧迪，當場就離開了，我恰好在附近，所以就把她們送到醫院來了。」

「就是你撞的我！如果不是，你怎麼會那麼好心大老遠地把我們送過來，你以為你是活雷鋒？有誰會那麼傻？」平鳳坐著輪椅，由護士推了出來，高聲說道。美麗的一雙鳳眼被糊掉的睫毛膏裝點得有幾分猙獰，在歡場上打滾，她早就學會了怎麼保住自己，為了保住這條腿，她可以不顧一切。

「是啊，我怎麼會那麼傻。」那年輕男人面無表情地吐出這幾個字。

「你待會兒跟交警解釋吧，他們馬上到了。」醫生揮揮手說道。

「也好。」男人冷笑，並不害怕，逕自走到一旁的椅子上坐了下來。

「你別想走！」平鳳見他身子剛一動，害怕眼前唯一的機會溜走，尖聲喊道。

桔年卻知道那男人不會急於溜走，因為他不屑。也許他在交警中有熟人，也許他知道自己的車子沒有撞痕，紅口白牙，看來栽贓難成。平鳳以為留下他就留下了自己的醫藥費，也許不……

此時，她是離那男子最近的一個人，她低頭理了理頭髮，放低聲音，慢吞吞地說：「你說不是你撞的，交警也許想知道，當時你在幹什麼。」

一秒、兩秒、三秒……那個男人終於站了起來，桔年強迫自己面對他的憤怒和輕視，她是個多麼惡毒卑鄙的女人啊，就讓他看個清楚。

男人的眼睛一直沒有從桔年臉上移開，他看著這個滿臉通紅，雙手交疊著在身前輕抖，卻一下子精準地點中他死穴的女人。

良久，他終於開口，「好吧，是我撞的，妳們要多少錢？」

一旁的醫生、護士面對這個突然的轉變不由得面面相覷。平鳳眼裡卻頓時有了光芒，天底下的肥羊不只一頭！

「兩萬，不，三……」

「平鳳！」桔年打斷了輪椅上的人略顯激動的喊叫。

「五千塊，就算我們私了，以後的事跟你再也沒有關係。」她木然地對那個男人說。

男人譏誚地笑笑，「妳能代表她嗎？」

桔年回頭望了平鳳一眼。

平鳳遲疑了一會，說：「她當然能。」

交警趕來了，眼看雙方似乎已達成共識，也基本認可這個私了的結果，自然不再深究，例行公事地辦完手續，就放當事人離開了。此時桔年也順利地辦好了平鳳的入院手續。

「等等，麻煩你等等。」

男人走到車邊，再次聽到這個聽起來怯怯的聲音在背後響起，緩緩地從車門把手上垂下手，深吸了口氣，克制地轉身。

四下無人，桔年走到他身前兩米開外。

「我以為妳會見好就收，原來妳才是胃口最大的那個，剩下的想收進自己口袋裡是吧。」他做出個恍然大悟的表情，眼裡是隱忍的憤怒。

桔年絞著自己的手，「能不能給我一個能夠聯繫到你的準確地址？」

他扶住自己的車，好像在聽一個十分低級的笑話。

「是不是剛才我給妳的感覺是錢特別多，人特別蠢？聯繫我的地址？哈！」

桔年沒出聲，靜靜地站在原地等了一會，確定他不可能主動告訴自己，便低聲說道：「你不給，我也可以向交警要的。」

或許桔年應該慶幸她遇上的確實是個有教養的男人，否則，他如果當場發作，甚至惡毒地辱罵，她雖能接受，但會非常非常難堪。可這個叫唐業的男人沒有，儘管桔年看得見他捏得發白的手，然而很明顯，他在忍耐，而且對於自己的感情隱私相當忌憚。

「妳到底想幹什麼？」他的聲音已降至冰點。

桔年低頭說：「你信我會把錢還給你嗎？」

回答她的又是一聲冷笑。

「那，那就當是我需要考慮清楚用什麼封住我的口之後，再去找你吧。」桔年很少把話說得那麼快。

他的沉默顯然是在權衡，最後還是從車上翻出了記事本和筆，草草寫就，撕下一頁。

「妳要的都在上面了。」他淡淡地說完，遞到桔年跟前，就在桔年伸手去接的那一瞬間，他鬆手，紙輕飄飄地落到了地上。

桔年俯身去撿，站直的時候他已坐入車中。

她把紙收進口袋裡，在車子離開之前，再度拍了拍緊閉的車窗。

男人搖下車窗，他的克制已岌岌可危。

桔年從車窗的縫隙裡遞進一樣東西。

「不好意思，你掉了鉛字筆。」

平鳳的手術安排在次日，醫院已經對她的傷口做了必要的處理。她再三對桔年說，自己一個人應付得來，有護士在，不用陪夜，再說桔年明天還要上早班。

桔年也不堅持，囑咐了她好好休息，便獨自回去，還幸運地趕上了末班車。

第七章　最好的補償

下了車，她借著路燈，展開那張讓她矮下身子撿起來的紙條，邊走邊怔怔地想著這一晚紛至沓來的變故。平鳳，望年，唐業……桔年歎了口氣，還有他，韓述。

桔年看見韓述坐在自己家破鐵門前的臺階上，正一小塊一小塊地揪著手裡的枇杷葉，不知道他這個動作已經重複了多長時間，腳邊散落著不少扯碎的「殘骸」。

「行啊，就一百米的距離，妳走了五分鐘。」他將手上的葉子就地一扔，站起來仔細拍著褲子上的灰塵，忽然發現自己的心情居然並沒有因為等待而變得很壞。

桔年卻沒有再往前走，停在十米開外。她只想回到屬於自己的一方小院落。今晚有些疲憊，她連敷衍他都感到厭倦。

「有事嗎？」她緊緊抓著自己包包的帶子，風把耳邊的散髮不停地往面頰上撩，樹欲靜而風不止。

「妳說呢？」韓逑幾步走到她面前。她近在咫尺，其實韓逑心中還是有些緊張。剛才他坐了許久，將該說的話、應有的動作和表現在心底演習了許多遍，可是她一出現在視線範圍裡，他就難以控制地心慌，慌得亂了方寸。

此時的桔年站在夜風裡，髮梢凌亂，臉帶倦色，衣角微動。韓逑在這一瞬間覺得，他害怕著的人是那麼弱小無依。眼前的她和回憶中的她一再交疊，那種說不清道不明的感覺喚醒他每一個毛孔，在心裡匯成誰也聽不懂的呢喃。

她有什麼好，她有什麼值得自己魂牽夢繞。誠然，年少時的韓逑曾經因謝桔年而心動，可是，哪一個男孩青春時節沒有過這樣一段懵懂的情愫？他有過衝動，在心中勾勒過未來，然而假如那時桔年愛上了他，他們共同走過不解情事的歲月，到最後分道揚鑣，也許只會各自變成對方心裡一個灰色的影子；又或者桔年的生活與他從未有過交集，她不愛他，他遠遠地想著，把她想成了天邊閃著微光的星星，僅此而已。可她偏偏在懸崖邊將他一把推開，用最淒厲的方式劃過他的生活，他陽光燦爛的青春在那刻起也隨之血濺五步。往事永不可逆轉，謝桔年也成了韓逑心中不能碰觸，卻永不可替代的存在。

這些年，韓逑仍然走在他生來就被鋪設好的康莊大道上，春風得意馬蹄疾，只有他自己知道光鮮的表面下藏著負疚的毒，日積月累，如疽附骨。他諱疾忌醫，不敢碰觸，可那些毒無法自癒，爛在了心裡。

他每天早上醒來，對著鏡子說，我很好，我會沒事的，我會忘記的，會的會的會的！他笑，他開心，他一帆風順，他左右逢源，他的生活熱鬧無邊；可他也害怕天黑，他害怕做夢，他害怕安靜下來的時候，害怕鏡子裡的自己，害怕承諾，害怕每一個跟她相似的表情，害怕再也找不到跟她關聯的痕跡，更害怕對任何人提到將來。

他微笑著牽起第一個女友的手，腦子裡一閃而過的是掐在被告席欄杆上沒有血色的指甲；大學裡代表社團拿下第一個羽毛球比賽冠軍，助威的女生歡聲雷動，他總以為冷冷擲下球拍的那個人就在熱鬧之外的某個寂寥的角落；校園的林蔭道上他與友人談笑風生，安靜的那一秒，他會想，高牆的另一面是什麼樣子，她此刻會在做什麼呢？進入檢察院後，順利辦完第一個案子，父親欣慰地拍了拍他的肩膀，可他卻無法確信正義的存在。

現在，命運推了他一把，讓他重新來到她面前。在謝桔年面前的韓述不用背那層偽裝的殼，他撕開完好無損的表相，看到心底的潰爛，赤裸地袒露他所有的罪。他是真的害怕謝桔年，而謝桔年也是唯一能讓他獲得內心安寧的人。她一個單身的女人，帶著孩子，孤苦伶仃，也許正需要一雙手、一個懷抱。十一年前他如此懦弱不堪，但誰說錯了就不可以彌補，他犯下的錯只有自己能夠償還，給她什麼他都願意。韓述願奉上餘生的一切來補償。

這頓然貫通的心思讓韓述肩頭一輕。她無依無靠，他可以保護她，給她好的生活的，他的心也會因此而好受些，這樣不是很好嗎，無論對謝桔年還是自己，都是最合適的橋段。

「妳的包怎麼那麼髒？」韓述拂了拂桔年布包上的泥，語氣也變得輕快了。

桔年卻悄悄地往後退了一步，恰好避開了他的碰觸。

「有事嗎？」她又問了一句，話裡話外並不咄咄逼人，卻都是不帶感情的抗拒。

韓逑的手尷尬地停在半空，伸也不是，收也不是。

他畢竟是個驕傲的人，除了與謝桔年相關的一切，他鮮少碰過釘子，儘管打定了主意從今往後要對她好，可微微的惱意還是藏不住。

「當然有事，妳知道非明今晚等了妳多久，她有多失望嗎？」他乾咳了一聲，收回手，直起腰，試圖讓自己看起來師出有名。

「嗯？哦……」桔年愣了愣，明白了他的意思。一早非明就跟桔年說過，她念的寄宿小學在今天晚上有個文藝演出，而她也參加了，要跳一個舞蹈，希望姑姑有時間的話能去看看。桔年起初是打算好了要去的，誰知道出了平鳳這一檔事，非明那邊的觀眾自然是當不成了。

桔年心中當然有些歉意，但她覺得非明應該可以理解，孩子從小跟著她，也知道姑姑的上班時間沒個定時。以往實在調不了班，沒辦法去開家長會的事也是有過的，非明也很樂於跟老師解釋。也許在這孩子心裡，家長會的席位她更願意為她幻想中虛構的父母而留，而且非明並沒有告訴桔年，今天晚上她同時也邀請了韓逑。

韓逑卻對桔年的反應相當吃驚，看她的樣子，明明不是忘記了，而是根本沒有把這件事放在心上。

「妳知道這對於孩子來說意味著什麼嗎？」非明的舞跳得很賣力，韓逑看著她跟一幫小同學從舞臺上下來，別的孩子乳燕歸巢一般地撲向拿著相機守候的父母，而她卻慢騰騰地自己拆著頭上的髮飾，走在最後面。看見韓述朝她揮手時，非明驚喜得眼睛都亮了。那時韓述是真的心疼這個孩子，她和她的媽……姑姑一樣，都應該被人捧在手心，愛得像顆鑽石。

「我知道，但今天晚上有點事……」桔年低頭掠了掠遮住了眼睛的劉海，試圖從韓述身邊繞過去，她其實完全不需要向韓述解釋，可她想盡快結束這對話。

韓述不依不饒地擋在她面前，「說真的，我今天也很忙，妳信不信，我查了好一段時間的案件裡的當事人，莫名其妙地就從五樓跳了下去，給我留下一堆沒頭緒的線索和爛攤子，我本來不應該惹上這堆麻煩事……我說這些是想讓妳知道，不管怎麼樣，孩子是需要被重視的，不管大人有多忙。」

「謝謝你，我知道了。」桔年換了一個角度繼續朝鐵門邁進。

這回韓述索性一手撐在鐵門邊的牆上，徹底斷了她的去路，「我不管妳怎麼看我，難道妳不能好好地聽我把話說完……即使是為了孩子？」

桔年百般無奈地垮下了肩膀，「你沒有必要那麼擔心非明，我是她的親人，我會比『別人』更知道怎麼關心她。」

韓述是個靈醒的人，他當然聽得出桔年話裡試圖表達的意思。「妳是想說，我就是那個多管閒事的『別人』？」

桔年不願意跟他繼續口舌之爭，她知道自己說不過他，於是搖了搖頭，近乎於哀求，

「韓述，我們一次把話說明白了好嗎？非明不是你的孩子，也不是我的孩子，她跟你沒有關係，我們的生活跟你也沒有關係。」

韓述想，自己的臉色在那一刻肯定非常難看。對於非明是否是他的親生骨肉，他自己也有過多種設想，但謝桔年當面不留一絲餘地地撇清，依然讓他心裡非常失落。因為他幻想過孩子是一條紐帶，只要這條血緣的紐帶存在，他們就永遠不會是陌生人。

「我現在也相信她不是妳生的，因為有眼睛的人都看得出來，妳養了她，但妳不是真的愛她。」

桔年用鑰匙開鎖的手有些哆嗦，她也算是搞明白了，眼前這個人的出現並非僅僅是因為她缺席了一個晚會，這麼多年了，她想把那一頁翻過去，他卻不肯放過她。

鐵門終於打開了，韓述的手卻還橫在面前，桔年沉默了一會，忽然雙手並用地去扳那隻手，企圖強行解除障礙。

韓述就勢抵住她的雙肩，急急地說：「我知道妳心裡記恨，是我做錯了，妳要打要罵都沒有問題，要不妳搧我一個耳光，兩個，三個……妳總得給我一個補償的機會。」

他忘了，桔年平時看來雖然好欺負，但是拗起來多少匹馬都拉不回。她根本就沒有打算再吭聲，也拒絕任何的交流，拚了命似的，彷彿除了闖進那扇門，再沒有值得她上心的事。

兩人一個推，一個擋，韓述雖然占上風，但唯恐一不留神傷到桔年，始終有所顧忌，竟也一時奈何不了她。老舊的鐵門和風化的磚牆原本就脆弱不堪，哪裡經得起兩人這樣折騰，混亂間只聽見哐啷一聲巨響，整扇鐵門從固定的牆上脫離了出來，挾著一堆粉塵，轟然落地。桔年手上的包包也隨著那一瞬的失衡脫手墜落，大大小小零碎的隨身物件從開放式的袋口散了開來。

這一下，終於把像孩子一樣扭打的兩人都鎮住了。韓述呆呆的，除了暗自懊惱，束手無策，而桔年也定定地站在那裡，欲哭無淚。

這不正像他們之間一直以來的糾結嗎？誰都不知道對方想怎麼樣，各自擰著勁兒，不知道怎麼開始，也不知道如何善終，結果兩敗俱傷，滿地狼藉。

最後，是桔年漠然地蹲了下來，默默收拾著散落一地的東西。韓述亡羊補牢地趕緊幫忙。一束光亮忽然投到他們所在的位置，把他們嚇了一跳，也照得兩人無所適從。

「誰在那裡，半夜三更的幹什麼？」財叔披了件衣服，打著手電筒遠遠地問，想是剛才的響動驚擾了他。

桔年一手遮光，含糊地答應著，「沒事，財叔，門忽然壞了，不好意思，吵到你了。」

財叔也看清了蹲著的兩人，竟也沒再探究，打了個哈哈，「桔年啊，沒事就好，妳一個女孩子，我還以為有賊，沒事就好！」

目送財叔關上了自家的門，桔年也捧著包裡比較重要的物件站了起來。包包用了好一段時間，之前為了平鳳的事情已經折騰得相當狼狽，如今連包帶都斷了，她只能一股腦地把所有的東西抱在懷裡。

伸手擦了擦臉，桔年也弄不懂自己搞成這樣是為了哪般，她從來就不是一個衝動的人，何必跟他較勁？

韓述看著桔年擦臉的同時，也把手上的灰塵蹭到了腮邊，正苦於不知如何緩和這僵局，趕緊抽出一張紙巾遞了過去。這一次，桔年已沒有了剛才的失控，只輕輕地將他的手推開。她又恢復到了韓述最不願看到的樣子，無愛無恨，靜若止水。這院子的鐵門倒了，可隔在他們之間的那扇看不見的門卻關得更緊。也許，這扇門從來就未曾為他而敞開過。

「桔年……」任憑他上天入地，七十二變，也翻不出空寂而沒有方向的五指山。韓述從來就能言善辯、巧舌如簧，這時除了一個名字，再也說不出其他。

桔年淡淡說道：「你說過要給我補償。」

「對，是我說的，妳要什麼？」韓述彷彿又看到了一線生機，聲音都微微變了調子，恨不能把心都掏出來，還唯恐不夠新鮮。

她說：「離我們遠一點。」

桔年說罷轉身，踏過倒塌的鐵門和碎磚塊步入院內，推開大門之前，她又想起了他此番的出師之名，回過頭看了一眼僵直如路燈的韓述。

「也許你說得對，我不算一個好家長，但我已經盡力了。」

第八章　誰欠誰還

桔年回到屋子裡，拉上窗簾，不願意看到韓述投射在玻璃上的身影。放下手裡的東西，她跌坐在非明空著的床沿。

補償？她苦笑。他能讓時光倒流？韓述也不過是肉體凡胎，他做不到，所以沒有什麼能夠補償，她也不想要任何補償。就如同她不想去恨他，因為恨太佔據心扉。更何況，如果韓述是個自私的人，她又何嘗不是呢？

非明今天住校，她的玩偶孤單單地擠成一排。桔年茫然地擺弄著一個絨毛玩具，她也問自己，正如韓述所說，自己真的愛這個孩子嗎？就拿今晚而言，平鳳的事固然緊急，可她心裡是否一開始就認為非明的那個晚會並不重要？

桔年原本就是一個不知道父愛母愛為何物的孩子。在她的孩提時代，父母缺席她的每一個歷程，好像是理所當然的事。沒有人下雨天給她送過雨傘，沒有人在臺下給她鼓掌，沒有人在家長會上關心她的成績，沒有人為她的晚歸而焦急。在這一點上韓逑當然跟她不同，他從來都是父母的掌上明珠，韓院長就算對兒子嚴苛，那也是愛之深責之切。高考的那些天，韓逑的父母請假在考場外殷殷守候，桔年卻是在考試結束幾天後，才被爸媽問起，快高考了想吃點什麼。韓逑和她對於愛的體驗是完全不一樣的。

沒有得到過愛的孩子很難懂得去愛，因為她感受到的東西太過貧瘠。回過頭看，桔年這樣一個孤獨的孩子，她把父母之愛、兄弟之愛、友人之愛、情人之愛通通傾注在生命中唯一的巫雨身上，她也只懂得愛巫雨而已，所以才如此傾盡全力。感情若有剩餘，不知道還能給誰。

她為什麼收養非明，是因為她愛孩子嗎？她每天告訴自己，要好好地撫養非明，給非明一個家，不要深究她身上流著的是誰的血。可是非明一天天地長大，除了隱而不發的疾病，她卻不怎麼像巫雨，眉目、脾性、神態愈來愈神似巫雨生命中的另一個女人，桔年的心一點一點墜入失望。是，她善待非明，已經盡力，可也只是盡力而已，真正的愛不是盡力，是盡心。

桔年從來沒有大聲苛責過非明，也很少強迫非明按自己的想法行事，不曾對非明有什麼要求。假如這是上天賜給她和巫雨的孩子，她還會這樣做嗎？她一定會在孩子不聽話的時候狠狠責罵，也會在自己最絕望的時候摟著孩子痛哭一場。

很多個夜晚，非明熟睡之後，桔年會坐在這個床沿，輕輕的，用手遮住非明的眉眼，只留下唯一找得到故人影子的薄唇。那時桔年就知道，她愛的不過是巫雨的影子。韓述沒有說錯，她太自私，而孩子多麼無辜。

大概是因著對非明的歉疚，週五桔年特意提前了一個小時下班到學校接她，順便一塊去吃孩子喜歡的披薩。趕到台園路小學，放學的時間剛過了三分鐘，仍有潮水般的小學生從校門口湧出來，非明是個喜歡放學後磨蹭很久才回家的孩子，可桔年一一看過去，總不見她的影蹤。直到人潮漸稀，恰好非明的班主任跟幾個老師有說有笑地走了出來。

「王老師，請問非明是不是還在教室那邊？」

王老師「哦」了一聲，又上下打量了桔年一番，嘴角帶笑，那眼神、那笑意，讓桔年生出了幾分不自在。

「你們家謝非明啊，放學鈴聲剛響，就被她爸爸接走了……對了，你們應該快重婚了吧？」

「啊？」桔年滿臉通紅，不知這話從何說起。

王老師也是年輕人，想來也是覺得自己的話有些唐突，抿嘴笑了笑，「您別介意，我不是過問您的私生活，不過家庭的完整對於孩子而言影響力是非常大的，謝非明的爸爸常來之後，這孩子的性格就比以前開朗了。放心吧，大概他們早您一步回到家了，再見。」

「哦，再見。」桔年倉促地扯出了一個笑容。

不用猜，她也知道是韓述又來接孩子了。也不怪老師多管閒事，誰見了這情景，大概都會猜她是個偽稱姑姑的單身媽媽。現在缺位已久的「爸爸」出現了，一家團圓，皆大歡喜，如同一齣大眾喜歡的連續劇。

回去的路上，桔年有些心不在焉。關於非明不是韓述的孩子這一點，她想自己已經闡述得足夠清楚了。韓述是個聰明人，他應該可以分辨出這是個事實。可是看起來，他對非明的關照並未減少，難道他真的把自己當成了救世主？非明是個非常敏感的小孩，她的生活中若是出現了韓述這樣一個能滿足她所有憧憬的長輩，她的喜悅和投入是非常熱烈的。要是有一天，這種憧憬幻滅了，只怕會比從未出現更殘忍，桔年都不敢再往下想。

到了家，桔年推開前兩天在財叔的幫助下重新立起來的破鐵門，家裡沒有人，不知道韓述把她帶去了哪裡。直到桔年做好簡單的晚飯，眼看夕陽西沉，門口也沒有動靜。

桔年這時不由得有幾分擔心，要是接走非明的不是韓述呢？這麼一想，更是坐不住了。這時才發現自己也沒個能聯繫上韓述的方式——就算真的有，她肯打一個電話過去嗎？與韓述再有任何交集都不是她的本意。

桔年正坐立難安間，外面隱隱傳來車輪聲。桔年走出院門去看，果然是韓述的那輛銀色斯巴魯由遠而近。

興許是看到了走出來的桔年，韓述竟然遠遠地把車停在了財叔家小賣部附近。過了一會兒，非明手裡提著好幾袋東西，推開車門，蹦蹦跳跳地朝家門口的方向走來。

桔年也不去看那車子，一心等著非明走到自己近前。

「姑姑，我回來啦。」

「怎麼這麼晚，姑姑多擔心妳啊。」桔年薄責道。

「也沒多晚啊。」非明嘴裡嘟囔著，眼睛掃到自己手裡提著的東西，興致又高了起來，「韓述叔叔帶我吃很好吃的冰淇淋，還給我買了好多好玩的東西。」

桔年本想說，讓別人破費是不對的。可是一觸到非明興奮但又惶恐的表情，有些話又嚥了回去。她厭倦了做一個破壞別人快樂的惡人。

果然，發現姑姑臉色稍沉之後，非明抱緊了她的「寶貝」，可憐兮兮地央求：「姑姑，我喜歡韓述叔叔買的東西。」

桔年看了看那些花花綠綠的包裝袋，想來無非是孩子喜歡、他也喜歡的一些奇形怪狀的小玩意兒，便歎了口氣，「下不為例。我們進去吧，妳還吃晚飯嗎？」

非明點頭，走了幾步又轉身，遠遠地朝著韓述車子的方向擺了擺手，韓述的車停得遠，人沒有下車，卻也不急於離開。

「對了，姑姑，這是韓述叔叔讓我帶給妳的。」剛進院子，非明忽然想起來似地把手中最大的一件東西塞到桔年懷裡。

桔年一愣，並不伸手去接。

「姑姑……妳打開看看嘛。」非明撅著嘴撒嬌，見桔年一動不動，便自己為姑姑拆開了包裝。

那是一個女式的單肩包，桔年一看，更是沉默了。

「我說不好看嘛，韓述叔叔偏說這個好。」非明擺弄著包包自言自語。

桔年並非時尚潮人，日常用度也以簡單舒適為最大追求，可她再遠離潮流，吊牌上的顯著logo和經典的款式，還是有印象的。她不再繼續往前走，回頭，韓述的車子果然還在。

「非明，幫姑姑做件事好嗎？去把包包還給韓述叔叔。」她蹲在孩子面前低聲吩咐道。

「為什麼呀？姑姑妳不喜歡嗎？可是韓述叔叔挑了好久……」非明不解。

「聽話。」

「那韓述叔叔多難過啊。」

桔年按捺住自己的情緒，她有些懷疑孩子的這些話是出於韓述的授意。

「姑姑再說一次，把包包還給韓述叔叔好嗎？」她的語氣依舊是平和的，但是非明在她身邊那麼多年，多少也略懂察言觀色，唯恐姑姑轉念讓自己把那些小玩意兒一併還回去，只得一甩馬尾，朝韓述的車子跑過去。

非明過去之後，桔年也鬆了口氣，要是孩子真強起來怎麼都不肯跑這個腿，她也不知道怎麼跟韓述打這個照面。韓述的車子停那麼遠，想必也是因為這個緣故。

過了會兒，非明又匆匆忙忙地跑了回來，委屈地說：「姑姑，韓述叔叔說了，這包包是他賠給妳的，沒有別的意思。」

桔年摸了摸孩子的頭髮，「乖，非明再幫幫姑姑，就說是姑姑說的，我心領了，沒有那個必要破費，讓他拿回去吧。」

非明翻了個白眼，再次充當傳話筒。

果然，很快她又氣喘吁吁地回到桔年身邊，「姑……姑姑，韓述叔叔說……說……」

桔年面朝那棵枇杷樹，背對著非明。

「說什麼？」

非明有些困惑於姑姑話裡的漠然，她以為自己長大了，可是還是不懂大人的意思，不管是姑姑還是韓述叔叔。

「他說，對不起。」

桔年剛轉過頭來，非明就趕緊又補充了一句，「韓述叔叔還說，如果姑姑妳還是不肯要，就代他扔了吧。」

見姑姑不語，非明央求道：「姑姑，求求你們別再讓我跑來跑去了好嗎？真的很累，我讓韓述叔叔自己過來，他也不肯。」

桔年沉默了一會兒，對非明笑了笑，「累了，就進屋吃飯吧。」

次日，午休期間，桔年帶了飯去第三人民醫院給做了內固定手術的平鳳。手術做得還算成功，只是平鳳現在行動非常不便，桔年工作又忙，兩頭照料，難免有顧及不了之處。

平鳳的病房在住院部三樓，電梯處等著不少人，桔年索性步行上樓梯，在二樓的轉角，不期然看到一個熟悉的身影。

謝望年正下樓，姊弟倆可以說是迎頭撞上。從樓梯上下的人本就不多，這樣的面對面，沒有防備，也無處可避。

桔年暗想，以自己的怯懦，只怕面對謝家的人，永遠都做不好準備。

望年也似嚇了一跳，隨即耳根通紅，張了張嘴，什麼也說不出來。

桔年也沒期待過那一聲「姊姊」，他叫不叫那個稱謂、認不認她，在她看來都無所謂，只不過這個弟弟代表著跟她流著相同血液的一家人對她的不認同，這才是桔年感到難堪的地方。

她也不願看到望年尷尬的樣子，偏過臉去，笑了笑，低頭快步走過去。

推開病房的門，平鳳正捧著一本言情小說，嘴裡哼著歌，看起來心情不錯。

「來啦，我都餓了。」平鳳也不跟桔年客氣。

桔年笑著為平鳳打開飯盒的蓋子，不經意地問了句：「心情不錯，有什麼好事嗎？」

平鳳剛迫不及待地喝了口湯，差點被嗆住，「嗯……能有什麼事，自己逗自己玩唄，都這樣了，哭喪著臉也不是辦法。」

桔年也沒再問下去，低頭用紙巾擦拭著平鳳濺出來的湯汁。

「對了，桔年，那個冤大頭沒找妳麻煩吧？」

「誰……哦。」桔年搖頭表示否認。

平鳳的胃口很好，吃得很香。桔年坐在一旁，心裡想著的卻是下班前自己跟老闆的一番談話。她是考慮了很久，才提出要預支三個月的薪水的。

女老闆很關切地問原因，桔年只說自己家裡出了點事，急著用錢。

「桔年，預支一個月的薪水是可以的，但是超過一個月的，店裡有店裡的財務制度，上個月別的同事也提了出來，我沒答應。妳是店長，不好破了這個規矩。」女老闆是這麼回答她的。桔年謝過，最終也作罷了。

等到平鳳吃完，桔年忽然問了句：「對了，妳認識的人有喜歡名牌手袋什麼的嗎？」

平鳳擦嘴，「那得看什麼貨色，我認識幾個同行，一有點小破錢，寧可勒緊褲帶，也要弄一些值錢的行頭，她們是專在有錢人身邊撈油水的，換我，好幾千塊錢買件衣服、買個包包，打死也不幹。」

桔年收拾著東西，「我那裡倒是有一個，等妳出院了，看看誰有興趣，如果有的話，就代我轉讓了吧。」

「哪來的？新的？不要了幹嘛不退回店裡去。」

「妳就別問了，替我留意一下吧。」

桔年沒有跟平鳳說明那個包的具體來路，除了怕她刨根問底，也確實是不想提韓述的那些事情。她也質疑過自己這樣做是否合適，她不想欠韓述的情，不想跟他有任何瓜葛，不管是金錢還是感情上，但是為錢而發愁的時候，那個被擱置在房間角落的包包好像長了張嘴巴，不停地說：不是妳欠他，是他欠妳，他欠妳欠妳……

也不知道是有意還是無意，她看過那個包的包裝物，吊牌什麼的一應俱全，偏少了購物發票。

不管誰欠誰，就這樣，清了吧。

第九章　望河亭大暑對風眠

在布藝店裡，桔年的手工是一等一的，經手的每一塊布，她都覺得有靈性，素緞的矜持，格子的溫厚，碎花的嬌憨，各有風情。大概世間事皆是如此，用了心的東西，總是做得比別人更好些。店裡的老顧客有知道的，每每特意指定她親手趕製，實在忙不過來的時候，也只有對顧客說抱歉。可這一天，桔年卻遭遇了一回退貨。

「桔年姊，我按地址送過去，那家的主人不肯收。」送貨的小弟把東西往收銀台上一放，擦著汗說。

桔年趕緊拆開包裝查看，「怎麼了，是不是做得有什麼問題？」

換作以往，這種自我懷疑是絕不會出現的，她做事一向縝密。可是這一段日子，韓述對非明的關照不但未減，反倒日增，非明對他也顯得愈來愈依賴，一口一個韓述叔叔，彷彿打心眼裡已經將他當成了親人，不住在一起的家庭成員。桔年知道，這個時候非明是聽不進疏遠韓沭之類的話，可是，粗暴地制止孩子跟他的往來，就等於將非明現在最大的快樂和心理寄託橫刀斬斷，這樣的事她又做不出來。唯一的辦法就是冷處理，將自己置身於他們的關係之外。

從那晚鐵門外的難堪過後，韓沭再沒有直接跟桔年打過照面，知道桔年在家的時候，他總是遠遠地把車停在百米開外。去了哪裡、做了什麼，也通常是透過孩子的嘴傳到桔年耳裡，桔年置若罔聞。然而，平日裡那些非明住校的晚上，她走出院子外澆水，偶爾卻仍能看見那輛已經變得熟悉的斯巴魯，靜靜地停在財叔小賣部的前頭，像夜幕裡的佈景。

那些晚上，已在多年的寂靜生活中心如空井的桔年開始被夢煎熬。她不是想著韓沭，而是韓沭的存在讓她不得不記起了那許多被漫長的時光熨平了的往昔。韓沭沒有出現之前，那些過去是安眠的，像疊好壓在箱底的被單，如今被他一把掀起，它依然還是那麼新，雖然帶著黴味和摺痕，但上面的斑駁歷歷在目。桔年快要壓制不住那些回憶，臺階盡頭透過指縫的炫目陽光、高牆第一夜的月白如霜，每當記起這些，她在夢裡都止不住地瑟瑟發抖。回憶醒了過來，可那個人的眼睛卻再沒有睜開。

所以，這些天來，桔年總是有些恍惚，她正是唯恐自己一不留神把尺寸弄錯了，以至於被顧客退了回來。可她抖開一整套的沙發套件細細端詳，也未發現明顯的問題。

送貨小弟苦笑一聲，「妳別忙著檢查啦，依我看壓根就不是東西有問題，那人根本就沒拆開細看，直接說東西不是自己的。可我再三核對了地址，沒錯啊，再說，那上邊留的聯繫電話也是對的，可人家打死不承認，有什麼辦法？我跟那人也說了，這玩意是付了訂金的，別說訂金不能退，那尾款也得給我們結啊。」

小弟說得沒錯，桔年點頭，「那顧客是怎麼回答你的？」

「回答？人家倒好，直接當著我的面把門給關了，要不是我縮得及時，這鼻子都得被撞扁。」小弟悻悻地說。

桔年回頭去查閱了訂單，地址電話什麼的留得都很詳細，跟小弟手中的送貨單一致。她依稀記得這是一個知識分子模樣的年輕女人訂下的，百分之五十的訂金也付得非常爽快，怎麼到了交貨的日子，就出了這樣的怪事？

她撫著煙灰色珠光軟緞的面料，一陣犯難。這單子是她接的，料子式樣也都是她為顧客挑的，一個沙發套，六個抱枕套，兩幅飄窗軟墊，雖不華麗，但勝在用料精良，細節考究，一式的右側壓邊褶皺頗費了她一番心思，才做得讓自己滿意，也確實相當雅緻耐看。更重要的是，雖說這單子收了訂金，但餘下的尾款收不回來，東西擱在店裡，別的顧客要求的尺寸不合，也是難以轉售的，這樣一來，帳面上自然難以交代。

著實是沒有別的辦法了，桔年放下手上的工作，問送貨小弟要了地址，「我再試試。」她想，就算結果跟前次一樣，這件事是她經手的，至少也該搞明白是哪裡出了問題，說不定，小弟的表述有問題，她也許能給顧客一個解釋。

騎著店裡的電動自行車，桔年趕到了送貨單上顯示的住宅社區，那是個在本市小有名氣的南派園林建築。桔年仔細核對了單元樓層號，找到後按了好一陣的門鈴。

開門的是個男人。這個送貨小弟之前也提到過，包括單子上留的電話號碼，都屬於一位男士，並非桔年接單時所見到的女子。

妻子挑選款式，留丈夫的聯繫方式，並不奇怪。可是當桔年把臉從滿懷的貨物中抬起來時，門裡門外兩個人俱是一驚。

男人的臉色可謂難看到了極點，驚愕、慌張、憤怒一股腦地湧上來，都凝在他的眼睛裡。如果這時有一面鏡子，桔年想必也會從自己的面孔中看到心虛。都說冤家路窄，人生何處不相逢，她倒好，閉著眼睛闖到最深的死胡同裡去了。

「妳還真的比我想像中更有心機，這兒都能讓妳找上門來。終於想好了？妳想要什麼？什麼才能塞住妳貪婪的嘴？」那男人正是平鳳出事那晚好心救人卻被反咬一口的唐業。他單手扶住門框，憤怒讓他的語音都微微變了調子。

桔年只恨手裡的貨物不能徹底地把自己埋在下面。她想起小說裡的橋段，此時必定是要說——不不不，你聽我解釋……她早就明白，大多數能夠解釋的事情，其實大家都心知肚明，無須多言；而真正百口莫辯的時候，說什麼都沒有用，根本無從解釋。此時她若說：我是來送沙發抱枕套的，無異於姦夫在女方的床上偷情被正牌丈夫抓個正著時還辯解道：我是為了測試你家大床的柔軟程度。

然而，她的確是來送沙發套的，雖然自己也覺得荒誕莫名，可是她呆怔了一會，還是機械地將手中的沙發套略略舉高。

唐業顯然認出了她手裡捧著的物件的外包裝，冷笑一聲，那潛臺詞一目了然，明明是煞費苦心的敲詐，又何必弄出這些拙劣的伎倆來噁心人。

「先生，對不起。但這真的是您在我們店裡訂的東西，或許是您的朋友……」

桔年硬著頭皮想把話說完，唐業的唯一反應是指著電梯的方向，從嘴裡擠出了一個字——「滾！」

桔年的面皮極薄，巨大的羞辱感像激浪狠狠打翻她企圖自救的筏子。可她怨得了誰，這羞辱不是她自己找的嗎？如今的境地甚至不是因為誤會，她猶記得自己那日在他面前的卑劣和陰暗，如今還送上門來，若不是他修養好，換作旁人，一個耳光摑來只怕也不稀奇，她毫不冤枉。

手裡的東西，桔年遞也不是，留也不是。若是走了，接下來該怎麼處置。桔年微微咬著下唇，退了一步。

唐業的怒火終於在這一刻爆發，斯文的面皮幾乎脹紫了，伸出去的指尖是微微顫抖的，「滾，滾！妳去說，儘管去說，去對全世界說，他媽的我就是這樣的人，你們能拿我怎麼樣，怎麼樣？」

他歇斯底里地憤慨，彷彿面前立著的不是一個恩將仇報訛詐錢財的女人，而是他現實生活中一切的不平和障礙。

門當著桔年的面再次緊閉，巨大的響聲震得耳膜嗡嗡作響。鄰居嚇得打開條門縫小心窺視。桔年趕緊垂頭，心中艱澀，深吸了口氣，伸手去按電梯。

已經落下的電梯緩緩回升，紅色的數字跳動，不鏽鋼的電梯門映得上面的一個人影模糊而可憎，那是個失去了底線的可悲的人。無數次，背對那些欺凌她的人，桔年對自己說，我能做什麼？我能做的，就是跟他們不一樣。然而多少個快要熬不過去的關口，她又一遍一遍地問，我為什麼要跟他們不一樣，為什麼？

如今，她終於也一樣了。

電梯門響過一聲後開啟，桔年移步，身後的門卻也同時被打開。

唐業的手扣在桔年的腕上，先前的強勢和凌厲被頹然的妥協取代。

「妳直接開個價吧，說說妳到底想怎麼樣？一次給個痛快，求妳了。」

原來他並不像剛才的宣洩中那樣無所畏懼，他還是在乎別人的眼光的。沒有一個在乎著的人不怯懦。

桔年懷抱著厚重的沙發套，聽見電梯門徐徐合上。

她說：「先讓我把沙發套套上行嗎？」

良久，唐業側身，桔年忐忑不安地從他身畔走進那陌生的屋子。訂製的沙發套，差一釐米都是套不上去的，所有送貨的人都必須給顧客套好之後方能離開，這是她今天來的目的，也是她的本分。

唐業面無表情地坐在背光的一張籐椅上，看著桔年熟練地拆開布藝沙發和抱枕原有的套子，再換上新的。這並不是個簡易的工程，尤其是一個人獨立完成。她忙得滿頭是汗，有幾次，唐業都以為她應付不來了，她吃力地倒騰一陣，那些亂成一團的東西居然又奇異地變得妥貼。這個女人或許陰險，但她給人的感覺卻是無害的，甚至是娟好纖細的。難道女人都各自披著她們的畫皮？

桔年盡可能把全副心思放在手頭的活計上，總算有一絲安慰的是，幾個套件都做得一分不差。

「哪一個才是妳的兼職？」客廳的工作快要完工的時候，唐業冷冷地問了一句，最極致的憤怒已過，他顯得相當安靜。

桔年手上的動作緩了一緩，咀嚼出了他的言外之意。一個做布藝沙發套的妓女。

也許這也算認知上的一種進步，至少他首肯了沙發套確實是為他家這尺寸特殊的沙發而訂作的。

她依舊避開與唐業的視線交流，慢吞吞地說：「今天跟您有關係的服務只是沙發套而已。」

「沙發套不是我訂的。」他的默許只是想知道，她葫蘆裡賣的是什麼藥。

「但它確實是為您的沙發訂作的。」桔年輕輕拍平最後一個沙發抱枕上的摺痕，「它跟您家的地板和那張籐椅的顏色都還相稱……那個，請問飄窗在哪邊？」

唐業的面孔在暗處，看不清表情，也許他在審視，也許仍在懷疑。不過，他還是抬起一隻手，指向了其中一個房間。

這個男人在桔年面前是陰鬱寡歡的，但是他的住處卻頗為閒適，淺灰的底色、大量的藤藝製品和綠色植物，最適合靜坐的地方永遠擺著一張椅子。

桔年動手去鋪飄窗上的軟墊，那原本是玉色大理石鋪就的飄窗臺顯得異常潔淨，除了一副棋盤，就是個原木的六寸相框，照片上躺在郊野池塘畔的折椅上的男子看起來正是這屋的主人，只不過照片上的他跟現實中又略有不同。怎麼說呢，也許就是鏡頭裡的情緒吧，雖然他臉上並沒有笑意，手持釣竿，胸前擱著本半舊小說，黑髮微亂，一頂漁夫帽半遮住他瀰著婆娑樹影的臉龐。那張照片給人的感覺是輕快的、愉悅的，這大概就是拍照的人試圖捕捉的東西。

桔年小心翼翼地將棋盤和照片挪至別處，卻不經意看見那相框背面的木頭上細細寫著一行小字，她本不願窺人隱私，匆匆一瞥即移開視線，但仍看清了上面的句子——「望河亭大暑對風眠」。

第十章　能夠償還是幸運的

唐業客廳的電話似乎響了幾聲，稍後，講電話的聲音傳入房間，隱隱約約，聽不真切。

桔年想著盡早從這尷尬的地方抽身，一門心思都放在手頭的工作上，也許專注一些，她就能少點心思去想自己曾經的狗咬呂洞賓留下的惡果。正待完工，唐業卻神色焦慮地快步走了進來。

「妳馬上走。」

桔年聞言，眨了眨眼睛，也不言語，下意識地就趕緊收拾自己的東西。她猜，也許是這屋子的另一個主人回來了，她得馬上離開。至於那另一個主人究竟是男還是女，為什麼她必須迴避，她不想知道。

情急之下，桔年迅速將散落的包裝紙盒碎片、多餘的布條和工具一股腦塞進自己隨身的大包，這時，回到客廳的唐業似乎聽見了大門外的動靜，止住了她欲往門外奔去的念頭。

他說：「慢，人已經在外面了，妳不能這個時候從門口走出去……」

桔年聞言頓時茫然，她猶豫了片刻，輕輕撩開窗簾一角，探頭看了看窗外。她沒有記錯，這房子的確在十一樓。放下窗簾，她明智地選擇了站在原地不動。

「唉！」唐業好像歎了一聲，門鈴聲毫無意外地響起，他匆匆趕去應答，徒留桔年呆在原地，他甚至沒有交代，既然她不該留在這裡，那這種情況下，又該如何是好。

開門關門聲後，桔年屏氣，聽到唐業說話的聲音。

「您也是，過來也不事先打聲招呼，我好過去接您。」唐業雖抱怨，但這時的語調是低沉而和氣的。

「現在還用不著，等我真的走不動了的時候，你再用輪椅抬我也不遲，我今天過來給你送點東西，你爸不在了，那邊家你也不回了。」話音是一個蒼老的女聲，猶帶著點本地方言的腔調，「不喜歡我來？難道真像你阿姨說的，你這裡就是獨家村，只許你自己住在裡面，別人都來不得？我就跟她說了，我是不信的，你還是我帶大的。」

桔年沒有聽見唐業的回答，片刻，他才說：「您快坐下吧，大老遠地過來，我倒茶去。」

客廳外的人似乎入座了，桔年大氣也不敢出，縮手縮腳地朝半掩著的房門的視線死角挪了挪。

「阿業，剛換了新的沙發套？」放下了杯子，老婦的聲音再度傳來。

「不是我訂的。」

「不是你訂的，那還有誰……」老人疑惑了一會，又長長地「哦」了一聲，「是我老糊塗了，還能有誰？是你阿姨上次給你介紹的那個女孩子？終歸是年輕人心細，就是這料子素了點。」

即使看不見人，桔年也能想像出老人說話時眉開眼笑的樣子。似乎天底下的長輩無不渴盼著過了婚齡的孩子早日成家立業，如果命運走向另一條道路，她此刻承歡在父母身畔，是否也會有人這般關切地絮叨——她又自我解嘲地想，也許真的有另外一條路，她也未必會孤身一人吧。

唐業倒是沒有否認，想來那女孩子就是當日找桔年下訂單的人，桔年此時好像又能回憶起當天的一些細節，那女子挑選時的細緻和淡淡的喜悅，的確也似沉在愛河中的人。

唐業的語氣聽不出情緒，「姑婆，我跟我阿姨也說過很多次了，一個男人和一個女人未必是條件般配就必須得在一起的。我之所以去見那個女孩子，也實在是不想掃了阿姨的興，拂了她的好意，但是……」

老人打斷了唐業的但是，「你又要跟我說你們年輕人的那些感覺啊、一見鍾情啊，這些我不懂，但是那姑娘我見過，人長得好，有文化，也有禮貌，人家對你也是有那個心思的。阿業你都三十好幾了，究竟要找個什麼樣的天仙才算是滿意？你爸爸在你這個年紀都……算了，不說了，你阿姨讓我勸勸你，可是我說的話你也未必聽得進去……阿業，你也別怪我多嘴，你阿姨之所以那麼操心，也是聽見外面有嚼舌根的說了些不三不四的謠言，什麼男人找男人，愈是條件好……」

「胡說八道！」唐業的聲音陡然高了起來，伴隨著籐椅腳摩擦在木質地板上的聲音。桔年也嚇了一跳，饒是她這樣一個不愛多管閒事的人，也不由得耳尖了起來。

「姑婆，妳和我阿姨一樣，盡聽些捕風捉影的東西，哪有那回事。」唐業顯然明白自己失態了，再怎麼樣也不該在老人家面前無禮，這一回聲音也放柔了不少，「我不喜歡那個女孩子，是因為我最討厭別人干涉我的生活習慣，我跟她是出去過幾次，可是也沒熟到她把我這裡當成自己的地盤，訂這些沙發套、抱枕，她連問都不問我一聲。」

「姑娘家也是關心你。阿業啊，人活在世界上總得找個伴，你老是打光棍，自己孤零零的不說，別人……」

「誰說我沒個伴？」唐業這話說得很快，說完了之後又是沉默，似乎後悔了自己衝動的辯白。桔年不由得想到了那晚始終站在原地，目送唐業車子離開的戴眼鏡的男子，他憤恨的眼光至今都讓桔年禁不住打寒顫。

「你自己找到物件了？」老人的聲音又恢復了驚喜，「女孩子是幹什麼的？家是哪兒的？你怎麼不帶出來給姑婆和你阿姨看看，讓我們這些老的給你瞎操心！」

唐業沒有馬上回答，他忘了，一個謊言必須用無數個謊言來圓，姑婆是老了，但她跟他阿姨一樣，都是人精，而唐業對於那個脫口而出的物件的設想並不充分，那女孩怎麼樣？面對這個問題，他竟一時不知道怎麼說才好。

「呃，也算不上很漂亮。」他含糊地說。

「我們唐家也不能找個醜八怪啊。」

「當然也不醜。」他說話也變得慢吞吞的。

「那她是做什麼的？家是本地的？是你局裡的同事還是別人介紹的？年紀多大了？性子怎麼樣？」

連珠炮似的提問顯然一下子難住了唐業。桔年暗想，韓述說她說謊如吃飯似的也不假，至少不是每個人都能夠像她一樣說謊而面不改色，唐業顯然就是個不諳此道的人。

「你這孩子，在姑婆面前還害什麼臊，你倒是說啊，那女孩多大年紀，是做什麼的？」老人又把重點問題重複了一遍。

「嗯，那個……在布藝店上班，比我小幾歲。」

桔年獨自一個人眨了眨眼睛，大腦反應過來之後，頓時驚得如晴天霹靂在前，就算說謊的至高境界是十句真話裡夾雜著關鍵的那句假話，但……

「我給你阿姨打電話，正好這兩天是週末，你把那女孩子帶出來，否則你阿姨和我真要急死了。」

唐業又不說話了，這一次他的沉默讓桔年心如鼓敲，似乎料想到最可怕的那種可能性，慌亂之中，她又情不自禁地撩開了窗簾。

十一樓，還是太高。

她早該有經驗的，她生活中最壞的那一種料想往往就是事實。果然，唐業片刻之後彷彿下定了決心，只聽他說道：「嗯，姑婆，她……她現在就在房間裡。」

桔年在那一刻表情痛苦地閉上了眼睛。

「什麼？」

趕在老人推門而入的那一刻，桔年恰恰好變臉似地換上了一個略帶羞澀的笑容，「姑……姑婆好。」

說這句話的時候，她看到緊隨其後的唐業煞白的臉上露出了一個驚魂初定的表情。或許他也賭不準桔年的反應，但是這一次，他押對了，桔年欠他的。

「那個……這是我姑婆，也就是我爸的姑姑，姑婆一直跟我們生活在一起，我就是她老人家帶大的。」唐業掩飾著他那點尷尬。

桔年趕緊說：「姑婆，我叫謝桔年。」這既是向老人家自我介紹，更是向連她名字都不知道就撒下瀰天大謊的男人自我介紹。她說完，在老人上上下下打量她，又打量著唐業的間隙，飛快地將自己前一秒鐘剛脫下來的布藝店制服——橙色馬甲塞到了窗簾的背後。

接下來，老人家拉著桔年的手坐在沙發上善意而八卦的絮叨自可不提，從始至終，唐業都很安靜地坐在一側的籐椅上，聽著一老一少兩個女人的交談。

桔年不時地對姑婆的絮叨報以微笑，她一直都是個心動得比嘴快的人，也更知道在情況不明的時候，面對一個善良老人的盤問，說得愈多，錯得就愈多。興許是心裡著實也緊張，她耳根始終都是紅的，髮際細密的汗珠也冒了出來。可這副模樣，正暗合了老人家心裡初見長輩時一個溫柔敦厚、矜持寡言、輕聲細語的羞怯女孩形象。

桔年雖忐忑不安，但是老人終於見到不喜與人來往的侄孫家裡藏了個俏生生的女孩子，喜悅自然不在話下，說到高興處，時間也一分一秒地過去，不覺間已是中午時分。姑婆主動提出，自己要在唐業家下廚，跟「小倆口」邊吃邊聊家常，並執意拒絕了兩個年輕人幫手的提議。

唐業萬般無奈，目送姑婆顛顛地進了廚房，而桔年不時地看著牆上古董鐘時間的樣子也沒有從他眼底遺漏。

「請……妳能不能……」他的話裡暗含請求。可是不久之前，桔年在他跟前還是一個卑微而狡猾的「妓女」，讓他忽然換個姿態，也確實不是件易事。況且半開放式的廚房，聲音稍大一些，難免就會驚動了裡面欣喜地忙碌著的姑婆。

店裡還有工作在等著桔年，可事已至此……她吁了口氣，對唐業笑笑答道：「我的兼職不是一向很多嗎？」

她猜測著唐業這樣做的緣由，說不定正是因為她「妓女」的身分，為了錢，扮什麼不可以？所以他的謊話才說得更輕易。她起身低聲地給店裡打了個電話，就說家裡有事，臨時回去了。

這時，姑婆還不忘從廚房探身出來招呼，「阿業啊，你也是，連杯水都不給桔年倒，熟歸熟，也不能少了禮數。」

唐業有些難堪地起身給桔年沏茶，桔年趕緊接過，白瓷薄胎的杯子，茶色澄透。沏茶的人，看上去內向、敏感、清傲，卻也是個善良而懂得生活的男人，這些優點，想必另一個男人更懂得欣賞。也是朱小北說的，受溫室效應影響，地球磁場變化，好男人都同性相「惜」，異性相斥了。

桔年和唐業並不熟，何況中間還橫著那些不愉快，姑婆還在廚房裡，他們的這場戲仍得演著，可兩個內斂的人各自枯坐著發呆，未免有些怪異而僵硬。

「妳看電視嗎？」唐業悶悶地說。

「呃，隨便吧。」桔年說著，借放茶杯的姿勢站了起來，坐下時順手拿起了擱置在茶几側面書架上唯一的一本大部頭書籍，聊以打發時間。

那是一本平裝版的《西遊記》，翻得書頁都有些捲了。桔年看書最是不挑，高中時代迷戀武俠不說，在監獄那三年，她做為圖書管理員，接觸到的書雖說比別的囚犯多，但裡面的書並不豐富，從晦澀的哲學書籍、連環畫到毛衣編織大全，她都來者不拒。

桔年這一坐下去就再也沒有抬頭，唐業起初還是戒備地看著她，生恐她借機有什麼舉動，她卻只是不時地翻過書頁，及肩的短髮半覆住她的側臉。

唐業挪了挪有些僵的腿，她漸漸地從容也在一定程度上舒緩了他的緊張情緒，喝了口已經冷卻的茶，這個女人現在沉靜得像一汪碧水，看似通透，卻看不見底。

「準備吃飯了。」姑婆從廚房裡端出了第一道菜，桔年忙合上書，放回原處，站起來打算幫忙拿拿碗筷。唐業也起身，在姑婆返回去盛下一道菜的時候，他掃了一眼那本歸位的《西遊記》。

「它能讓妳那麼入迷？」

桔年咬咬唇說：「讀書對任何一個行業來說都是有用處的。」

「那這本書讓妳有什麼收穫？『心猿空用千般計，水火無功難煉魔』？」

桔年不答，上前去接姑婆手上端著的湯碗，放置在餐桌正中央之後，才回頭笑了笑，「不是這一回，我看的是『九九數完魔滅盡，三三行滿道歸根』。」

唐業的冰箱裡還有一些簡單的儲備，姑婆看來是做慣家務的人，搗鼓了一個小時，桌上擺著三菜一湯，葷素搭配，看起來倒也豐富。三個人圍桌而坐，老人一邊繼續剛才沒打聽完的桔年家史，一邊不斷地給桔年碗裡夾菜。桔年只說父親是跑運輸的，母親是家庭婦女，家中還有一個弟弟，這也是實話。至於她和父母親已經十一年鮮少往來，這些在老人面前就不必提了。

吃著吃著，姑婆該問的都已問完，給唐業添了碗飯之後，忽然問了一句：「對了阿業，我的記性是愈來愈差了，你阿姨前陣子問我，你生日是不是快要到了，我這半老年癡呆症，竟然想破了頭都記不起來，你究竟是五月，還是九月生的？」

姑婆的話雖看似問唐業，眼睛卻看著桔年。唐業舉著碗，也不下筷子，執筷的手握得很緊。

桔年心中也是明鏡似的，老人家活了那麼多年，看人見事的歷練不知道比他們多了多少，天上憑空掉下個未來的侄孫媳婦，雖然償了她多年的心願，但這件事畢竟來得太突兀，老人心中也是存有幾分狐疑的。她不便當面詢問，也許知道若兩人真心騙她，問了也沒個結果，於是便拐著彎試探。如果桔年真是唐業親密到帶回家藏在房間裡的女友，至少該知道唐業的生日吧。

桔年慢慢嚥下了嘴裡的飯，這個問題著實是難住了她，她何只不知道唐業生於何月何日，除了一個名字、一個地址，她對這個男人一無所知。

「姑婆，我一向不過生日，您老人家又不是不知道。」唐業若直接說破自己的出生年月，無異於讓姑婆認定了桔年的確不知曉，就算解釋說是忘記了，也未免顯得兩人太過陌生。他只得含糊地打了個圓場。

姑婆正待說話，桔年側身對著唐業淺笑，「阿業，我記得你跟我說過你是夏天生的吧，好像是七月二十三還是二十四號，我都有些忘記了。」

唐業愣了愣，眼裡的驚詫一覽無餘，姑婆卻沒有看他，笑逐顏開地對桔年道：「沒錯沒錯，是七月二十四號，你看，還是桔年記得。」

桔年笑著低頭吃飯，懸著的一顆心這才放了下來，她也是一搏，勝率不到兩成，謝天謝地，運氣不錯，不過即使錯了，她也能找到個話題搪塞過去。

吃過了午飯，收拾停頓，姑婆和桔年又回到了沙發上看電視。

「阿業，你也坐下來啊。」姑婆對這「小倆口」貌似再沒有了什麼疑問，桔年雖看起來還有些羞澀，但對她提出的所有問題一概對答如流。

這姑娘家境雖普通，但看起來難得的乾淨，姑婆很滿意。

唐業卻沒有坐下，「我不太喜歡看粵劇老片，妳們聊。」

他話是這麼說，人進到書房，拆著姑婆今天給他帶過來的包裹，眼睛卻從門隙裡悄然打量著客廳裡的女人。

姑婆說：「桔年啊，妳也覺得悶吧，你們年輕人，都不愛看這個了。」

那個叫謝桔年的女人說道：「也不是，我小時候也聽過一些，現在都還記得一些。」

「是嗎？」姑婆顯然很驚喜。

「我記得最深的就是《禪院鐘聲》……」

「哦哦，那個我知道，我知道！」姑婆拍著大腿。

……荒山悄靜依稀隱約傳來了夜半鐘，鐘聲驚破夢更難成，是誰令我愁難罄，唉悲莫罄……

唐業靜靜聽著這個女人伴著姑婆輕哼，那最是蕭瑟淒冷的調子，在她並不甜美的聲音裡，竟有種千帆過盡後雲淡風輕的況味。

……情如泡影，鴛鴦夢，三生約，何堪追認……

唐業的雙手按在打開的包裹上。

她究竟是什麼人。

飯後，姑婆打算回老宅休息，唐業執意要送老人回去，桔年說自己要趕去另外一個地方辦事，不順路，送姑婆下樓，就要揮別。

姑婆坐進了唐業的黑色普桑內，桔年和他們道了再見。

「桔年啊，下次一起吃飯。阿業說他不愛粵劇，小時候可是喜歡的，有幾段唱得也好，到時我讓他給妳唱。」姑婆看來跟她很是投緣。

「好啊，下次。」桔年在車外俯身笑著點頭。

唐業定定地看了她一會，轉頭對姑婆說了句：「姑婆，等我一會，我跟她說幾句話。」

姑婆笑道：「年輕人啊，還沒分開，就那麼黏糊了。」

唐業下車，拉著桔年走到幾步開外，桔年顯得很溫順，並沒有更多的反應。

「我姑婆拿過來的包裹裡的錢是妳的？」他當初怕那兩個女人糾纏，跟交警交涉時，一樣留下了父親老宅的地址。父親已逝去多年，只有姑婆住在那裡，他只是不時回去看看。今天姑婆帶過來的牛皮紙包裹裡，不多不少，正好五千塊。

「錢不是我的，是你的。那天事出無奈，但確實對不起你。」桔年由衷地說。

唐業頓了頓，又問：「那今天我該付妳多少錢，妳說。」他也是個不喜歡虧欠的人。

桔年貌似認真地思索了一陣，說道：「你應該給我一千四百五十塊。」

唐業一怔，但還是低頭去搜錢包。

桔年把一千四百五十塊錢拿在手裡，笑道：「沙發套的錢清了，貨既出門，概不退換。」

他們也兩清了。桔年感謝唐業給了自己一個償還的機會，假如你沒有這個機會，不管虧欠了什麼，那所謂的補償只能是對方的負累。她能還了，是幸運的。

「再見。」桔年對唐業說。

再見再見，就是後會無期，再不相見。

「等等。」唐業叫住她，問出困擾了自己好一陣的疑惑，「妳怎麼知道我的生日？」

桔年笑笑，「猜的。」

見唐業不信，她又補充了最為關鍵的一點。

「望風亭大暑對風眠。」

大暑即七月二十三或二十四號，一年中最酷熱的一天。

雖然她不知道某個生日的那天，這個男人有過什麼回憶，但她記得石榴樹下流淚鏤刻的自己。也許她和這個男人一樣，有著相同的嗜好，他們喜歡把珍貴的東西深深鏤刻。假如有一天，老到記憶都模糊了，還有木紋代他們記得。

第十一章　明天晚上，左岸二樓

償了唐業的那一筆債，桔年心裡好受了不少。對於有些人而言，虧欠的滋味遠比被虧欠更難以忍受，因為被虧欠的人自己可以放過自己，說一聲：算了；而欠了別人的，只要那負疚還背在身上一天，就永遠過不去那道坎。

平鳳出院了，好幾次都跟桔年打聽，還有沒有跟上次那個包一樣的「好貨」，再弄幾個過來，照樣能賣出好價錢。桔年聽了，一笑了之。她也跟平鳳一再地說，就算為了賺錢，以後也別再那麼冒失了，她們都一樣，是沒有什麼可以倚靠的人，再闖出什麼禍來，誰也救不了誰。

午休換班時間，桔年和幾個店員一起在店面後邊隔出來的休息室吃著簡單的盒飯。布藝店裡年輕的姑娘居多，閒下來的時候嘰嘰喳喳說個沒完，桔年邊含笑聽她們的八卦，邊隨手翻開當天的早報。本地的早報內容是出了名的家常瑣碎，佔據大量篇幅的，不是公雞生蛋，就是失戀女跳河，桔年倒也看得津津有味。讀完某篇社會新聞，該版左下角的一則啟事讓她停住了往下翻頁的手。

那不過是一寸見方的豆腐塊，不留神的話，很容易就忽略了，細看也不過寥寥幾行字：

周府小公子彌月之喜

各位親友：

遵嚴命，謹定於××年×月×日為小兒彌月之喜，屆時敬備淡酌，恭候光臨，恕乏介催。

很尋常的一則啟事，現在普通的百姓人家都不興這樣了，孩子彌月，最多私下發函通知親朋小聚吃飯，真正有權勢的家庭，也大多低調，反倒一些本地人、生意人還保留著這個習慣，也不足為奇，真正吸引桔年細看的，是啟事下的主人署名，上面赫然寫著：周子翼、陳潔潔夫婦敬約。

陳潔潔前些年嫁人的事情，桔年也略有所聞。雖說大家同學一場，可陳潔潔並沒有出面邀請桔年出席婚禮，當然，桔年也不可能參加。何必呢，她倆都心知肚明，對方的出現除了翻出舊日傷疤之外，沒有任何益處，實在無須自尋苦惱。

當時，桔年身邊已經帶著非明，得知婚訊的那天，她看著孩子，雖有些小小的感傷，但也能夠理解陳潔潔的另尋歸屬。儘管桔年從來沒有真正喜歡過陳潔潔，她承認自己始終不能徹底釋懷，可是誰必須為誰守著呢，她自己的念念不忘是她自己的選擇，而陳潔潔當然也有選擇遺忘的自由。現在，陳潔潔「又一次」升級為母親，不過，區別於十一年前的隱祕和羞恥，這一次，她產下個男嬰是光明正大、舉家歡慶的，甚至在所有人眼裡，也是唯一的。

桔年不禁去想，當年陳潔潔不顧一切要跟巫雨離開的時候，曾經想過會有如今這一天嗎？這個念頭是可笑的，少年男女的感情，誰不以為是一生一世。巫雨或許是陳潔潔人生中的一道彎路，繞了一圈，又回到起點。有些人，註定生來就是有錢人的女兒，富有人家的媳婦，到了最後，又再成為成功人士的母親。王侯將相寧「無」種乎？

然而，桔年並非嫉妒，相反，她甚至有些許的釋然，這釋然也出自於小小的私心。陳潔潔在另一個男人身上找到了她的天地，如今，又生了個孩子，她徹底地屬於另一種生活，桔年的世界也更安靜了。或許除了她已經沒有人再記得，若干年前，有個叫巫雨的男孩曾經在這個世界上存在過。

賣場那邊有人推門進來，叫道：「桔年姊，有人找。」

桔年應了一聲，飯已經吃得差不多了，她隨手放下報紙，跟著走出休息室。

「誰找我？」她穿上制服，順口問了一聲方才叫她的女孩。

女孩將下巴朝某個方向微微一抬，「喏，那邊呢。」

桔年循著那個軌跡望去，只看得見背對她坐在顧客休息的沙發上的一個背影，挺括的襯衣，耀眼的白，她不由得一慌。

那人似乎也意識到自己要等的人已經出來，起身回頭，卻令桔年更為意外，原來竟是送沙發套那日過後再沒有見過的唐業。

桔年的心也因此吁了口氣，她是真的有些害怕韓述的糾纏，比起過去的胡攪蠻纏，韓述如今的克制而有距離的遙望更讓她摸不著底，好像是風雨欲來前的平靜。

當然，唐業的再次出現也是桔年始料未及的，她實在想不出現在還有什麼事情能夠把她和唐業聯繫在一起，以至於讓他找到了店裡。

桔年上前幾步，避開人多的地方，唐業也走到她的身畔。

「妳好。」

他有些拘謹的禮貌也讓桔年略微不適應，只得微窘地回應，「呃，你好……請問，你找我……」

唐業卻答非所問，「妳的那套沙發套和抱枕，看久了，確實很漂亮……我今天過來，是想試試看妳在不在，妳知道的，發票上有你們的地址，這是妳那天遺落在我家裡的工作服。」

桔年沉默地接過那件橙色馬甲，她並不是僅有那一件制服，也不認為唐業會為了無關緊要的馬甲特意走一趟，他完全可以扔進垃圾桶。無事不登三寶殿，她已經略有心理準備。

「對了，我想我應該跟妳道個歉，那天我自己的情緒很有問題，說的話，妳不要往心裡去。」

「不會的，你已經很客氣了。」桔年是個慢性子，她不知道唐業的具體來意，就以不變應萬變，比較著急的那個肯定是先結束太極拳的人。

果然，唐業露出了一些為難的表情，顯然接下來要說的話在他看來有些難以啟齒。

「謝小姐，是這樣的，那天，在我姑婆面前，妳幫了我一個忙，我很感激。不過老人家回去之後，在我阿姨面前把妳誇了一通，現在，我阿姨非要……唉……」

桔年明白了，她和他演的那齣戲的後遺症來了。

見桔年不吭聲，並沒有應承的打算，唐業也有些頭疼，他試著問：「如果妳肯抽出點時間的話，比如說耽誤了妳半天的工作什麼的，我可以適當地補償，只要在我能力範圍之內……」

桔年抿嘴一笑，他又打算給她錢，偏偏還如此委婉。

「不是這個問題，唐先生。」桔年言辭懇切，「即使我幫過你這一次，那還是會有很多個下次，這個騙局總有被戳破的一天，你總不可能一輩子瞞著你的家人。再說……」她停頓了一會，「再說我並不是個扮演你女友的好選擇。」桔年有自知之明，她的底子不乾淨，唐業這邊是好人家，她怕不小心穿幫，令大家都臉上無光，反幫了倒忙。

唐業點頭，「我知道妳的意思。怎麼說呢，我父母都不在了，姑婆一輩子沒嫁人，一直跟著我爺爺、爸爸，現在是我，至於我阿姨，她是我爸爸的第二任妻子，也就是我的繼母。

她們都很關心我的私事，這是好意，我非常不願意這些長輩為我操那份心。姑婆是真的很喜歡妳，所以阿姨才沒有計較我拒絕先前她介紹的那個女孩子的事，就要求看看妳，大家一起吃個飯，她也就放心了。阿姨畢竟是繼母，她有她的工作，雖然是關心我，但是她不會過分地干涉我的生活。至於姑婆那邊，就算我們以後跟她解釋說分了手，能不能也把這個時間往後推一推，至少不讓老人家覺得我們太過輕率。所以我才決定再麻煩妳一次，也是最後一次，希望妳能答應。只是吃個晚飯，不會佔用妳太多的時間。」

桔年絞著自己的手，心中猶豫不決，可是畢竟在唐業這樣一個男人面前感到心軟，他站在邊緣，卻是善良的，總是太顧及別人的感受，這點跟「小和尚」是多麼相似。

眼看唐業的自尊心就要讓他打退堂鼓，桔年下定決心地點了點頭，「好吧，我答應你，不過這是最後一次。晚飯定在什麼時候，什麼地點？」

唐業鬆了口氣，笑了。這是桔年第一次看到他開懷的樣子。

「我來接妳。明天晚上，左岸二樓。」

辦公室裡，韓述從印表機裡扯出一張卡得變形了的A4紙，低聲咒罵了一句，狠狠地將它揉成團，朝一側的紙簍拋去。一米左右的距離，居然也未投中，紙團擦著簍邊落地。韓述不由得喊了聲：「我靠！」

這句話是朱小北的口頭禪，韓述自詡文明人，對這種言行一向大力抨擊並鄙視之，現在竟來了個現學現用，好在一個人的辦公室，沒有旁人聽見。他想，自己是楣到底了，垃圾都欺負他。

韓述憋屈地走過去，撿起紙團，重新放回它應在的地方，拍了拍手，又沒來由地無名火起，一腳踹在紙簍上，「看你還變態。」

塑膠的紙簍滴溜溜地翻倒，滿滿的廢紙團子散了一地。韓述這才滿意地坐回自己的位子。打倒了敵人，大快人心！

這時，電話不識趣地響起。他伸手拿起聽筒。

「喂，城南人民檢察院韓述，哪位？」煩歸煩，工作的時候，在外人面前他也不敢怠慢。

電話那邊傳來女孩子的笑聲，「韓述，你忙昏了？沒看見是內線嗎？」

原來是院長辦公室的美女主任。

韓述咳了一聲，「幹嘛？」

「我聽小張她們說，這一陣叫你去玩你都不肯，下了班就跑，不知道去哪裡。還有啊，我今天早上跟你打招呼的時候用了你推薦的香水，你居然都沒有聞出來，一點反應都沒有，這不太像你啊。」

「現在上著班呢，我看妳們是閒出病來了。」韓述沒好氣地道。

他一向跟院裡的年輕人混得極熟的，平時也調侃慣了。對方嗤笑了一聲，「韓述啊韓述，聽說你女朋友丟下你一個人到外地去了，可這算什麼，你是誰啊，你是韓公子！想當年我結婚前跟你談戀愛，雖然沒幾天，散夥的時候你跟大解放似的，恨不得唱國際歌。走，下了班大家去唱K，你要來啊。」

「我不去了。」韓述的聲音聽起來懶洋洋的，「你們就沒點人生追求？就知道唱K，浪費時間，不跟妳說了，忙著呢。」

蔡檢察長剛從辦公室裡走出來，就看到她的院辦公室副主任拿著電話對她笑道：「韓述這是怎麼了，您知道他剛才跟我說什麼嗎？『唱K，浪費時間』。」小王主任繪聲繪色地在蔡檢面前學著韓述的語氣，「他不是我們檢察院的K神嗎？」

蔡檢察長笑著搖頭，卻往韓述的辦公室走去。

進到韓述辦公室的時候，蔡檢察長正看見他貓著身子，把一地廢紙逐一往紙簍裡撿。

「喲，看我們的韓科長多熱愛勞動啊。」蔡檢察長含笑走到他身旁的沙發前坐下，等著韓述撿完最後一團紙，怏怏地坐回他自己的辦公桌前。

韓述苦笑著擺弄著桌上的卷宗，「您就別拿我尋開心了，要不是您，我能這樣嗎？我當初就不該接王國華的案子，現在好了，他是不繫繩子就蹦極去了，留下這爛攤子您說怎麼辦。」

蔡檢察長也收起了笑容，正色道：「這事你該怎麼辦就怎麼辦啊！」

韓述拂了拂頭髮，頗為苦惱。「王國華在我面前一再強調他是無辜的，可是怎麼都不肯給我能證明他無辜的證據。」

「你也不是今天才辦案子，哪個嫌疑人不說自己是無辜的。他背不起所以自殺了，案子也該有個了結。」蔡檢淡淡地說。

韓述抬起了頭，「您是說，他死了，罪名就坐實了，一切都由他扛下來？」

「難道他不是罪有應得？」

「不，我總覺得哪裡不對勁，我查過王國華的個人儲蓄紀錄和消費紀錄，說真的，他是個生活非常節儉的人，除了送兒子出國花了一大筆錢之外，幾乎沒有什麼重大開銷，他兒子成績不錯，在加拿大也並不奢侈，出國手續用不了那麼多錢。可是他死前的一段時間，建設局那邊陸續查出來的虧空累加起來已經不只原來的三百四十萬，妳說那麼一大筆錢真要是他拿的，他往哪兒藏啊？到現在也沒發現贓款的下落……王國華這人非常窩囊，我不信他是有膽有謀幹大事的人，要不也不會跳樓死了，可是我現在還不知道問題的癥結在哪裡，這事情一定沒那麼簡單……」

蔡檢笑道：「你這孩子，最近就為了這事，人都瘦了一圈，連你媽都心疼得找我興師問罪，我還以為出了什麼事。案子的事別心急，你就算急著往市院跑，也想想乾媽這兒對你也照應得不錯啊。你老實說，除了公事，沒有別的吧？」

韓述撇過頭去，「能有什麼事，你們就是愛瞎操心。」

「韓述啊，明天晚上跟我吃飯去，小王她們的面子你不買，乾媽的面子要買吧？」蔡檢也不追問。

韓逑意興闌珊地擺擺手，「公事應酬不要找我，私事也沒興趣。」

「還說沒事，好好的孩子，怎麼跟個小老頭似的！」

韓逑半真半假地說：「其實您不懂我的心啊，我忽然覺得我就跟這廢紙垃圾似的，爹不疼媽不愛，也沒什麼價值。」

蔡檢「呸」了一聲，「盡說不吉利的廢話。講正經的，明天晚上跟我去吃飯，不是公事也不是私事，半公半私，你沒話說了吧。」

「什麼事？」

「我約了阿業吃飯。」

「誰？哦……您那半路兒子，你們一家人吃飯，拉上我幹什麼啊？」韓逑當即表示不幹。

「嘖，叫你聽我把話說完。他最近談了個女朋友……阿業那孩子跟你沒兩樣，老大不小的不肯安定下來。我給他介紹的他都不上心，現在好了，聽說自己找了一個，處得還不錯，我總得見見。」

「那我就更不能去了，我去了算什麼啊？」韓逑敲著資料夾戲謔道，「要是您未來兒媳婦看上我了可怎麼辦？」

「別沒個正經啊，我跟阿業的關係你也不是不知道，到底不是肚子裡出來的，那孩子又特別客氣，客氣得我都覺得生疏，可是他爸爸臨死前那麼囑咐我……你去，好歹我也多個人說話。」蔡檢的臉色黯然，韓述也不敢胡說了。

「還有……另外一方面，王國華的案子多少也牽扯到他，我想讓你見見他，我的意思不是要你徇私情……見見面，吃個飯認識認識，都是年輕人，你會發現……」

韓述懂了，這個時候，他實際上是不該跟唐業有私下接觸的，但這也是乾媽的良苦用心所在。可憐天下父母心，雖然唐業不是蔡檢親生的。

韓述辦案一貫嚴格走程序，不單是因為道德操守問題，說實在的，他從小衣食無憂，也不缺什麼，犯不著為了一點利益昧著良心。可是唐業目前為止跟案子還沒有直接關聯，乾媽對他韓述怎麼樣，更是不用說。他也不是鐵石心腸，於是歎了口氣，「那我就做一回電燈泡吧。什麼時候，在哪兒？」

「我來接你，明天晚上，左岸二樓。」

第十二章　當天使經過

入冬了，天黑得早。韓述開著蔡檢的車，在左岸周遭轉了兩圈，才好不容易找到了一個停車位，見縫插針地趕緊倒了進去。

「奇了怪了，往常車位可沒這麼緊張啊，今天是什麼日子，莫非大家都開著車給您兒子道喜來了？」韓述熄火時嘴裡還唸叨了一句。

坐在副駕駛座上的蔡檢下車前不忘認真地理了理盤得一絲不苟的髮髻，確定自己的衣冠儀容都妥貼了，才笑著推開車門，道：「韓述，你真糊塗還是假糊塗，今天是什麼日子，不是你們年輕人最愛出來紮堆的洋節日嗎？」

左岸門口裝點得喜慶熱烈的聖誕樹、聖誕小屋和彩燈這才映入韓述眼簾，他猛然醒悟過來，原來今晚是平安夜。也不怪蔡檢笑他，他是真糊塗了。

韓述愛熱鬧，尤其喜歡過節，不管是中國節還是外國節、新曆節還是農曆節，他葷素不忌，照單全收，反正任何節日都可以成為他呼朋喚友的絕佳機會，他會玩、人緣好，朋友們願意跟他混在一起，從來都落不了單，日子很好打發。往年這個時候，他做為聚會的中堅分子，早已策畫好如何安排晚上的一、二、三場節目。也不知道今年是怎麼了，到頭來竟然是蔡檢提醒了他這個節日的存在。

也許是這段日子他忙昏頭了，也許是往日的夥伴早已一對一對地搭夥各自過起了小日子，也許是他終於有了玩膩的一天，也許是周遭的環境變化了，也許，變化的人是他自己。總之，這一年的平安夜，韓述伴著乾媽站在左岸一閃一閃甚是喜人的彩燈下，竟然憑空感覺到一陣空曠寂寥的況味。他想，其實在西方，聖誕節是個居家團圓的日子，他跟誰團圓去？父母是至親，當然敞開大門等待著他，可是他怕了老人過於關切的唸叨。他不小了，該有自己的日子，朋友如雲，卻都是過客。他是一個缺了個口的圓，過去用熱鬧和遊戲去堵，那些東西散了之後，風就冷颼颼地灌了進來。

「走啊。」蔡檢催促他，「阿業他們都到了好一陣了。」

韓述訕訕地說：「您再著急，也不能馬上抱孫子啊。」

兩人走到二樓西餐廳入口，恭敬有禮的服務員鞠躬道了聲：「聖誕快樂！」蔡檢舉步正欲踏入大廳，韓述笑著一把拉住了她。

「乾媽，深呼吸。」

蔡檢詫異道：「為什麼，你又搞什麼名堂？」

韓逑促狹地說道：「您不緊張？就不怕您那繼子給您找個特醜的媳婦？」

蔡檢好氣又好笑，「胡說八道，再醜的媳婦也得見公婆啊，再說，我們家阿業哪點兒也不比你差，憑什麼找個醜的啊？」

話是這麼說，蔡檢停了下來，還真的深深地吸了口氣。韓逑說的是對的，她有點緊張，要是裡面是她親兒子，她或許還不至於如此。

「長得怎麼樣都沒關係，人好，單純些，家世清白也就行了。」蔡檢說。

韓逑哈哈一笑，「您跟我爸媽要求一樣低。」

光線朦朧的西餐廳裡已坐了不少的人，吧台上，小提琴手表演得如癡如醉。蔡檢四顧片刻，角落裡有人站起來朝他們揮了揮手。

服務員引著他們走到桌旁，蔡檢笑著為兩個年輕人引見。

「阿業，這就是韓逑，我跟你提過的，我乾兒子……韓逑，這是我……這是唐業。」

唐業微笑著朝韓逑伸出手，「阿姨其實都不用介紹，我們是見過的，不過是在公事場合。韓檢察官，不知道你還記不記得？」

韓逑聯想到建設局的案子，心知或許是自己前往唐業單位調查的時候難免打過照面，那時他見的人多，事情也雜，因此對眼前跟自己年紀相仿的年輕人倒沒什麼印象，便笑笑回握唐業的手，「幸會幸會。不過我們今天不談公事，只談風月，呵呵。」

蔡檢作勢要打韓逑，一邊對唐業說：「這孩子跟我貧慣了，說話就沒個正經。」

「不拘束的才是自己人。」唐業說。

說話的當口，蔡檢的視線在周遭打量了一番，她當然沒有忘記今天的主要來意，可是座上除了她和韓述，就只有唐業孑然一人，女主角卻不知道哪裡去了。

「阿業，怎麼就你一個人？」坐定後，她試探著問道。

唐業道：「哦，她坐了一陣，剛去洗手間，馬上就回來了。」

蔡檢的心這才放下了，丈夫臨終前念念不忘的就是唐家這根獨苗的終身大事，也難怪她如此操心。

「對了，你姑婆說，那女孩子姓謝是吧？」

唐業點頭，可韓述聽到那個謝字，眼皮不由得一跳，心裡暗笑自己神經質，如此草木皆兵。這個時候，和繼子互相問候寒暄完畢，談了幾句就沉默下來喝水的蔡檢，開始把話題扯到韓述身上來。她半真半假地責備道：「韓述啊韓述，你看，你們都是同齡人，抱定主意獨身的唐業都有了個著落，你呢，還是上不著下不落的，該不會學現在那些亂七八糟的流行玩意兒吧，叫什麼來著？哦，斷背山。」

蔡檢也是開玩笑，韓述配合地含著一口熱水就笑了起來，唐業卻暗地裡悄悄地僵直了背。

韓述最是善於察言觀色，他何嘗不知道蔡檢對這個成年的繼子既關心又苦於疏離的態度，忙趕在女主角出現前打趣著活躍氣氛。

「乾媽您就是哪壺不開提哪壺，偏說我的傷心事。都說情人如衣服，朋友如手足，可憐我不久前又成了裸奔的千手觀音。」

這話一出口，成功地把蔡檢和略為內斂的唐業都逗笑了，大家也都放鬆了些。正在這時，一個女孩子的身影從吧台後洗手間的方位走了過來。

韓述和蔡檢坐著的位置背對著她，唐業卻早早地看見了，於是站起來等候著。

那女子匆匆走近，聲如蚊吟地表示著歉意，「不好意思，不好意思，久等了。」

「這有什麼關係，妳又不是故意的。」唐業笑得溫厚。他輕扶著她的手臂，就要為她介紹。沒有直面他們的韓述聽到那個聲音，卻有些疑惑地提前轉身。

他站起來的動作相當緩慢，遲疑著，彷彿需要對眼前這一幕的真實性進行確認。她臉上的驚駭太過清晰，他只得有些無助地轉而看了身旁的蔡檢一眼，這個時候，韓述太需要有個人催促他醒過來。醒醒，韓述，天亮了。

蔡檢也是茫然的，可是她的茫然並不是因為繼子身邊尚算可人的女孩，而是因為韓述孩子一般的悽惶和瞬間有些詭異的氣氛。她並沒有立即認出桔年，畢竟十一年過去了，當年桔年與她也不過是打過幾回照面，原有的記憶已經模糊，而且一個成長中的女孩兒，在那麼多年的光景中難免有些改變。

蔡檢是見慣了大場面的女人，她直覺地感受到些許異樣，而這異樣無疑是這個剛出現的略有些面熟的年輕女子帶來的。她蹙著眉，微側著頭邊打量邊回憶，她是誰，自己是否見過她，韓述的臉色為什麼忽然如此難看，她是阿業的女朋友，對了，她姓謝……

回憶的閘門被往事轟開，曾經那個抱著一套新衫褲，帶點小小的洞悉冷笑道「我知道，妳怕我告他」的女孩，被告席上那個顯得特別纖瘦的影子，終於跟眼前這個褪去了侷促微笑、表情漠然的女子慢慢重合。

蔡檢的心中大震，千頭萬緒彷彿被一個引信點燃炸開，抖著手指著枯年，話還來不及說出口，氣急攻心之下，被一陣突如其來的心絞痛打斷。

另一邊，不知內因的唐業感覺自己輕扶著的身軀往後退了一步，他默默地穩住了她，正要開口說「阿姨，這是我女朋友」，卻正好趕上蔡檢按著胸口跌坐回椅子，他趕緊鬆開枯年，上前察看。

韓述離蔡檢更近，他知道乾媽的冠心病是個老毛病，二話不說，趕緊打開蔡檢的手袋，翻找著隨身攜帶的急救藥，好不容易倒出了一粒，忙不迭地送過去給她含住。此時一頭冷汗、臉色煞白的蔡檢靠在椅背上，卻慢慢地緩過了那一口氣，胸口急劇地起伏著，攔住了韓述遞藥的手。

她活到這把年紀，做為一個事業有成的女人，多少風浪都經歷過，並不是電視劇裡遇事眼前一黑的老太婆，可是這個事隔多年重新出現的女子，不但串聯起她最重視的兩個後輩，也勾起了她為人處世中一段最為灰色的記憶插曲。

平心而論，蔡一林檢察官並不是個惡毒的女人，相反，她憑著自己的能力一步一個腳印地走到今天，手裡不知經手過多少案件，她都可以摸著良心說對得起自己的職責，也對得起頭頂的帽徽。然而唯獨那一次……她年輕時對之宣誓過的正義女神一手舉著天平，一手執利劍，卻蒙著雙眼，因為正義必須是用心去判斷。十一年前，面對一個無辜的女孩，蔡檢卻睜開了眼睛。那一次她看到了自己的乾兒子韓述，於是天平便有了傾斜。只是一念之間，沒有任何罪孽，甚至位列受害者之列的女孩鋃鐺入獄。

這些年來，蔡檢並非完全對那件事泰然處之。她當初的初衷也不是讓桔年去承受牢獄之災，只不過害怕她豁出去告，就算沒能告成，也會讓韓述小小年紀在別人眼裡背上強姦犯的罪名。當年她最大的罪過是過度自信，高估了自己的手腕，以為只要那個旅社老闆出庭作證，韓述脫身，桔年也不會陷入那個漩渦。她想，一切都是可以補償的，到時候她可以想法子給那女孩一筆錢，或者韓述那麼中意她，生米都做成了熟飯，順水推舟地成全了那孩子也不是不可。結果，誰也沒有想到，螳螂捕蟬，黃雀在後，愛女心切的陳家讓她吃了個啞巴虧，導致最後誰也不堪回首的那個結局。

謝桔年出獄了，心裡恨她，蔡檢是可以接受的，她承認是自己的錯。桔年還在牢中的時候，她就不只一次地提出探監，並打算給她一定的經濟補償，可桔年沒有給過她任何的機會，現在，桔年以這種形式出現，蔡檢怎能不心驚肉跳，她摸不透謝桔年可怕的動機，看著韓述的樣子，她也能猜到這動機可能導致的可怕後果，何況還牽扯進了唐業。

唐業半蹲在繼母的身邊，面露憂色，再遲鈍的人也能看出這一碰面之下驚人的暗湧，他小心地問道：「你們……認識？」

蔡檢的呼吸漸漸趨於平緩，她示意自己沒有大礙，揮手遣開了趕上來詢問的服務員。而面對唐業的疑惑，她沒辦法搪塞，卻也無從解釋，不知從何說起。

桔年像一尊沒有情緒的大理石塑像般僵立在那裡，韓述一言不發，視線死死地膠著在她的身上，唐業站了起來，深感無奈地攤開了手，「有人能告訴我發生了什麼嗎？」

蔡檢白著臉沉默，韓述彷彿沒有聽到他說的話。

半晌，有一個細細的聲音打破了這個僵局。

「是啊，我們認識的，好多年前的事了，蔡檢察官，不，蔡檢察長當年幫過我一個忙，大家都沒有想到，世界竟然這麼小。」桔年對唐業莞爾一笑。

唐業也許是不信的，他不是傻瓜，繼母聞言之後的難堪他看在眼裡，可是，不信又能怎麼樣呢，這是目前這幾個當事者唯一能給他的答案。他選擇聽取，然後靜觀其變。

「這樣啊，那還真是緣分。桔年，她就是我阿姨，我父親去世後，阿姨很關心我。還有韓述妳也認識了吧？」

韓述依舊沒有說話，好像駭然笑了一聲。桔年的身子很僵，動也不動。

唐業徐徐為桔年拉開了椅子，「先坐吧。」

桔年小心地坐在椅子最邊緣，如坐針氈。

「韓檢察官，你不坐嗎？」唐業笑著問韓述。

回過神來的蔡檢歎了口氣，在桌下輕輕扯了扯韓述的衣袖。她再務實不過，既然大家都在同力維持那層薄如蟬翼的偽飾，她又何必急著撕開呢。她現在只想弄清楚，謝桔年是怎麼找上唐業的，唐業對她的感情有多深，背後的真相是否會傷及唐業和韓述。

韓述一開始沒有理會，桔年避開與他的目光交流，低下頭去，慢慢絞著座前的餐巾。奪門而出嗎？他拒絕。所以他說服自己坐了下來。這場荒誕戲裡她也是一角，所以他要留下來。

唐業打了個圓場，「我有一個在法國生活很多年的朋友對我說過，假如一場聚會的談話忽然中止，那是天使掠過的證明。」話畢他又微笑，「這個地方就是我那個朋友經營的，她向我推薦，這裡的法國菜做得不錯，特意從里昂請來的廚子，我們可以試一下。」

說著，他示意服務員拿來了菜單，蔡檢的手覆在韓述膝蓋上，她怕韓述性子一上來，不知道會做出什麼來。韓述想起，那是多少年前，這雙手也是這麼按住了他，他已經分辨不出，那手是溫熱的，還是冰冷的，乾媽是一把將他從泥潭中拉了出來，還是永遠地推了進去。

第十三章　他們都是上帝

四人座的小圓桌，韓述和唐業先前就一左一右地坐在蔡檢身邊，空出來留給桔年的位子便只能也是一邊一個男人。韓述不記得自己有多久沒有這麼靠近地，而且是靜靜地坐在她身邊，也許從來都沒有過。他的手只要略伸，就可以觸到她的身軀……是了，她也曾安詳地睡在他的身邊，蜷著，宛如嬰兒，他抱著她的姿勢是那麼小心翼翼，唯恐貼得不夠近，聽不到她的呼吸，又唯恐貼得太近，心跳驚擾了她。她黑而長的頭髮讓他的臉癢癢的，可是他不敢動。不管那些是他的美夢還是她的惡夢，都再也回不去了。然而這個時刻，他還是不願意被驚醒。

謝桔年雙手端著菜單，垂首不語。韓述看得出，她今天化了淡妝，雖然並非是為了他，但他彷彿忽然理解了唐業做為一個男人的心動。她就像是孤零零的一朵野花，白色的單層花瓣，柔黃色的花蕊，莖幹細韌，葉子纖長，戰戰兢兢地開在野風中，偶爾伏低身子，卻從來不折。他卻伸出一雙溫室中生長的手，貿貿然地去採，不知道那上面有刺，也不知道她會因此凋零。那唐業呢，唐業是什麼？

「蘆筍濃湯，茭白蝦凍，鵝肝煎鮮貝。」韓述合上菜單，他也是常來的人，眼睛過一遍，點菜並不費心思。蔡檢血壓高，點得很清淡。

桔年卻是從未踏足過這種場合的人，她翻著菜單，巴掌大的臉蛋，幾乎埋進了印刷精美的菜單裡。

好在唐業及時地把菜單從她手中輕輕抽出，低聲說道：「我喜歡這裡的鄉村蔬菜雞湯、薄荷三文魚沙拉、鮮橙T排，要不，妳今天也試試我的口味？」

桔年頓時如釋重負，「好啊，就跟你一樣。」

等待上菜的沉默時光最是難熬，桔年的頭幾乎沒有抬起過，餐巾的流蘇被她撥弄得亂了。西餐廳裡客人幾乎滿座，舒緩的音樂中可以聽到細碎的交談和金屬餐具相撞的聲音，服務員如魚一般靈活自如地遊走在桌與桌之間。

是誰的呼吸在耳畔，急促卻小心翼翼地屏住。這是個乾燥寒冷而堂皇的夜晚，桔年卻恍然想起了一個濕熱凌亂的午夜，亂得像她手下的流蘇，她不喜歡，心裡悶得難受。

不知什麼時候，吧台的小提琴手旁邊多了個風情萬種的中年女歌手，手執麥克風款款而立，一開腔，竟有幾分蔡琴的味道。悉心聽歌的姿態，挽救了那些各懷心事的人們。

一首經典曲目〈你的眼神〉唱畢，悠長的前奏後，女歌手的聲音愈顯滄桑，她唱：「青春一去永不重複，海角天涯無影無蹤……」

蔡檢在桔年出現後首次開口，她試著用有些乾澀的嗓音若無其事地對韓述說：「瞧，這不是你喜歡的調子嗎，當初還眼巴巴地從我家硬要走那張老唱片……」

韓述勾勾嘴唇，勉強回應了個笑臉，並不成功，索性繼續沉默。

「你的面貌，還像當年，我的相思已經埋心田，你不讓我吐露一言，只能多看你一眼……向你多看一眼，我度過了多少個寂寞的春天……」

這略帶頹廢沙啞的靡靡之音在情人聚集的場所最是應景，桔年半側著身子，似乎傾聽得很是入神。

唐業恰到好處地低頭，不至於太靠近她，但那耳語的姿態又顯得略帶親密。

「妳也喜歡？我有個朋友也非常喜歡蔡琴的歌。」

「是嗎？」桔年淺淺地笑了笑。

服務生終於端上了餐點。法國菜的程序最是麻煩，桔年看著眼前密密擺著的餐具，頭皮一陣發麻，還好唐業動作緩慢，她小心地跟著，有樣學樣。低頭用餐成了四個人此刻最重要且唯一能做的事。

桔年雖聰穎，略能將唐業的招式學得有幾分像樣，可是用不慣的餐具，畢竟難以在短時間內做到熟練。唐業為了照顧她的口味，唯恐她不喜生食，將她的小牛T排改為全熟，血絲是不見了，可更為難切。桔年手執刀叉，本是生硬，那T排中間還裹著一塊伶仃的骨頭，實在是難以入手，只得埋首去切，窘得頭上都冒了汗。

唐業也看出來了，雖有些著急，但心中也並不覺得有什麼不對，在他看來用不慣西式餐具，不是什麼罪過。於是他也不言語，唯恐讓桔年更為尷尬，只是為她添了點紅酒。

蔡檢暗地裡不動聲色地看著桔年，唐業對她還真是不錯，她眼觀鼻鼻觀心地吃著自己的蔬菜沙拉，如果來人是帶著敵意，那該來的遲早要來。

最難受的是韓述，他原本就心浮氣躁，強行按捺著自己，可桔年的食物切得不得要領，金屬餐具不時地碰在瓷器上，那聲音別人聽來微弱，可傳入他耳裡，一聲一聲，咯吱咯吱，讓人心亂如麻。

他覺得躺在她餐盤裡的不是什麼牛排，是他，是他韓述，一刀刀地凌遲，也不肯給個痛快。

桔年幾乎要放棄跟牛排作戰了，愈急就愈出錯，最後一下，叉子在碟子上一滑，手肘就跟著撇出去，堪堪撞上左手邊韓述的手臂。就這一個幅度不大的動作，即使她沒有抬頭，也知道在座的四個人頓時都停下了手中的動作。

唐業立刻端起了酒杯，朗聲道：「差點忘了，我們至少應該喝一杯，為平安夜，也為我們四個人有緣共同坐在這裡。」

桔年遲疑了片刻，也跟著舉起了酒杯，她答應了唐業，就不能讓唐業難做。

蔡檢心中五味雜陳，可還是對著唐業笑了一聲，「阿業，我雖不是你親媽，可我還是希望你過得好。」語畢她也端起杯子，靜靜等候執住勺子不動的韓述，她又暗暗扯了扯韓述的衣袖。

韓述當即放下了自己的餐具，可手並沒有伸向杯子，而是徑直探到桔年胸前。桔年大驚，倒吸口涼氣往後一閃，不知道他究竟要幹什麼。唐業也趕緊放下杯子。

誰也沒有想到，韓述的手落在桔年面前的餐具上，不由分說地將她的餐盤端到了自己跟前，當著另外三個驚愕的臉孔，面無表情地拿起手上的刀一塊一塊地切著屬於桔年的那塊T排。

桔年被嚇得忘記了下一步的反應，唐業和蔡檢也怔怔的，一時間竟沒人說什麼，也沒人阻止，就這麼任韓述俐落地把那塊擾人的牛排切割得支離破碎。

當那塊橫在肉中間的骨頭被完美無缺地從肉中剔出來，韓述貌似在今晚第一次鬆了口氣，然後若無其事地重新把餐盤「完璧歸趙」。

桔年已然驚呆，哪裡還會下餐具去取食。不識相的服務員正趕在這個當口走到桌邊，從手中的籐籃裡取出一朵玫瑰，遞到韓述面前，「先生，這是今晚我們店裡免費贈送的禮物，每對情侶都可以得到一枝法蘭西粉紅玫瑰，送給你心愛的女朋友。」

也不能怪服務生唐突，他過來的途中正好看到韓述將自己面前的餐盤遞回桔年面前，盤裡的肉被切成許多個小塊，雖不符合西餐禮儀，但這種事，不是親近的人斷然不會做。

唐業咳了一聲，顯然對服務生的錯認頗為無奈。服務生的手橫在桔年和韓述的中間，桔年伸手去拭額上的薄汗，說出來的話也結結巴巴，「不……不是……我……」

韓逑低頭片刻，然後抬起臉，竟然伸手想要去接那枝玫瑰。他的手握得太緊，花莖上沒除徹底的刺不期然地扎進了他手裡，他「嘶」了一聲，桔年也是一抖，眼看著血珠從他手指的皮下冒了出來。

服務生手足無措地道歉。唐業忽然站了起來，客氣地對在座幾位說：「不好意思，我想我要去洗個手。」

他放下餐巾就往洗手間的方向走，桔年的眼睛跟著他離開的方向。她該不該追隨他一道去？可他去男士洗手間，她跟著去做什麼？

好了，現在只剩下三個舊識，韓述看著自己的傷口不說話，蔡檢慢條斯理地擦了擦嘴角，坐正身子。

「桔年，我們打開天窗說亮話好嗎？我對不起妳，一切是我的錯，跟他們都無關，妳衝著我來好了。在我的記憶中，妳是個善良的女孩，現在妳想要怎麼樣，不妨直說，沒有必要傷害無辜的人。」

蔡檢的聲音還是慈祥而柔和，像一個貼心的長輩，桔年不是沒有見識過，可她已確定這慈祥不是為她。別人把話說開了，她反倒更覺得坦然了一些。桔年笑笑說道：「我並不是什麼善良的女孩子，蔡檢察長貴人多忘事？善良的人又怎麼會在牢中過了幾年。」

桔年這幾句話柔聲細語，談不上咄咄逼人，蔡檢卻覺得臉上似被摑了一掌，那些策略、那些溫情的面紗都變得無謂了。她擅長做思想工作，大道理說得最是天衣無縫，可在謝桔年面前，那些道理愈說愈顯得虛偽。她長歎一聲，「妳沒有做過母親，但是我希望妳理解一個母親的心，傷害妳不是我的本意，妳說吧，我要怎麼做才能補償妳？」

不愧是乾媽和乾兒子。桔年心想，他們的口吻多麼相似啊，妳說吧，我要怎麼補償妳？好像他們是上帝，什麼都能給予。她如果說我什麼都不要，只要你們離我遠遠的，會有人信嗎？

餐巾的流蘇再度被桔年用力地纏在指尖，她說話很慢，這樣才能讓一個不善言辭的人的每一句話都緊跟在思維的後面。

「蔡檢察長說要給我補償，那就是承認欠了我的，妳欠我什麼呢？錢，沒有。公正？怎麼可能呢，我在獄中的時候也常常看報紙，全省十佳法律工作者的事蹟也是拜讀過的……」

這些話在蔡檢聽來是赤裸裸的攻擊，她的耐心終於到了極限，騰地站了起來，急促地說：「妳到底想怎麼樣？」

「蔡檢覺得我會怎麼樣？」

「離他們遠一點！」

桔年啞然而笑，「這也要看他們肯不肯。」

「妳……」

唐業從洗手間折返，蔡檢收住了嘴裡的話。唐業回到座位，看到表情各異的三人，還有繼母身後側歪向一邊的椅子。

「阿姨，這又怎麼啦？」他長吁口氣，問道。

蔡檢看著桔年漠然的神色，索性把話挑開，「阿業，我雖然希望你早日有個家，可你在看人的時候也應該多留個心眼，你知道她是什麼人嗎？她有什麼底子？她接近你有什麼目的，你想過沒有？你太老實，被人賣了都不知道！」

「那您告訴我，她是個什麼樣的人？」

蔡檢冷笑一聲，「你跟個搶劫……」

「乾媽！」一直不語的韓述厲聲打斷。連他都想不到，乾媽會這麼說。可是，乾媽的本意確實是保護他和唐業。究竟多少的惡是源於某種意義上的善？

唐業用紙巾擦著手，然後放下，他看著桌子，「今晚的菜真的很不錯，可是我想我們都沒有辦法吃下去了。既然如此……」他招手叫來服務生。

服務生疾步而來，蔡檢雙手撐在桌子上，支著身子，心痛不已，「我是為了你好啊，她有什麼值得你這樣？你們都這樣，到底中了什麼魔？」

桔年從聽到蔡檢來不及說完的「搶劫犯」三個字開始，就一直靜靜地坐在那裡，嘴角若有笑意，也是帶著淒涼和譏誚。這三個字她太熟悉了，也許還要跟著她一輩子。

唐業迅速地從錢包裡掏出幾張紙幣，塞到服務生手中，「別找了。」一語罷，他一手拉起桔年，「阿姨，我知道您對我好，但別這樣好嗎？我和桔年還是先走一步，如果兩位還有胃口，那麼請慢用。」

桔年沒想到唐業會如此反應，順從地任他拉著自己離席，眼看就要離開，始終冷淡地坐在一旁的韓述一下鉗住了她另一邊的手臂。

「別走！別走……」如果第一句是走投無路的蠻橫，那第二句，就徹底地只剩下哀求。兩個人的手都抓得很緊，桔年荒誕地想起了擔心死後被鋸成兩半的祥林嫂，她也不掙，看他們能將她撕成兩半？

「我覺得，你即使想留下她，也欠了個『請』字。」唐業對韓述說道。

韓述淡淡地看著唐業，手也不肯鬆勁，反而一根一根地徐徐掰開唐業拉著桔年的手，言辭誠懇地說：「別說是個『請』字，即使我跪下來求她也沒什麼。但這是我和她之間的事，與你沒有關係，真的。」

第十四章　放過你，也放過我

韓逑掰開唐業的手，此時，氣氛浪漫的西餐廳裡已有不少用餐的客人看了過來，兩個從他們身邊經過的服務員也駐足不前，交換著眼神，低頭竊語著。

唐業絕對不是一個可以無視別人側目的人，他的性格和教養讓他很少會去做出格的事。謝桔年和韓逑，一個是他今天借來的「女朋友」，一個是繼母的乾兒子，並且與自己在公事上也頗多糾葛。即使是再遲鈍的人，也能看出這兩人之間暗潮湧動。桔年是他帶來的，他本有義務護她妥善離開，可是眼前這情景，讓唐業懷疑自己再淌渾水是否明智。

韓逑說，這是「他們之間」的事，拋下句狠話之後，他的眼睛就沒離開過謝桔年，而桔年始終默然垂首。

唐業低聲詢問：「桔年，妳還好吧？」

桔年的嘴角似乎勾了一下，苦澀地笑，卻沒有搭腔。

於是唐業將手一攤，「我的車停得遠，我先去倒出來。」他離開前用手輕輕拍了拍桔年的手臂，柔聲道：「我在路口等妳。」

直至唐業的身影消失在門口，韓述的手才稍稍鬆了點勁，他不由得擔心自己先前沒個分寸，捏痛了她也不知道。可是她從始至終不吭聲，眉頭都沒皺一下，他從來就猜不透她的感覺，連痛意都只能靠著自己的猜度。

也許終於意識到自己成了眾人視線的焦點，一直孤零零地坐在原位的蔡檢還在冷眼注視著。韓述說：「我們換個地方說話好嗎？」

桔年不知道在想什麼，竟渾然未覺似的，置若罔聞。

韓述無奈，依舊抓著她的手臂，拉起她往門口走，桔年跟牽線娃娃似的，跌跌撞撞地隨他走了出去。

一直到了左岸出口處附近的人行道上，韓述才停了下來，手鬆開得很遲疑，怕她扭頭就走。

那地方是個風口，從溫暖如春的餐廳轉戰到此，無異於兩重天。桔年一襲灰色的大衣，領口護得並不嚴實，一站定，冬夜凜冽的寒氣就從脖子處灌了進去，她環住自己，微微地一抖。

韓述見勢立刻脫去自己身上的外套，要往她肩上披，被她一手擋住。

「不用了。」桔年的聲音無奈而疲憊，「該鬧夠了吧，韓述。」

這是這次意外碰面之後，桔年對韓述說的第一句話。

韓述緩緩垂下拿著外套的手，比夜風更涼的寒意瞬間讓他滿腔的血都凝成了冰。

他把脫下的衣服挽在手上，看到服飾店門口用以招攬顧客的聖誕老人玩偶，忽然覺得自己在她面前真像個悲哀無比的小丑。

他試著笑了一下，開始慣有的自我解嘲，「我就不明白了，我為什麼總要以一個傻×的光輝形象屹立在妳面前。」

桔年沒有笑，意料中的事。韓述獨自笑著，把自己送到了難受的極點，終於鬆下上揚得僵硬的唇角，不再為難自己。

「剛才我對唐業不是說說而已，要我跪下來求妳也沒什麼，只要我們好好地說話，只要妳覺得好受一些……用我跪下來求妳嗎？」他拖住桔年冰似的雙手。

冷風中的兩人，誰也暖不了誰。

桔年覺得甚是荒唐，她怕韓述性子上來，說得出就做得到，匆忙掙了一下，後退幾步，「別……等我走了之後，你跪誰都可以，怎麼跪都隨便你。」

「那妳給我一句話，我該怎麼做才好？」討不到觀眾歡心的小丑，都不知道該怎麼謝幕。在桔年的印象裡，韓述都是自信滿滿的，帶著點玩世不恭的自命不凡，他自視甚高，平素裡的客氣也是居高臨下的。偏偏這時就像個一直走啊走啊卻找不到家的孩子，在天黑前一秒，發現眼前沒有一條路，驚惶到無以復加。

桔年並不是個鐵石心腸的女人，誠然，她忘不了過去，可是她並沒有想過懲罰韓述來讓自己快樂釋然一點。因為她和韓述是兩個人，韓述的痛苦是韓述的，謝桔年的痛苦是謝桔年的，此增並不意味著彼消，何必呢？

「我說過我原諒你，不是說說而已。你真的不用這樣的，韓述，你過你的生活，讓我過我的日子，這樣收場對於我們而言都是最好的方式。」

然而，桔年嘴裡的一句原諒卻不是韓述要的寬恕，不是他夜夜惡夢的救贖。他問出這十一年間不斷盤桓在心中的疑問，「如果那一天，摔下來死掉的那個人是我，會不會大家都好受些？」

可是他仍然不敢問如果死的是我，妳會不會忘記我所有的錯，只記得我僅有的好？可他在桔年心中有過「好」的存在嗎？沒有，那也不要緊，她記得他就可以了。如果他死了，她會不會記得他？

桔年側過臉去看主道上呼嘯而過的車輛，節日的彩燈和一旁精緻明亮的櫥窗映得她臉色蒼白，他說到了那個「死」字，入耳驚心，逼得她去回想當時的天人兩隔。如果死的那個人是韓述……世界上有如果嗎？他能改寫命運？他能換回她的「小和尚」嗎？

「韓述，其實你還是沒有明白，很長的一段時間裡我也一直沒能明白，所以那時我遠比你更難過，怪命運對我太不公平。站在法庭上聽著宣判的時候，我希望你們通通都下地獄，通通都不得好死……可是我現在沒有那麼恨你了，知道為什麼嗎？因為這十一年裡我總算想明白了一件事。你以為你是罪魁禍首，其實你不是，你乾媽也不是，甚至陳潔潔和她爸媽、小旅館老闆，還有林恆貴，都不是……你們都沒有那麼重要，事實上是我們，是我和巫雨自己一步一步走到今天這個境地的，就算沒有你們，難道我和他就會幸福到天長地久？」

說完這番話，桔年在韓述面前落淚了。這麼多年，她自己也很少這樣直視自己的眼淚。每一個今天，不都是無數個昨天的累積嗎？她和巫雨一步一個腳印地走過青春，他們自己何嘗沒有錯？如果她不是那麼怯懦固執，如果巫雨不是那麼年少衝動，如果他們不是太渴求那一點點微不足道的愛，如果他們相信自己不是毛毛蟲而是蝴蝶，那悲劇是不是就會改寫？可能有很多種，但是沒有如果。

正如她對韓述所說，人生沒有如果。「如果」裡的人，不是巫雨和桔年。這世界就是這麼現實，而他們一直太過天真。桔年多想騙自己啊，讓自己相信，差一點，只差一點，沒有韓述，沒有陳潔潔，沒有所有無謂的人，她和巫雨就可以永遠不會分開。可那只能是夢裡的一個真空世界。地底下的兩條毛毛蟲，一條只想在靜謐中默默依偎，一條卻狂熱地嚮往另外的天地。也許從一開始，就註定一個是回頭無岸，另一個在黑暗裡碧海難奔；而烈士陵園裡的石榴和院子裡的枇杷，終是相望，僅此而已。

韓述沒有預料到桔年的眼淚，他想伸手去擦，卻又不敢，正如他害怕桔年恨他，又害怕她不恨他。

韓述的話無比苦澀，「我要一個補償的機會就那麼難嗎？」

桔年流淚道：「你能給我什麼？十一年了，我不也照樣過得好好的？假如你真覺得對不起我，那就應該希望我過得幸福，何苦再攪亂我和唐業的關係。難道你認為我的幸福只能靠你的補償？」

韓述頓時語塞，他始終告訴自己，只有對她好一點，才能彌補自己當年的錯，然後他就一頭埋了進來，可謝桔年一語驚醒夢中人。

難道我的幸福只能靠你的補償？

短促的汽車喇叭聲響起，桔年和韓述聞聲看過去，唐業的車遠遠地停在馬路的另一邊。

桔年手忙腳亂地抹著臉上殘留的淚水，「我要走了。」

韓述想起了乾媽之前的玩笑話，是啊，唐業哪點兒又輸給了他？飯桌上，他們多麼默契而親密，他為什麼從來就沒想過，另一個男人同樣可以給桔年好的生活？

桔年用力抽出被韓述抓住的手，喇叭聲再次響起，也許唐業察覺到桔年的困境，擔心之下，推開車門走了出來。韓述的心慌而亂，當他唯一能給的「補償」都變得無比蒼白，他不知道自己還能怎麼辦。情急之中，他收緊抓住桔年的手，徒勞地拽著。

「妳聽我說，妳先聽我說……」

川流不息的車輛一時阻住了唐業穿過馬路的步伐。

韓述汗濕的手讓她忘卻了冰涼。

桔年在這個時候反而安靜了下來，定定地看著韓述。

「好，你說……」

韓述張開了嘴，卻發現自己竟然無言。他該說什麼？謝桔年這樣一個女人，他能說出來的每一種可能，在開端都已被她阻絕。

偏偏韓述沒有辦法怨她，她靜靜地站在那裡，給了他足夠表述一切的時間。

說啊，韓述。

唐業總算小跑著從車與車的間隙中穿了過來。

說啊，說啊，你想說什麼？

到底想說什麼？

另一個男人一步步走近。

能言善辯的韓述第一次那麼恨自己的語拙。

這一回，換作桔年一根根掰開韓述抓住她的手指。

她眼睛微紅，那是先前流過淚的痕跡。

當桔年的手終於重獲自由時，她說：「韓述，你就放過你自己，也放過我吧。」

在唐業有些猶豫地走至桔年和韓述身畔之前，桔年扭頭朝他走了過來。

「對不起。」桔年意識到自己哭過的眼睛引起了唐業的注意，微微撇開了頭，低聲說道。

唐業笑笑，用手護著她的肩走過馬路，上車之前，他朝韓述的方向回望了一眼，寒意料峭的夜裡，韓述單手挽著自己的外套，那麼春風得意的一個人，如路燈般伶仃。

桔年坐在唐業身側的副駕駛座上，聽著他發動車子的聲音，沉默良久，說道：「對不起，我把今天的晚餐搞砸了。」

唐業專注於前方的路況，過了一會才答道：「怎麼會這樣想，妳沒做錯什麼。」

桔年注視著自己的手指，「我是個坐過牢的女人。」

唐業側過臉看了她一眼，如她一般平鋪直敘，「我是個愛男人的男人。」

他們說完，都有好一陣沒有出聲，過了會兒，桔年乾笑了一聲。唐業愣了愣，竟也笑了起來。他們在這荒誕的自我介紹之下，如重新相識一般。

「急著回去嗎？」唐業問桔年。

桔年搖頭，非明住校，所以她不用急著回家。

「今晚哪裡人都很多，不如我們去個安靜點的地方。」

車子載著他們一路往市郊的方向走，電臺裡放著輕快的聖誕歌。唐業帶桔年去的地方並不美麗，四周都是正施工的工地，他的車停在一個小小的泥塘邊上。

唐業似乎也有些意外，「上次來，這塘裡的水還是很清綠的，裡面有不少的魚。」

桔年環視池塘周遭，慢慢地覺得熟悉，她有些明白了。

「這就是『望河亭大暑對風眠』吧？」

唐業笑了起來，「跟妳說話倒省了不少力氣。是啊，以前我常到這兒來釣魚……當然，不是一個人來的……」他知道桔年會懂的，也就沒多解釋，接著往下說道，「沒過多久，這兒就會被改建成一個溫泉度假山莊。」

「這裡嗎？」桔年也有些驚訝，這一帶其實她並不陌生，往前不過兩公里就有一條河，過了那條河，就是一個小廟，過去她和巫雨曾在那個廟裡求過籤，不，是偷過籤。那時，這附近還是非常荒涼的。物是人非都不足以形容這變遷，城市也都跟著變了模樣。

唐業點頭，「這塊地是我親自經手報批的。」他說著又笑了起來，「本來打算帶妳來試試夜釣的滋味，釣具我都帶來了，看樣子是沒有魚了。不過既然來了，不如就呼吸下新鮮空氣，看看星星也好。」

他把座椅搖了下去，半躺著看著擋風玻璃外的天幕。見桔年坐著發呆，便替她也放下椅背，示意她躺下。

這樣半躺著的姿勢讓桔年一開始有些不自在，她聚精會神地盯著玻璃外的天空看，看著看著就笑了，哪裡有什麼星星，除了若隱若現的層雲，什麼都沒有。

唐業有些尷尬，解釋道：「上一次我來，是有很多星星的……我大概是個無可救藥的迂腐的人。」

桔年閉著眼睛說：「不會啊，我看到了很多很多星星，還有銀河。」

「是嗎？」唐業也學著她雙眼緊閉。

「你知道飛機在天上飛為什麼不會撞到星星上嗎？」桔年問。

「嗯？」

不等唐業回答，桔年接著往下說：「因為星星它會『閃』啊。」

「哦……這樣啊。」唐業點頭。

桔年笑著睜開眼睛看他，「拜託你，我是在講一個笑話。」

「哈哈，是挺有趣的。」唐業很給面子地笑了幾聲。

反倒是桔年最後忍俊不禁地為自己冷得驚人的笑話笑了起來。她想起了巫雨，對於桔年的冷笑話，巫雨總是慢半拍，有時候他不知道什麼意思，也非常配合地哈哈大笑，往往過了很多天以後，他又在桔年面前「噗哧」一笑，說：「我知道妳那個笑話的意思了，哈哈哈。」

唐業看著桔年因回憶而變得柔和的眼睛，儘管仍有淚痕。他再次閉上眼睛，慢悠悠地問：「妳說我們閉上眼看到的星星是真實存在的嗎？」

桔年說：「對於別人而言可能不存在，可是，如果我相信，它就存在。」

「有一次，夜裡我跟他一起出海釣魚，我過去從來沒有那麼瘋狂，那個晚上，我們有很多的回憶。可是後來……我們回憶那一晚，他說，他記得明月當空，非常的美。可在我的印象裡，當時是下著小雨的，我親眼看到雨落在海裡的痕跡。我們為了這件事爭辯了很久，誰也說服不了誰。最後，他跟我說：『算了，唐業，就當你的那天晚上是下著雨的，可是你也不能否認我當時看到的月亮。』」

唐業娓娓地訴說，他並沒有刻意去強調「他」是誰，可是桔年心領神會，甚至不用眼睛去看，她也能感覺到身邊這個男人嘴角含著的惆悵笑意。

「我想，也許月亮和雨都是真實存在的。只不過我們選擇記住不同的東西。我不是個超脫的人，我需要旁人的認同，害怕別人用異樣的眼神看著我。所以，那一晚即使有再多的快樂，我也始終沒有辦法心安理得地享受它。而他不同，他愛得遠比我勇敢。有時我害怕他，他的勇敢讓我沒有了任何退路。」

桔年聽他說完，也喃喃地說道：「我知道你的意思。許多年前，我有一個……一個夥伴，那時我獨自走一條特別可怕的路，但是他不能陪著我，他說，他會在一個地方一直看著我走，讓我不要害怕。我就真的沒有害怕。後來，他跟我坦白，說其實那次他不小心打了個盹……我說，不要緊，在我心裡面，他一直都在看著我，一直看著……我相信，那就夠了……」

兩個人靜靜地躺在有些年份的老爺車傾斜的座椅上，像孩子一般緊緊閉上眼睛，遠遠的有寒蟲的淒鳴，傳入耳中。

「妳信嗎？我心裡每天都在拉鋸。跟他在一起吧，別管明天，只要眼前的快樂……離開他吧，過正常人的生活，娶妻生子，膽顫心驚的快樂不是真的快樂，是鴉片的毒癮。」

「找個女人，就行了嗎？」桔年睜開了眼睛，卻不期然與唐業的視線相遇。

唐業笑了起來，「不，找一個志趣相投的女人，戒了毒癮，真正地過一輩子。我要的不是一個擋箭牌，是一個能跟我一起試一試幸福的另一種可能的女人。」

「那你找到了嗎？」

「也許吧，我不知道。」

桔年長長地吁了口氣，她的身軀像浮在水面，平展著，一點一點地沉入水底。

有人說，人是魚，日子是水，游著走就是了。可她的水面，那些倒影太過清晰。

她把說過的話又重複了一遍，「我是個坐過牢的女人。」

良久，唐業在身畔答了一句：「我是個愛過男人的男人。」

第十五章　縱使相逢應不識

「姑姑，妳不喜歡韓述叔叔嗎？」

「嗯……啊？」

桔年推著購物車走在琳琅滿目的貨架之間，絞盡腦汁地在想，自己出門前明明記得一定要買的東西是什麼，廚房清潔劑還是洗碗布？尾隨在身後的非明沒頭沒腦地冒出一句問話，讓心不在焉的她一時間愣是沒反應過來。

「我是問，妳是不是不喜歡韓述叔叔啊，姑姑。」非明提了提書包的背帶，加快步子與桔年一道扶著購物車，不依不饒地又問了一遍。非明的個子長得很快，幾乎跟桔年的肩等高了，桔年左顧右盼了一陣，發現對於一些難搞的問題，現在是愈來愈難搪塞過去了。

「韓述叔叔啊……沒有啊，怎麼會呢？」桔年否認著，低頭看購物車時才知道，非明趁著她走神，不知什麼時候神不知鬼不覺地往車裡放了好些又貴又沒營養的垃圾食品。她搖著頭，又把它們逐一歸位。

非明死死抱住最後一盒巧克力，嘴也不休息，「妳騙人，我覺得妳不喜歡韓述叔叔。」

桔年看了非明一眼，「他跟妳說的？」

非明起初點頭，接著又一個勁地搖頭，「韓述叔叔老向我問起妳，可妳從來都沒跟我提過他。」

桔年明白，自己不可能跟一個十來歲的孩子解釋清楚自己和韓述的關係，她只是說：「姑姑和韓述叔叔是過去認識的，很久很久沒來往了。再說，姑姑喜歡非明，韓述叔叔也喜歡非明，這不就行了。」

「那妳既然不討厭韓述叔叔，就是喜歡韓述叔叔了？」非明問得很天真。

桔年心中下了決心，以後不能再讓孩子看那麼多的電視劇了。

「不是。不討厭不等於喜歡。」她耐著性子解釋，發現說出來的話繞得自己都頭暈。

「那還是韓述叔叔說對了，妳不喜歡他。」非明嘛著嘴，「難怪他最近都不來接我，也不怎麼帶我去玩了。」

桔年聽著這話，不由得放慢了步子。她不知道韓述為什麼要對一個孩子說這些話，但是最近確實很少看到他的車來接送非明。其實這未嘗不是件好事，也不枉那天她說的那一大番話和流過的眼淚。桔年早已過了為往事流淚的階段，她也不知道那晚究竟是怎麼了，韓述就像一顆定時炸彈，長眠於地底安息的往事都得防著被他冷不丁地炸個底朝天。好在他過去只是一時想不通，等他想通了，這件事也就過去了。大家各就各位，相安無事，她的生活也將恢復波瀾不驚。

「年底了，大家都忙，妳還忙著排練學校的迎春晚會呢，韓述叔叔也忙著工作啊。」她安慰著非明。

非明撓了撓頭，可憐兮兮地問：「姑姑，韓述叔叔真不是我爸爸嗎？」

這孩子其實是聰明的，無須等到桔年搖頭，經過這一段時間的接觸，她隱約也感覺到了，韓叔叔對她雖好，不過，是她親生父親的可能性卻微乎其微，她只得退而求其次地盼望著自己喜歡的大人跟自己有另一層的親密關係。

「如果他不是我爸爸，就不能做我姑父嗎？」

桔年一本正經地說：「小孩子管大人的事，胡亂做媒，就會像電視裡的媒婆一樣，嘴角長出顆大黑痣。」

愛漂亮的非明趕緊捂住嘴巴，聲音透過指縫含含糊糊地說，「我長大了自己嫁給韓述叔叔去。」

「那妳可得從現在開始少吃些巧克力。」桔年感到有些好笑，順勢把非明手裡的東西放回了貨架。

「反正我長大後要嫁很多很多的人，才不會像姑姑妳這樣。」

桔年微笑著，也不再跟孩子理論。十一歲的女孩，就已經知道孤零零地活著是一種罪。

可她已經習慣了。

那天，桔年聽懂了唐業有些突然的暗示，可是她並沒有給予回應。透過唐業車子的擋風玻璃，她看著天空從烏藍轉成淡青，然後讓他把車停在了離家有一站地之遙的路口，揮手道別。拋卻唐業某方面的「特殊」，他委實是個再好不過的人。可是那又怎麼樣，即使他徹頭徹尾只喜歡女人，世界上好人那麼多，難道她是珍品博物館？

非明在幾天後的學校迎春晚會上擔綱一個舞蹈的領舞，那舞蹈是桔年很熟悉的「白雪公主和七個小矮人」。她還記得那一次，自己牽錯了一個小矮人的手。那已經是很久很久以前的事了，當一代又一代的孩子都變得滄桑，只有童話永遠不老。

非明當然是白雪公主的扮演者，舞臺服裝是學校老師統一安排的，可是她非讓桔年給她買一些漂亮的小髮卡，演出那天別在頭上，亮閃閃的，多好看啊。

賣女孩飾物的小貨架在收銀台的附近。非明埋頭挑選著，五顏六色的髮卡，她覺得每一個都漂亮，不知道如何取捨，正想央求姑姑給多買幾個，抬起頭才發現姑姑不知道看見了什麼，又走神了。

非明沿著姑姑的視線看過去，只不過是普普通通的收銀台而已，沒什麼好看的——不不不，等著結帳的那個阿姨長得真漂亮，身上的衣服也好看，最吸引非明的是，那個阿姨身後的購物車上的東西堆成了一座小山，裡面有很多她想要卻從來不敢買的東西。

同一番情景，看在桔年眼裡卻是截然不同的感受。她已經有將近十年沒有見過陳潔潔了，已為人妻、為人母的陳潔潔相對過去而言豐腴了些，皮膚更顯得白皙了，衣著考究，風姿不減當年，即使是在人來人往的超市裡，她也是能在第一眼從人堆裡跳出來的亮色。

前面的人正在結帳，陳潔潔也不著急，笑著回頭跟保姆模樣的婦女懷裡抱著的嬰兒逗趣。她的樣貌沒怎麼變，變的是眼神。曾經閨秀面孔下的不安分，變作了少婦的平和。她一直很幸運，少年時得到了悸動的愛，成年後得到了安定的生活，相同一段經歷，她品嚐無悔的過程，別人收穫難言的結果，即使是這結果，也還帶著永遠抹不去的她的印記。

桔年得承認，自己並不是從來都沒有羨慕過她的。

這時，一個跟陳潔潔年紀相仿的男人從另一端捧著好些零食走到她們身邊，將那些零食搭積木似的壘在已經快放不下東西的購物車上。

「你是來搶劫超市的？」桔年聽見陳潔潔笑著對男人打趣。

那男人也是跟陳潔潔一般樣貌出眾，看上去便是一雙登對的璧人。他好像說了句話，桔年沒聽清，只見陳潔潔「咯咯」地笑了起來，保姆懷裡的孩子也跟著手舞足蹈。

「姑姑，我到底能買幾個髮卡？」一旁的非明沒了耐性，扯著姑姑的袖子問道。

「嗯？」桔年回神的瞬間，卻發現一直扭頭與丈夫、兒子相對的陳潔潔視線不期然地掃了過來，桔年下意識地一驚，然而那視線毫無反應地掠過，陳潔潔又轉而低頭去看丈夫剛拿過來的零食。

陳潔潔靜靜地看著手上零食袋的出廠日期，好幾秒後，才緩緩放下手裡的東西，極其猶疑地轉身，這一次，她凝視了桔年，又轉向非明，眼裡漸漸湧起的不敢置信和震驚讓桔年擔心她下一分鐘會因承載不了那麼複雜的情緒而做出什麼驚人之舉。畢竟是那麼神似的五官，稍有不同的地方，也是另外一個刻骨銘心的影子。非明還在專心致志地對著超市的小鏡子比畫，究竟哪一對髮卡讓她戴上去更像真正的白雪公主，無暇去留意大人漸漸氤氳的雙眼。

桔年若有所思地垂著頭，但她並沒有刻意去迴避陳潔潔的眼睛，她沒有對不起誰，也沒有想過打擾誰、為難誰，所以這時輪不到她退避。

「妳怎麼了？」收銀員已經為陳潔潔一家採購的物品裝袋完畢，她身邊的男人從保姆手裡接過了孩子，也發現了妻子的異樣。

「沒什麼。」陳潔潔如夢初醒般挽住丈夫，紅著眼睛笑道，「我就是看到那些小髮卡，忽然想起小時候特別喜歡，現在再戴在頭上，恐怕別人非說我瘋了不可。」

男人頓覺好笑地回頭看了一眼，「妳什麼時候變得這麼懷舊？好在妳生的是個兒子，要是女兒，非被妳打扮得滿頭滿腦都是那些花花綠綠的東西……」

那一家人的身影愈走愈遠，非明終於挑好了自己最滿意的兩對髮卡，桔年吁了口氣，攬住孩子的肩膀。

「好了吧？好了我們就回家。」

連非明都察覺到韓述在漸漸遠離她們姑侄的生活。事實上，韓述確實怕了。平安夜的一番話，給了他很強的挫敗感，但這挫敗感與其說是軟硬不吃的謝桔年給他的，不如說是他自己給自己的。

他從沒有如此深刻地體會到那樣的無能為力。明明如此迫切地想留住她，可是不知道留下了之後又該怎麼辦；明明覺得有很多事情不對，卻找不到一個理由駁倒她；明明是有話要說，那句話似乎已經到了喉嚨口，正待出口，偏偏又消失了。他以為自己的補償是對謝桔年的救贖，可是當她一步步走開，他才發現自己更像個求而不得的可憐蟲。

桔年離開後，韓述把蔡檢察長送回了家。乾媽年紀大了，身體不好，韓述不放心她。一向親厚的母子倆同坐在車裡，卻第一次陷入了難言的尷尬沉默。如今仔細想來，自打桔年入獄後，韓述和蔡檢竟然從來未曾向對方提起過關於她的隻字片語，他們是一根繩子上的螞蚱，各自用不同的方法將那段往事深埋，很多事情不該說，也不想說，因為傷口一揭開大家都會疼。

車子停在蔡檢住處的樓下，還是她先開口。

「韓述，你心裡是怨著乾媽的吧？」

韓述熄了火，拔出車鑰匙。

「您早點兒上去休息，我自己打車回家。」

「有時我也懷疑，假如當初不是我攔著你，事情會是怎麼樣？是會更好還是更糟？」

「鑰匙您收好了。」

「乾媽不是冷血動物，花一般的小女孩，當年我真沒想過把她送進牢裡……唉，陰差陽錯啊！打那以後，每接手一個案子，我都反覆地提醒自己，千萬不要再太過自負，一不小心，就可能有一段大好的前程在我手裡葬送。」

「別說了行嗎？您今天差點發病，臉色很差，現在也不早了，我也有點累。」

「我本來不想提的，可是她現在找上門來。韓述，我不想讓你和唐業中的任何一個受到傷害，你可以怨我……」

「我誰都不怨就怨我自己，跟您沒關係，行了吧，行了吧！」韓述吼出來，把自己也嚇了一跳。他愣了一會，頹然地將雙手覆在臉上，也顧不得在長輩面前失了分寸。

「其實這事一早就跟您沒關係，您跟她無冤無仇，那時候要不是為了我，您也犯不著淌那渾水。我不是沒良心的人，這些我都清楚，如果我怨您，那我成什麼了！」韓述試著用自己逐漸恢復平緩的語調去彌補之前驟然的失態，然而娓娓道來也是悲哀，「我就想，要是當時您別管我，讓我坐了牢，或者讓老頭子打死我，現在大家都會好過一點……至少她看著我的時候……看著我的時候……」

韓述沒往下說，伸出手就去翻蔡檢藏在儲物格裡的香菸和打火機，好不容易點著一根菸，深深地吸了一口，嗆了一下，苦苦的味道蔓延至肺裡。

「我也不知道她是怎麼跟您那半路兒子在一塊的，可您別把事情往壞處想，這事就是邪門，之前她未必知道您跟唐業的關係，也絕對不是因為過去的事情找上門來的。」

「你怎麼就這麼肯定？」也怪不得蔡檢，她見過太多的惡，桔年的毫無所求讓她沒有辦法相信。

因為我多希望她找上門來，向我討回當初的債也好，什麼都好。

可惜她什麼都不肯要。她怎麼能什麼都不要？

這些話韓述沒有說出口。

蔡檢活了大半輩子，早已是人精一般，韓述那點心思她先前還覺得意外，看他那丟魂落魄的樣子，往深裡一想，也就明白了八九分，趕緊把他手裡的菸拿了過來，往窗外一扔。

「我說韓述，你對她那迷戀勁兒十一年都還沒過去？好好的一個孩子，一遇上她你就犯渾。要說過去也就罷了，現在……別說她跟阿業不清不楚的，就算沒那回事，你跟她在一起，再加上過去的事，讓你爸爸知道了，這不是、這不是……絕對不行，阿業也不能跟她在一起……」

蔡檢光想想已經覺得如芒在背，韓述卻被她話裡的某個字眼觸動，怔怔的。

他對自己說，這是為了補償。可乾媽說，他這是「迷戀」！

他想也不敢想的情節被乾媽心有餘悸的話語裡描述了出來，他牽著桔年的手站在韓院長的面前……想到這裡，竟然連老頭子痛毆他的一幕都變得沒那麼可怕，甚至有些期待。

瘋了！

「我、我先回去了，今晚人多，遲了不好打車。」韓述昏頭昏腦地推開車門急急地走了出去，冷風一吹，覺得臉上更燙了。

第十六章　索性不忘

元旦將至，新年的最後一天，韓述照例是回爸媽家吃飯，跟家人一起辭舊迎新。

韓述最怕二老囉唆，打算磨蹭到晚飯時間才出現在餐桌上，可韓母早早打來電話，說約好了遠在比利時的姊姊韓琳，一家人通過網路視頻來個大團圓，讓他早些回來，免得誤了時間。

韓述跟老姊感情還是不錯的，因為韓院長始終不肯在女兒面前低個頭，韓琳這些年也一直沒有回國，通常是韓述陪著媽媽每隔一兩年飛過去看看她。許久不見了，韓述也有些掛念，所以下了班就趕緊往家裡趕。

他到家比韓院長稍早一些，韓母的一桌飯菜已經準備好，只等他們父子入座。

韓院長看見兒子也沒個好氣，放下公事包就「哼」了一聲，「韓檢察官在百忙之中抽出時間來慰問孤寡老人了？」

韓述在父親看不到的角度朝韓母做了個鬼臉，嘴上倒不吭氣。

等到一家三口洗好手坐到餐桌邊，韓述看見了父親染得根根抖擻的黑髮和一塵不染的白色袖口，這都是韓院長一貫的風格，然而，當韓院長脖子上繫著的那條異乎尋常的鮮豔領帶跳入眼中，韓述再也忍不住了，「噗哧」一下笑出聲來。

「爸，這條米奇領帶是你們敬老院發的新年慰問品？」

韓院長低頭看了看自己的胸口，習慣性繃得嚴肅的臉透出些微紅，他鬆了鬆領口，輕咳了兩聲，表示出懶得理會的神態。

韓母笑了起來，嗔怪地用筷子頭去敲兒子的手，「你這孩子怎麼說話……不過你爸爸年紀大了，品味也奇怪了不少。」

笑了一陣，韓院長果然又開始說起了韓述最頭疼的事情。

「我說你最近的案子辦得怎麼樣了？市院那邊已經交接完畢了，你還賴在城南院不走。大半年了，丁點兒大的案子都處理不好，也不知道蔡一林是怎麼教你的。」

韓述不禁為自己抱屈，「這是我願意的嗎？爸，您別小看這個案子，我覺得背後大有文章。」

「哦？」韓院長低頭喝著湯，漫不經心地應了一聲。

「王國華死了您聽說了吧？他的贓款一直都沒查出來。我聯繫上了他在國外念書的兒子，據他兒子交代，除了剛出國時王國華一次性拿出來的五十多萬之外，確實沒有別的重大開支。說了您也不信，王國華就是那種內褲破了都要補三回才肯扔的人，要說他一個人吞了這筆錢，我還真不能相信。」

「那你覺得是怎麼回事？不是說所有的證據和線索都指向他嗎？我一直怎麼跟你說的，直覺會騙人，但證據不會。」

「不，不光是直覺，我前幾天又跑了一趟王國華所在的建設局，也就翻翻一些舊資料，找人談談話，原本也不指望有什麼突破，結果，竟然發現了一些新的東西。他們內部曾經有人舉報，一年前發展計畫科經手批給江源集團下屬的廣利公司用於在建的溫泉度假山莊的一塊地，在程序上可能存在問題。廣利的負責人姓葉，叫葉秉文，是江源董事長葉秉林的親弟弟，而葉秉文和王國華之間一直來往甚密，我有理由相信葉秉文給了王國華好處，而這是王國華犯事前最後一個經手的項目，只要我找到這筆錢，順藤摸瓜，也許事情就會有進展。只不過我有些懷疑，為什麼之前我跟建設局打過那麼多次交道，就從來沒有任何資料、任何人透露出關於這件事的一丁點兒問題，怎麼王國華一死，這一層關係就被曝出來了。爸，您說這會不會意味著這案子背後有大魚？」

韓院長頓了頓，說道：「依我看，這個案子牽涉太多，你一時半會也查不完，這終究是城南院的事，你的當務之急還是盡快到市院報到，手頭的東西你可以移交給其他同事嘛。」

韓述有些訝異，「爸，不是您過去一直囑咐我，做事要有始有終嗎？」

韓院長停下手裡的動作說：「過去我也說過，完不成工作，首先應該檢討自己的辦事能力，而不是工作的難度，你怎麼又不記得了？」

韓逑被父親將了這一軍，等於自己之前在這個案子上花的所有的力都被視為事業上偶像的父親全盤否定，不由得有些不快，於是悶頭吃飯，不再說話。

好在韓母見狀趕緊解圍，「我最不喜歡你們父子倆飯桌上談工作，難得一起好好吃頓飯，就沒別的可說了？」

韓院長大概也覺得自己的話說重了，臉色緩和了些，「說什麼，拋開工作，你兒子難道就不讓人頭疼了？三十歲了，還像個長不大的孩子，自己也沒個著落。古人說：齊家治國平天下……」

又來了，又來了。韓逑皺眉，表情痛苦，但仍沒能阻止韓院長繼續說下去，「……所謂成家立業，還用我解釋嗎？一個男人敢於承擔起家庭的擔子、正視責任，才算得上真正的成熟，進而在事業上追求更好的發展，可你連這點都做不到，私生活也不知道檢點……」

「我怎麼不檢點！」韓逑差點跳起來，放下筷子就理論，「我是談過五六次……」

「你連自己談過幾次都記不清，五次還是六次？這不是不檢點是什麼？正經一些的年輕人，誰會一連五六次戀愛都不成功？」韓院長搖頭。

韓逑扯著媽媽的手，痛訴革命家史，「媽妳給我作證，我雖然有過『若干個』女朋友，最後也沒成，但哪一次戀愛不是正兒八經、有始有終、合法合理？我既沒有始亂終棄，也沒有通姦、亂倫、濫交、同性戀……既沒有違反公道良俗，也沒有觸犯法律，私生活怎麼就不檢點了？」

畢竟是兩輩人，韓院長聽著韓述信口說出什麼「通姦」「亂倫」之類的詞語，總覺得不雅，也只得趕緊打住了這個話題，怕這孩子愈說愈離譜。於是他伸手做了個就此打住的手勢，「你也別說那麼多，安安分分地找個品貌相當的女孩子，安定下來，比什麼狡辯都有力。」

韓母也反過來摸著兒子的手，犯愁地說：「寶貝啊，你說你到底要找個什麼樣的，天仙還是女明星？」

韓述一副受不了的表情，擺著手信口敷衍道：「我要找個慢羊羊跟懶羊羊的混合體。」

韓院長夫婦猶如聽到了火星文，一頭霧水。

「什麼羊羊？」

韓述忍著笑，「是慢羊羊和懶羊羊。爸，現在不流行米奇了，您應該去看看《喜羊羊與灰太狼》，挺好的動畫片，在孤寡老人中也挺流行的。」

韓院長這才明白兒子在變著法拿他尋開心呢，他就不明白了，自己手把手嚴厲教導出來的兒子，怎麼愈來愈讓他看不明白了，如此嚴肅的人生大事，他跟玩笑似的。這一怒，讓韓院長差點背過氣去，指著老妻又嚷了起來：「送妳兒子去看心理醫生，不，直接去精神病院，趕緊的！」

韓述趕緊給父親夾菜，「吃飽了我馬上就去。」

果然不出韓述所料，他只要安安分分地跟父母吃一頓飯，一定會被一軟一硬地數落得臭頭。接下來，韓母語重心長的「愛的教育」和韓院長聲色俱厲的道學理論聽得他一頓飯味同嚼蠟，最後只能使出撒手鐧，捂著肚子說胃痛，從餐桌上撤了下來，才總算撿回一條小命。

飯後，韓母在廚房裡收拾，韓院長準點看《新聞聯播》，韓述趕緊給姊姊打了越洋電話，催促她上網。

當韓琳的面孔在電腦螢幕裡出現，韓母立刻放下手裡的活計從廚房奔了出來，母女倆聊個不亦樂乎。韓院長目不轉睛地看著電視，可耳朵卻豎了起來。

到底是隔著那麼遠的距離，麥克風的聲音斷斷續續，語音跟不上的時候，韓述就代替媽媽通過鍵盤跟姊姊聊，自己也不忘與韓琳交流了一通《喜羊羊與灰太狼》的觀後心得。說起來，這動畫片是非明那孩子推薦的，她說姑姑也愛看，韓述找來做功課，最後竟跟著喜歡上了，還推薦給姊姊。

韓母跟女兒聊天的勁頭，就像隔世重逢一般熱切。一個多小時之後，韓述終於逮到媽媽去喝水的機會，剩下他和姊姊單獨相對。

「小二，媽媽的寶貝蛋，灰太狼，你表情幹嘛那麼衰？」比利時的時間比國內要晚六個小時，韓琳那邊此時還是正午時分，她抱著筆記型電腦坐在窗臺邊上，笑得如冬天的太陽那般乾淨溫暖。

姊姊算是韓述身邊少有的能說得上體己話的人了，她不問還好，一問之下，韓述竟然發現自己眼眶有些發紅，怕韓琳笑他，硬是忍住了，趕在媽媽衝回來之前趕緊問了句。

「姊，我問妳啊……只是問問啊……是別人的事……妳有沒有很多年都忘不了的人和事？」

「你問就問，一個大男人什麼時候變得這麼忸怩……很多年是指多少年……我每隔幾年就忘記一批人。」

「十幾年吧……比如說十一年。」

韓琳側著腦袋認真地想，然後正色道：「我想是有的。」

「誰……」

韓琳見韓逑壓低聲音鬼鬼祟祟的樣子，不禁大笑，「就是你唄，你高中時借我的張信哲專輯卡帶還給我了嗎？」

韓逑已經聽到了媽媽的動靜，情急之下也沒好氣，「哎，跟妳說認真的！」

也許是因為網路信號問題，韓琳的口型跟聲音有些許的延遲。韓逑先是見她微笑著張嘴合嘴，然後才聽到姊姊的聲音。

韓琳說：「如果是我，十一年都忘不掉，那還跟自己較什麼勁啊，我就乾脆一輩子不忘了，怎麼著？」

「說什麼呢？姊弟倆嘀嘀咕咕的。」韓母的身影出現在了韓逑身後。

韓逑趕緊揚起聲音對韓琳說：「上次妳說的美白護膚品，我過幾天就給妳寄。」

韓琳答得無比順溜，「雙份啊，你買了，讓媽媽給我寄。」

跟姊姊聊完，韓述坐在沙發上陪韓院長看了半個小時的電視，找了個理由就說要走。韓院長又說了他一通，在自己家裡就好像屁股下長著釘子似地坐不住。好在韓院長晚飯後也約了一些工作上的朋友聚會，司機已經在樓下等候了，韓述的脫身便沒有那麼困難。韓母則張羅著給兒子打包營養品，每次都是兩個大袋子。

韓述一邊埋怨自己遲早死於營養過剩，一邊跟父母道別。他走到電梯處，正好一個年輕小夥子從電梯裡走了出來。

送兒子出來的韓母見狀便對韓述解釋道：「這是你爸的司機小謝，小夥子人很勤快。你拎著這麼多東西，停車場又遠，正好小謝也要等你爸，我就讓他順便上來給你幫個手。」

「至於嗎？妳兒子吃那麼多營養品，能虛到連這點東西都拿不動？」韓述不以為然地笑著對媽媽說，可他也明白老人疼兒子的心，也就不便拂了這好意。

那個年輕的司機早已眼疾手快地接過韓述手裡的東西，本想全部代他拎著，韓述自覺不好意思，只將其中一隻手裡的袋子交給小夥子，道了句謝，便示意媽媽回去，自己和司機一道進了電梯。

韓院長家住的樓層高，電梯裡只有韓述跟小司機。兩人也是初次見面，並無話說，韓述笑笑，也就各自沉默地站著。

小司機一臉憨厚的笑容，長得倒是眉清目秀的。韓述沒有見過父親的新司機，不過他知道父親所在的高院不久前剛進行人事改革，類似於司機、普通文員、接待員這些社會通用崗位工種一律不再啟用編制內人員，而全部改為對外招聘的合同制員工。這個小夥子大概就是在這次改革中被聘進來的吧。

韓述自小長在幹部家庭，深知對於某些領導崗位的人而言，專職司機就是他們身邊最親近的人之一。父親為人嚴謹，身邊也多是一些寡言本分的人，就像當年桔年的爸爸謝茂華。這個小司機看起來最多不過二十歲，怎麼就被老頭子挑上了呢？

謝茂華！韓述心裡一緊，再聯想到媽媽剛才說的，這小夥子姓什麼來著，姓莫還是姓曾？不，他記起來了，小夥子姓謝！

韓述心裡又是咯噔一下，他想，不會這麼邪門吧，平安夜那天聽到唐業的女朋友姓謝，他警覺了一陣，還鄙視自己疑神疑鬼，結果就真的跟謝桔年撞個正著。可這個姓謝的又意味著什麼？

「你多大了？」他揚了揚下頷，問站在電梯角落裡的小司機。

「我已經二十了！」小司機趕緊強調，這時電梯已經停靠在一樓，韓述把車停在最靠近大門的停車場，小司機也跟在他身後兩步的距離，亦步亦趨地邊走邊說，「我給韓院長開了大半年車了，我開車很穩的。」

「你叫什麼名字啊？」韓述邊掏鑰匙邊問。

「謝望年。韓科長，我叫謝望年，望江樓的望，過年的年……你就叫我小謝吧，我爸爸以前給韓院長開過車……哎呀……」

韓述驟然停下的腳步讓跟在他身後的謝望年差點來不及剎住身子，好在小夥子反應快，立刻定住腳，饒是這樣，還險些栽個跟頭。

韓述定定地站了一會，仍然沒完全消化，神色古怪地轉過身，略帶遲疑地問一臉不解的謝望年。

「你是謝茂華的兒子……這麼大了……這麼說，你……你是謝桔年的弟弟？」

提到「謝桔年」三個字，謝望年露出一絲尷尬的神情，不過還是老實地點了點頭，「是……我姊姊是有案底，但是我們全家跟她已經很久不來往了，這個韓院長也是知道的。」

韓述理解小夥子為什麼如此介意，司法系統的工作人員在這方面比別的單位更慎重一些，謝望年是怕家人的背景讓自己丟了一份好工作。然而，韓述心裡頭好一陣不是滋味。他雖然一直都知道桔年帶著非明獨自生活，鮮少與人來往，卻是第一次從她親弟弟口中真真切切地得知，她最親的人都已經徹底跟她隔絕了。

如果是他，他會溺死在這種孤立中。

而造成這一切的罪魁禍首又是誰呢？

距離停車場還有幾十步的距離，韓述走著走著，忽然就失去了讓身後的人為自己效勞的勇氣，那不是別人，是她的親弟弟，身上跟她流著相同的血。

「謝謝你，我自己來吧。」

韓述不由分說地就要拿回謝望年手裡的東西。望年嚇了一跳，以為是自己年輕不懂事，一不留神說錯了什麼話，惹惱了韓院長的公子，苦著臉不肯撒手，一個勁地重複，「我來吧，我來吧。」

可他哪裡知道韓述的心亂與惶恐。韓述見他這個樣子，索性東西都不要了，反正那堆營養品留之無用，棄之可惜。他逃也似地上了自己的車，發動車子一踩油門就想離去，他怕多看上幾眼，就會從那張年輕的面孔裡看到熟悉的痕跡。

車子經過望年身邊，謝望年還拎著韓母為兒子準備的一袋東西，呆呆地杵在那裡，不知道究竟發生了什麼。

韓述最後還是把車停在了謝望年的身邊。

他搖下車窗，對著一臉懵懂的年輕人說：「她沒有對不起你，為什麼不能對她好一點？」

第十七章　誰難受誰知道

韓述從父母家裡出來，等紅綠燈的時候接到了方志和的電話，說是明天就元旦了，外面熱鬧得很，問韓述要不要一起出來坐坐。韓述最近都懶於交際，可是此時心中委實煩悶，方志和又是他從小到大最鐵的哥兒們之一，心想，與其回到自己的住所，對著不會說話的窗簾和牆壁心慌，還不如找個人多的地方喝一杯。於是當即答應，掉轉車頭上了高架橋，直奔方志和所在的夜店。

他起初以為方志和會跟一大票狐朋狗友一塊等著他，人到了之後才發現方志和也是孤零零一個人坐在吧台上，面前已經有喝盡的空瓶子，看見韓述，連忙向他招手。

韓述心裡頓時平衡了一些，他還以為今晚就他一個孤魂野鬼呢，原來彼此彼此。他坐到方志和身邊就笑道：「我算夠意思吧，特意百忙之中趕來陪你小子。」

方志和含著的酒差點噴出來，也沒說什麼，把自己跟前的一杯酒往韓述手邊一推，「那我可要感激不盡了啊。我說你最近都忙什麼啊，去市院報到了？要說新官上任三把火也沒錯，可再忙也不會忙到把女朋友給丟了吧，我可是聽說你那個超級女博士又跟你拜了……」

這年頭，好事不出門，壞事傳千里。韓逑也不意外，抿了口酒就說道：「人各有志，緣分這東西還真不能強求。」

「這回你們家老頭子照舊沒少收拾你吧，看你沒精打采的，我說你情路也夠坎坷的啊。」方志和調侃道。

韓逑嗤笑一聲，一副滿不在乎的樣子，「急什麼，我享受過程美。在你面前也不怕明說，我要找女人還不容易，要什麼樣的沒有？」他說著，視線對上幾米開外的兩個妖嬈女郎，對著她們投過來的飽含興趣的熱辣眼神，略舉杯示意，意味深長地一笑。

方志和一手搭上韓逑的肩頭，笑道：「據說大多數連環殺手在選擇受害者時都會有喜好的固定類型，頭髮、身高、膚色、年齡段……不符合這些特定條件的，送上門也不殺……」

「少來。」韓逑抖落好友的手，「別拿你那套變態的理論套在我身上。」

方志和在大學裡執教心理學，他笑道：「我最近奉旨在系裡開了一門叫作『大學生性心理健康講座』的公共選修課，不開課之前都不知道我們國家的青少年性啟蒙知識貧乏落後到什麼程度……對了，我的課程還挺受歡迎的，跟我上社會心理學的時候沒法比，有空你過來捧捧場，說不定會小有收穫。」

韓逑大笑，「那你有沒有向你的學生傳授打開你青少年時期純潔心靈大門的性啟蒙鑰匙是什麼？你這傢伙蔫壞，別忘了高中時你書包裡沒少夾帶『啟蒙教材』，我跟周亮都是受你荼毒的……」

「你可別扯上周亮，人家孩子都會叫爸爸了，根正苗紅，日子不知道多滋潤，我倆都不能跟他比。尤其是你，眼裡春情蕩漾，臉上卻一臉晦氣，日子是愈活愈回頭了。兄弟我不才，也是個小小的專業人士，經我指點迷津走上幸福新生路的迷途羔羊不在少數，趁現在有空說說，或許能給你點意見。」方志和說完，好整以暇地推了推鼻子上的眼鏡。

韓述不以為然，「你那套理論留著騙未成年少女用吧。」

方志和嘿嘿一笑，「未成年少女也不一定好忽悠。別人年少無知的時候尚且搞不定，時過境遷就更棘手了，就像有的人，大魚大肉也不是沒有，可偏偏去啃同一塊骨頭，十幾年都未必啃得下來，乾著急，乾著急！」

他說到最後兩句「乾著急」的時候，已變作自編的小調在嘴裡哼哼著。

韓述裝糊塗，「罵誰呢，狗才啃骨頭。」可人卻不由自主地顯出了些許不自在。他撇開頭去，避開方志和的眼睛，假裝看舞臺上的表演，那樂隊歇斯底里地也不知道嘶吼著什麼，聽得人心煩意亂。他「嘖」了一聲，招呼服務生又上了一瓶酒。

方志和玩著杯墊，自言自語般說道：「這兒也沒別人，你死撐什麼，有句老話怎麼說來著，死要面子活受罪！你藏著掖著，是怕承認也有你韓述吃癟的時候還是怎麼的？有些事，說是隱私，做兄弟做朋友的也不該多嘴，這些年我們也不好說什麼，從心理學上說，逃避也可以說是人自我保護的一種應激機制。可是你不承認有那道坎，你就總也跨不過去！明眼人都看著呢，你想著誰，吃力不討好……」

他也沒點明那個「誰」是誰，可韓述還是有了反應，回過頭的時候就已經變了臉，惱道：「你哪隻眼睛看見我想著她了？你是我肚子裡的蛔蟲？」

韓述倒不是真的跟方志和生氣，不過是臉上一時間抹不開，嚷了兩句又定了下來，咬咬牙接著解釋，「說了你也不明白，我不是想著她，我那是……我那是可憐她，也覺得對不起她……如果不是我，她一定過得比現在好，至少不會孤零零地帶著個孩子艱難討生活。」

「哦……」方志和一副恍然大悟的模樣，「原來你是可憐別人，她那孩子是你的嗎？」

韓述臉色一白，繼而說道：「當然不是！但那孩子也不是她的，我查過了，孤兒院收養的，掛在她一個什麼親戚名下，跟她一點關係都沒有。她父母都跟她斷絕關係了，要不是有個孩子，身邊一個人都沒有，那日子更不是人過的。」韓述說著，想起先前謝望年對自己說過的話，心中更是黯然。

「都說送人玫瑰，手留餘香。按你說的，你可憐她、補償她，心理上應該有一種滿足感和寬慰感啊，可我怎麼沒在你身上發現，反而覺得你整日丟了魂似的？」

韓述一時詞窮，想了半天才頹然承認，「她不肯接受。把話都說死了，就是不希望再看到我。」對他而言，說出這些並不是件容易的事，好在手中還有酒。

方志和輕描淡寫地接著話頭往下說：「那你就順著別人的意思不就行了，她既然不想跟你有什麼關係，你也該消停了。借債的人都不計較，你一個欠錢的整天哭著喊著要還，這是哪門子道理。」

韓述雙手支在吧台上，捂著自己的大半張臉，「可我希望她過得好一點，看到她這個樣子，我心裡怪難受的。」

「那你不去看她不就行了，眼不見為淨。怎麼，忍不住？你說她可憐，我看是你比較可憐。」

方志和說完這話，連韓述都有些驚訝，這麼多年的朋友，大家也是知根知底的人，所以他才試著吐露一些纏繞他心中多年的陰霾和苦悶，這些話他連親姊姊韓琳也沒有說過，可他從來沒有見過方志和對自己說話的語氣如此尖刻，一時間也不知道如何應對。

方志和似乎也察覺到自己的情緒不對，往下說的時候語氣緩和了不少，「韓述，你就沒想過，她根本不需要你的歉意和補償。」

韓述當然想過，但更讓他覺得異樣的不是這個。他放下手裡的杯子，上下打量了一下方志和，口氣中存有疑慮，「你的心理學研究範圍未免也太廣了，好像你很了解她似的？」

方志和打了個哈哈，「了不了解我不敢說，她在『裡面』那幾年，我申請探視過她很多次，她從來沒有接受過。後來我就想，我的探視對她而言真的有意義嗎……」

「你申請過『很多次』？」韓述聽到這裡再也沒忍住，打斷了方志和的話，有些不敢置信地站起來看著自己的好朋友，「如果我沒有記錯，我只拜託過你一次！」

「沒錯，後來幾次是我自己要去的。」方志和慢悠悠地說。

韓述冷笑道：「她跟你有什麼關係，你去看她？你犯得著嗎？」

「要說關係，你不會忘了，她也算是我的同學。或者，你認為你做了什麼事情才意味著你跟她的關係變得比別人更為密切？」方志和的肩頭被憤怒的韓述用力一推，人晃了一下，倒沒有從椅子上掉下來，酒杯卻落地了，幸而在喧雜的環境中，並未引來更多人的注意。

韓述鬆開手，自己也好像驚呆了，怔怔地坐回自己的位子上。

「我看你喝多了。」他恨恨地對方志和說。原本，不，就在上一秒，他還想著痛揍眼前那張戴著無框眼鏡的臉，可是他畢竟不是個粗暴而無所顧忌的人，最重要的是，方志和的話雖然難聽，卻一點也沒錯，見鬼。

「你申請探視她，居然瞞著我？」韓述說這話的時候，也不知道心裡是什麼滋味，難以下嚥到極致。

方志和低頭整理自己的衣領，問道：「我有對你宣告的義務嗎？」

韓述冷冷地看著方志和，「這不是朋友應該做的事。」

「你不去探望她，那別人就該跟你一樣忘了她？現在你想要補償她，那別人同樣得自動退讓？」

「我不是這個意思。」韓述深吸了一口氣，別過臉去。

方志和面露譏誚之意，補了一句，「你心底把她看成是你的？可她是你的嗎？」

「你胡說！」

「那你現在臉上寫著的難道不是嫉妒嗎？」

「我沒有！」韓述忍無可忍，一下拔高了聲音，身旁談笑的人們都用異樣的眼神看了過來，包括先前對他示好的漂亮女孩。這樣子真失態，可韓述發現自己根本不在乎。他一直是個要強、要面子的人，做為他的朋友，無論是方志和、周亮還是別的人，多數時候都心照不宣地退一步。可方志和今天的步步緊逼，竟然讓他感到前所未有的驚慌失措，憤怒也更多地來自於拚命招架的狼狽。

「你沒有？」就連方志和眼鏡上折射的光線，都彷彿流露著嘲弄。

「我沒有……」韓述的聲音低了下來，雙手交握，他沉默了一會才試著心平氣和地說道，「小方，有些事我也說不清楚，我對她的感覺很複雜，混雜了很多過去的東西在裡面。對，你可能也知道上學的時候我對她好像有點那個意思，可現在已經過了那麼久，什麼都變了，我心裡想的不是你認為的那樣，我覺得我錯了，我想補償她，這樣也許我才能好受一些，這些年我受夠了。可是她不要，我不知道該怎麼辦，你懂嗎？」

「哈哈，你自己都不懂，問我懂嗎？有些事情你可以想得很複雜，其實一絲一縷地理清，你會發現再簡單不過。你蠢嗎？當然不，換作這事發生在別人身上，你比誰都明白。你就是自欺欺人兼死鴨子嘴硬。」

「我不跟你爭這個，太可笑了。」

「那我挑明跟你說吧。韓逑，你覺得我怎麼樣？」

方志和話題轉變得如此詭異，韓逑一時間感到莫名其妙，沒好氣地說：「你？人模狗樣的吧。」

「說實話，我也算受過良好教育，家庭和諧、工作穩定、收入良好、身體健康、五官端正、無不良嗜好。假如，我說假如啊，謝桔年真跟我有什麼，那也未嘗不是一個好歸屬。你又發什麼狠，動哪門子的氣？你應該放心才是。」

「你跟她？笑話！」韓逑做出不屑和好笑的樣子，可語調都變了。

「你不肯放？很好，又回到了我們先前的假設，你心裡就認為她是你的。你要補償，不過是讓她過得好，這種好的生活的給予者，非你韓逑不可？」

這論調竟然如此的熟悉，桔年似乎也說過：「難道我的幸福只能靠你給？」

韓逑頓時覺得一陣胸悶氣短，他不願往下想，又或者他想得通，卻接受不了。他可以在謝桔年生活中充當一個旁觀者或路人甲？如果是這樣，韓逑倒寧可她恨他。

可這又是什麼心理？韓逑討厭心理學！

他拿起自己的外套，「我不想跟一個喝醉的人討論沒有意義的事。」

「你會覺得有意義的。」方志和半伏在吧台上說。

韓逑譏誚地聳聳肩，走出幾步又轉頭，指著方志和說：「你別騷擾她！」

「韓逑，你以什麼身分警告我？」

「用不著你管。」

方志和取下眼鏡，擦著上面的霧氣，說：「誰難受誰知道！」

韓述冷冷地拍下自己的那份酒錢，頭也不回地離去。

回到家，四下漆黑，他摸索著出去查看，才發現一年的最後一天晚上，竟然停電了。元旦時分，寒氣刺骨，韓述也管不了這些，在電熱水器罷工的花灑下沒頭沒腦地一陣猛淋，身子在抖，可心裡的火澆不滅。方志和不是多嘴的人，十多年來，不管他知不知情，都沒有說過一句多餘的話，今天究竟是什麼意思？

十二點到來的時分，遠處響起焰火的轟鳴，韓述原想在這一刻過得熱鬧些，沒想到到頭來落得更加寂寥。他站在浴室的鏡子前，借著半截蠟燭，看著裡面的另一個自己。

「誰難受誰知道。」這更像是方志和的一句咒語。

韓述搖搖頭，甩去頭髮上的水滴，用手一下一下擦拭著玻璃上的霧氣。他對著鏡子裡的那個人一遍遍重複，「我很好，我很好……你看到了嗎？」

第十八章　往事不要再提

台園路小學的迎春晚會安排在晚上，這天從早上開始就一直下著淅瀝小雨，剛到傍晚時分，天就早早地黑了，走在略顯泥濘的道路上，風吹過來，感覺比天氣預報播報的最低溫度更冷一些。桔年和非明撐著一把大傘往公車站趕，真可以用舉步維艱來形容了。

在桔年的好說歹說下，非明總算答應暫不換上跳舞的衣服鞋子，以免弄髒了行頭。為了這場演出，昨晚她興奮緊張得一整夜都無法入睡，可一出門，糟糕的天氣和路況讓她沉浸在童話歌舞裡的心感受到了一絲沮喪，冷風一吹，直嚷著頭痛。

「姑姑，我就知道只撐一把傘是不行的。」非明嘴裡噴著白氣抱怨道。

桔年抿嘴笑了笑，也不去點破，明明就是她嫌另一把傘又舊又醜，只是悄悄地將傘柄往非明那邊又挪了挪，安慰道：「就快到公車站了。」

天氣糟糕，願意步行的人更少，剛過去的公車無不滿滿當當，孩子心裡裝了演出這眼前最重要的事，自然心急焦躁。她眼睜睜地看著接連不斷的私家車從眼前疾馳而去，情不自禁地喃喃自語：「韓逑叔叔不知道在幹什麼，我明明告訴過他今晚上演出的。」

非明說完了這句話，偷偷地看了姑姑一眼。桔年正低頭有一下沒一下地甩著傘上的水珠，神遊一般，彷彿沒有聽見她說什麼。非明鬆了口氣，又有些失望，悻悻地伸長脖子候著下一班車的到來。

過了好一會，非明都快忘了這個話題，才聽到姑姑慢悠悠地問了句：「哦，那他怎麼說？」

非明翻了個白眼，心裡想，姑姑的反應也夠慢的，說起這個，她有了些精神，「我上個星期就給韓逑叔叔打過電話，他真奇怪，沒說來也沒說不來，就問姑姑妳知不知道我叫他來。」

「這樣啊。」桔年點點頭，又不說話了。

這樣的結果顯然不能讓孩子滿意，非明故作老成地分析道：「姑姑，是不是妳不讓韓逑叔叔來？我覺得他好像有點怕妳。」

桔年笑了起來，「怎麼會？妳韓逑叔叔不來，是因為他有別的事要忙啊。」

「可是演出是在晚上，他不用上班啊。」

「傻瓜，大人除了上班之外，還有很多事情要做。」

「那為什麼妳不上班的時候都沒有什麼事情可做？」

桔年語塞，她發現自己已經辯不過這個十來歲的孩子了。好不容易到了小學的禮堂，非明不死心，還在四處張望，她心底還期待著韓述叔叔從某個角落突然冒出來，笑嘻嘻地給她個「驚喜」。

過不了多久，非明就將是舞臺上眾人矚目的白雪公主，她多希望能夠多一些自己喜愛的人分享那個時刻的喜悅，尤其是韓述叔叔。如果他來了，許多嘲笑她是孤兒的同學都會發現，在舞臺下會有一個又帥人又好的「家長」只為謝非明歡呼鼓掌，而不是只有姑姑靜靜地陪伴著她。

姑姑也不是不好。非明並非不知道姑姑才是真正照顧自己的人，可是姑姑總是太過冷清，而非明又太害怕這種冷清。她渴望的是放學後等待自己的一張熱鬧的餐桌，還有快樂或沮喪時的一個溫暖的懷抱，可是這些她都沒有。她的記憶中只有午夜時分偶爾轉醒，老房子裡無邊的沉靜，還有桔年姑姑枯坐時寂寥的側臉。

非明還沒有長大到足以讀懂那些情緒，但是她嗅得到藏在平淡如水的日子後頭哀傷的味道，那不是她夢想中家的味道。

韓述叔叔沒有出現。非明略帶失望地抱著她的裙子和舞鞋跑進設在禮堂二樓的化妝間，桔年則找了個位子坐下，獨自等待。

演出即將開始，已換上潔白紗裙，裝扮得如同甜心公主一般的非明忽然緊張又雀躍地回到桔年的身邊。

「臉怎麼那麼紅？」透過粉底，桔年都可以察覺到非明異樣潮紅的臉蛋，同樣掩飾不住的還有眼睛裡的驚喜。

非明把手中的一個紙袋往桔年懷裡一塞，神祕兮兮地小聲對桔年說：「姑姑，剛才老師把這個給我，說是一個阿姨給我送來的，是妳買給我的嗎？」

桔年輕輕打開相當精緻考究的紙袋，裡面是個漂亮的小盒子，打開來才發現盒子裡竟然裝得滿滿的都是各式各樣漂亮的小髮卡，五顏六色的裝飾和晶瑩的水鑽耀花了眼。

「是妳買給我的嗎？」非明還在旁邊一個勁地追問，但她心中也許知道這個答案是否定的，「難道，是韓述叔叔？」

孩子的聲音因極度的興奮和驚奇，微微帶著顫音，而桔年的指尖發涼，心中某個角落卻也在微微地抖。不會是韓述，韓述雖然能夠負擔也願意送孩子禮物，但他不會特意去買這麼些小女生喜歡的玩意兒，也未必知道這些東西正是非明目前的心頭所好。答案不言而喻。

「不對，不是韓述叔叔，老師跟我說是個阿姨……究竟是哪個阿姨？她為什麼不親手交給我呢？」

桔年怎麼能告訴非明，這些髮卡來自於她一直心念不已卻從未相識的人，而那個人為了一段過去、一個誓言……又或者是為了另一個家庭和已然安定的生活，可能永遠給不了非明想要的家。

陳潔潔當然會認出非明，這是她年少荒唐歲月裡留下的唯一血證。那一次的擦肩而過之後，她會流淚嗎？她會後悔嗎？她會因為這個融合了她和巫雨血脈的生命而想起逝去的容顏輾轉反側嗎？桔年不得而知，她確定的是，陳潔潔或許想要給孩子補償，卻不可能與非明相認。而她能給的補償，也不過是這一盒子漂亮卻無用的點綴品。

桔年想，不怪她。不過是一段過去，有人想記得，有人要忘記，僅此而已。

「會不會是別人送錯了？」非明猜到最後，反而為這不太可能的幸運而感到惶恐。

桔年笑了起來，從髮卡堆裡挑出一個，別在非明的頭髮上。

「喜歡嗎？」她問。

非明紅著眼睛一個勁地點頭。

桔年不禁也有些難過，她把非明帶在身邊這麼多年，可是給孩子的快樂卻那麼少。

「喜歡就好，妳看，髮卡戴在妳頭上那麼漂亮，怎麼可能是送錯了。說不定這是聖誕老人送給白雪公主的遲到的禮物呢！」

非明雖不太相信，卻也笑了，注意力成功地轉移到她眼前最為在意的演出上來。她拉開裙襬，在桔年面前輕快地轉了個圈。

「姑姑，我的裙子好看嗎？剛才李小萌也在化妝，她扮演一棵樹，看到我的裙子，氣得臉都綠了。」

桔年忍住笑，「我剛才看到扮王子的男孩子，是李特沒錯吧，他今天也很帥啊。」

非明心裡甜蜜蜜地轉了幾圈，一屁股坐在桔年身畔的椅子上，嘟囔道：「姑姑，我開心得頭有點暈。」

桔年找出紙巾去沾非明額角的薄汗，「坐一會就好了。」

「妳小的時候跳舞嗎，姑姑？」

「呃……不怎麼跳。」

「妳不希望自己是白雪公主嗎？」

「白雪公主只有最出色的女孩子才能扮演啊。」桔年笑著說。

孩子還不怎麼懂得謙虛，點頭表示認可。想了一會，又歪著頭，認真地說了句：「姑姑，我覺得妳也很好。」

「嗯？」桔年有些意外，她笑自己，也許是太多年沒有聽過有人對自己說過這樣的話，以至於竟然因為孩子無心的肯定而感到眼眶微微潮濕，「真的嗎？」

「真的。」非明輕輕地把頭靠在姑姑的肩上，「全世界姑姑最好了……除了我的爸爸媽媽。」

老師通過廣播召集所有參與演出的同學到後臺集中候場，非明急匆匆地跑了，桔年收斂心神，依舊坐在位子上，等待著即將開始的表演。

因為學校精心籌備的緣故，晚會節目相當精彩，隨處可見用力鼓掌、專注拍照攝影的家長。也許對於家長而言，臺上表演的內容是什麼不重要，重要的是那裡面有自己的寶貝。

晚會進行過半，報幕的小學生用黃鶯一般的聲音對觀眾說道：「接下來請大家欣賞歌舞劇——『白雪公主和七個小矮人』。」

掌聲雷鳴般響起，桔年也不由得坐直了身子，聚精會神地等待非明的演出。她太知道這一次表演對非明這孩子的重要性，多少個日夜的刻苦排練和精心準備就為了這一刻。她在心裡默默地說：巫雨，你也在看著是嗎？

童話的音樂聲傳來，觀眾席也漸漸安靜，彷彿都在等待著舞臺上的小精靈。一秒、兩秒……十秒……時間過去了，可舞臺上始終空無一人，觀眾席上的家長們從疑惑變為竊語，從竊語轉為不解地張望。

臺下開始騷動了，最沉得住氣的桔年也不解地皺起了眉頭，而細心留意之下，她發現那騷動的源頭來自後臺。

這是非明的節目！

桔年絞著自己的手指，到底是坐不住了，究竟發生了什麼事？她悄然起身，朝後臺方向小跑而去。

進入後臺的小階梯上已經圍了不少的人，有學生，有老師，也有家長，他們都踮起腳尖，伸長脖子朝裡張望著。桔年的腦子裡亂紛紛的，只聽到了一些支離破碎的隻言片語。

「女孩……」

「……發病了，真可怕……」

「……叫救護車了嗎？」

不安的潮水觸感是冰涼的，從腳尖開始，慢慢地，慢慢地，打濕她，吞沒她。

桔年用力分開擋在自己前面圍觀的人們，一層又一層的人牆，密不透風地遮蔽著風暴中心那座驚恐、絕望的島嶼。時光彷彿倒流了，周圍的場景在眼前模糊難辨……盛夏，午後，冰涼的手，無功而返的救護車，似遠似近的警笛，水洩不通的圍觀者，白的擔架，紅的血，無風自落的石榴花……還有訣別的味道……她在發抖……不……不要這樣……

「不讓我的眼淚陪我過夜，不讓你的吻留著餘味……」

韓述坐在燈光幽暗、音響喧鬧的ＫＴＶ包廂裡，聽著同事在臺上忘情投入地演唱。

「韓述，喝一杯嗎？」辦公室的美女主任拎著半打啤酒坐到他身邊。

韓述擺手，「剛才已經喝了不少，現在我就喝這個。」

美女主任拿過韓述手裡的飲料在鼻前一聞，「檸檬茶，喝這個有什麼意思？」

韓述懶洋洋地把杯子拿了回來，「這妳就不懂了，檸檬茶裡也有學問，我喜歡放三片檸檬，加入蜂蜜，不要戳它，冰箱裡冰鎮十個小時以上，味道自然就出來了，顏色還澄澈。這杯……湊合罷了。」

「你哪來那麼多講究。」正好有人推門進來，美女主任小王趕緊在身邊騰出個位子，嘴裡招呼著，「蔡檢，您總算是來了，快坐吧……」

剛到的蔡檢聞聲走了過來，端端正正地坐在韓述和小王之間。小王忙著給領導倒茶，蔡檢打量了韓述幾眼。

「看你這幾天心情好些了？氣色都回來了。」

韓述笑道：「這光線跟鬼屋似的，您都能看出我的氣色，薑還是老的辣。」

蔡檢也抿著嘴笑，「乾媽這不是關心你嘛！你這孩子，從小到大沒少讓人操心。跟同學聊聊，心氣都暢了不少吧？」

韓述聞言一怔，他不久前是跟方志和「聊」過幾句，不歡而散。可乾媽又是怎麼知道的？

他心下狐疑，嘴上卻不說，只暗自思量著，莫非這方志和跟蔡檢扯上了什麼關係？方志和莫名其妙地找碴，難不成是出自乾媽的授意？

不可能！周亮、方志和跟韓述打小玩得不錯，韓述的乾媽是認識他倆，但僅限於認識而已。更重要的是，韓述了解自己的乾媽，方志和話裡的意思跟乾媽的想法南轅北轍，完全不是一回事。

蔡檢似乎也自悔失言，笑笑接過小王遞過來的熱茶，不再繼續這個話題。韓述低頭去喝他的檸檬茶，心想，這葫蘆裡賣的是什麼藥？

「你爸爸也跟你說了吧，趕緊把手頭的事情交接了，該幹嘛幹嘛去。你不是常說在城南院綁手綁腳的嗎，現在可以遠走高飛，反倒捨不得了？」蔡檢對韓述說道。

韓述搖頭，「我說乾媽，當初非得讓我接這個案子的人是您，讓我放手的也是您，別拿我當槍使啊。我還真損上這個案子了，從來就沒有我韓逑過不去的坎。您別說，我還真有點進展了，更不能現在就撒手。」

「哦？」蔡檢一挑眉，神情也專注了起來，似乎對此頗感興趣，「說說看。」

「這是說公事的地方嗎？」韓逑笑著擺了擺手，繼而壓低了聲音，「我敢肯定，王國華後面有人，他只是蝦兵蟹將冤大頭，真正的大魚還沒露頭。」

「韓逑，你可得掌握證據。」蔡檢若有所思地說。

韓逑說：「這個我知道。我又不是第一天接案子，既然這件事被我碰上了，我非得查個水落石出不可。王國華雖然算不上冤枉，但罪不至死，他也不能白死。」他說著，忽然放下了手裡的杯子，看著蔡檢，頗有意味地說道，「乾媽，您說唐業是無辜的，但是我看可沒有那麼簡單。」

蔡檢沉默了一會，低聲說：「韓逑，你該不會……我相信你會公私分明的。」

韓逑勾起嘴角，似笑非笑，「是嗎？您心裡只怕也想著，該怎麼防著我故意給您那便宜兒子找碴吧？」

「我並沒有這麼說。」

「那就好。」韓逑臉上換了正色，「您要真那麼想，未免也把人看扁了！」

「阿業他……」

韓逑見小王起身去點歌，小聲說道：「我只問您，唐業在海外有私人帳戶的事您知道嗎？還有，王國華死前最後一個有疑點的專案跟江源集團下屬的廣利公司有關，而唐業跟廣利公司原財務總監滕雲過往甚密，您也不知情？」

蔡檢一向精明的雙眼裡也流露出迷茫的神情，她緩緩地搖了搖頭，「你覺得……」

「如您所說，一切由證據說話，而我現在手頭上並沒有充足完備的材料。但是這個案子假如要查下去，唐業是繞不過去的。乾媽，我知道這不是您讓我幫忙的初衷，但是我希望您理解，而且有個心理準備。」

蔡檢良久沒有出聲，似乎在品味韓述話裡的意思。孩子大了，由不得人，她覺得自己也在慢慢變得蒼老無力，心愈來愈疲憊，以往的銳氣日漸在消磨，她長長地歎了口氣。

韓述看著乾媽這個樣子，心下也有些不忍，正好同事一曲唱完，他接過麥克風，笑著朗聲對大家宣佈道：「下面有請我們城南院的少男殺手，甜歌小天后蔡一林小姐為我們演唱一曲……」

大家配合著起烘，蔡檢終於笑了起來，罵道：「韓述你簡直沒大沒小。」可手裡卻接過了麥克風。

蔡檢愛唱老歌，是業餘的演唱高手，這在城南人民檢察院是人人皆知的事情，不過敢這樣跟她開玩笑的除了韓述也沒有別人。

蔡檢的一首〈分飛燕〉唱得如泣如訴，韓述鼓掌之餘，掏出自己的手機看了看，小王從點歌台的位置回來，巧笑倩兮地打趣道：「韓述你今晚是怎麼了，身在曹營心在漢，那手機都不知道看了多少回……我看看！」

她趁韓述不備，一把搶過手機，笑著閃過身避開韓述企圖奪回來的手，「讓紀監小組長檢查看看有沒有兒童不宜的內容。」

韓述一奪之下沒有成功，也不再計較，笑著舒服地靠在軟綿綿的沙發上，「看到了好東西不要忘了告訴我。」

小王擺弄了一會，失望地把手機拋回給韓述，「沒有電話也沒有短信，你瞎看什麼？」

韓述笑嘻嘻地說：「我看時間罷了。」

韓述正說著，握在手裡的手機螢幕忽然亮了起來，上面顯示著一串陌生的電話號碼，響了兩聲就掛斷了。韓述一急，立馬從沙發上躍起，匆匆地跑出門外回撥過去，「喂，喂，我是韓述，你是哪位？」他唯恐周遭太過嘈雜，對方聽不到自己的聲音。

還好這個擔心並沒有成為現實，對方的聲音也清楚地從彼端傳來，「您好，我處可為您提供六合彩特碼預測服務……」

韓述一愣，繼而大怒，「預測個鬼，小心我端了你們的老窩。」

他憤而掛斷，才發現自己原來是那麼失望。

今天是非明演出的日子，韓述是記得的，他沒有去，因為害怕自己在桔年眼裡再度成為一個不受歡迎的人。可是一整晚，他都沒有放棄一個設想，非明喜歡他，希望他去看演出，桔年有沒有可能因為非明的期待而給他打電話呢？依她的脾氣，這個可能性也是微乎其微的，可是他就是著了魔似地心存期待。

推開門走回包廂，韓述依舊掩不住失落。蔡檢恰好唱完了最後一句，歌興正濃，招手叫來韓述，就對小王說：「點首歌讓我跟韓述一塊唱。」

韓述也是個不折不扣的麥霸，可這時哪有那份心，連連求饒，「我之前喝多了，唱不了。」可蔡檢故意板起臉，他也不得不依。

「韓述你唱什麼？」小王在一邊問道。

「無所謂，有什麼是我不會唱的？」

「蔡檢，要不給你們點一首〈敖包相會〉？」小王轉而問蔡檢。

蔡檢說：「換首新歌，免得韓述老說我活在七十年代。」

韓述嘀咕道：「太新的您也不會啊。」

小王會意，給他們點了一首不新不舊的〈當愛已成往事〉。

「這首好，這首我們小天后會唱。」韓述笑道。

稍顯滄桑的一段前奏後，蔡檢的女聲傳來，「往事不要再提，人生已多風雨……」

聽著這首歌被蔡檢用她拿手的民族唱法「全新」演繹，韓述握著另外一個麥克風，也不由得撇過頭去，憋住臉上的笑意。

「哎，認真點，別笑啊。」小王在一側暗示著。

韓述這才收斂了些，正兒八經地跟著蔡檢的節奏，盡量專注地聽她唱，一邊用手輕輕和著拍子。

「……縱然記憶抹不去，愛與恨都還在心底。」

不知道是特定的心情還是太過專注使然，韓述定定地站在那兒聽著，這首爛熟於心的歌，竟然莫名地有了種別樣的況味。他試著閉上眼睛，恍惚間，彷彿蔡檢也不再是蔡檢，歌也不再是那首歌，身側只剩下一個聲音在幽幽地敘述。

「真的要斷了過去，讓明天好好繼續，你就不要再苦苦追問我的消息……」

韓述怔怔地有些出神，直到蔡檢輕輕地咳了一聲，才留意到已經到了自己的唱段，好在這首歌他閉著眼睛也能唱下去，趕緊接過。

「愛情它是個難題，讓人目眩神迷，忘了痛或許可以，忘了你卻太不容易……」

不容易……有多不容易，這十一年裡，冷暖自知。

「你不曾真的離去，你始終在我心裡，我對你仍有愛意……愛意……我對自己無能為力。」韓述也不去看那大螢幕上的歌詞，自顧往下唱。有些什麼東西，電光石火一般地閃過，照亮了，又熄滅了。

「因為我還有夢，我依然把你放在我心中，總是容易被往事打動，總是為了你心痛。」

那個女聲恰如其分地纏了進來，「別留戀歲月中，我無意的柔情萬種，不要問我是否再相逢，不要問我是否言不由衷，為何你不懂……」

「別說我不懂。」韓述輕輕地接了下去。全賴酒精的後勁，他眼裡只有另一端欲說還休的她，身影單薄，額前有被風吹亂的頭髮，白著一張巴掌大的臉，眼角是克制的眼淚。

「有一天你會知道，人生沒有我並不會不同。人生已經太匆匆，我好害怕總是淚眼矇矓……」

「韓述，韓述，唱啊，換你唱了……」

「你怎麼了，韓述……」

韓述緩緩垂下了握著麥克風的手。

他的人生沒有了她，當然會不同，一切都將改寫。如果可以，韓述希望自己永遠不要遇見謝桔年。然而如果真的可以，他願意重回過去的每一天，好的，壞的，幸福的，不幸的，通通重走一遍。只不過，再不會讓她受到一丁點的傷害。

從來沒有人逼他流連在那些過去裡，不肯忘的人一直是他自己。他苦苦相逼，他言不由衷，他怕承認了之後再無路可退。然而一切只是因為他心中藏著一個被愧意包裹得密不透風的盒子，如今拂塵開啟，才發現裡面不過是最卑怯的感情。

他是等不來桔年的電話的。

從來韓述就救不了謝桔年，需要救贖的那個人，是他自己。

第十九章　假裝原諒我

韓述趕到醫院時已近深夜。

他離開KTV時太過匆忙，連外套都落在了包廂裡的沙發上。是蔡檢親自拿著衣服追了出來，那時他人已經在停車場。

「你這冒冒失失的是趕著去哪兒？」蔡檢問。

韓述接過自己的外套，沒有回答，想不到蔡檢已然有了答案。

「你要去找她？韓述，我以為你這些天是想明白了不少，沒想到是愈來愈糊塗了。」

即使在停車場並不明亮的燈光下，韓述依然讀得出從小疼愛自己的乾媽臉上的不解和無奈，以及她話音背後的潛臺詞。

他本想說，也許我一直是糊塗的，現在才明白了。可是直到驅車離開，他也沒把這話說出口。明白和糊塗，從來就是仁者見仁，智者見智。

韓述開車穿行在夜間仍舊繁華的街道上，莫名地想到一個並不算太恰當的詞——歸心似箭。雖然他的目的地其實是地段偏僻的一所小學。他想，不管能不能趕上非明的節目，他都要把這孩子舉起來轉一個大圈，至於該如何面對桔年，更是構想了無數種可能。

千言萬語化成一句「對不起」？說不定她只扔下一句「沒關係」就會走人。直截了當地吐露心聲？韓述自言自語地對著後視鏡模擬了一遍，發現肉麻到自己都抖了幾下。

要不……就吻她？他認真思考了這個方式的可行性，最後承認，真的不敢。

靜靜地坐在她身邊吧，什麼都不要說，讓時間和行動證明一切？可是以謝桔年的個性，她絕對可以紋絲不動地坐到天荒地老，一個字也不說。韓述覺得自己會在行動之前死於長時間的沉悶。

好像怎麼做都不行，怎麼做都不對。當然，延緩了十一年，所有的行動和表述都猶如隔靴搔癢。

韓述想像著十一年前，假如他就這麼上前抱緊她，不管她責怪或是怨恨，沉默或是推開，怎麼樣都可以，而不只是徒勞地在旁聽席上等待她看自己一眼，那樣的話，他是否就沒有如今這麼後悔？這是個永遠不會有答案的疑問——還好，他今天仍然可以選擇擁抱她。

擁抱她，忽略她的冷淡和回絕，任她疑惑抗拒甚至是鄙夷，這是韓述所能想到的，僅有的事。

結果，台園路小學的禮堂是到了，所有的設想卻無法施展。韓述在一片亂烘烘中驚聞非明出了事，在知情老師的指點下，這才趕到了醫院。

此時非明已從急症室出來，被送進了臨時監護病房。韓述在病房門口遇上了孩子的班主任，他跑得氣喘吁吁的，匆匆打了個招呼，正要進去，推門之前隔著病房門上方的玻璃觀察窗往裡面看了一眼，除了緊閉雙眼情況不明的非明，還有背對著門坐在床邊的桔年。

桔年的背影如韓述記憶中一般薄而瘦，韓述心裡一酸，竟有了點近鄉情怯的味道，這一遲疑間，才讓他進而留意到，房間裡除了她們，還有別人。那個把一隻手放在桔年的肩頭，給她遞過去一杯水的人，不是唐業又是誰？

韓述看著桔年微側身接過那杯水，即使看不到她的臉，韓述也可以想像她朝唐業擠出的一個笑容。

說實在的，即使唐業曾公然把桔年帶到蔡檢面前，稱她是自己的女朋友，而桔年也沒有否認這一點，但韓述內心深處對他們的關係是持懷疑態度的，他也說不清為什麼，就是憑直覺，唐業不是巫雨。韓述曾親眼見過謝桔年和巫雨之間流動的那種說不清道不明的東西，他承認他和謝桔年之間沒有，但在唐業和謝桔年身上同樣找不到那種痕跡。即使這樣，看著病房裡的唐業，他依然後悔自己來晚了一步。

他應該去觀看非明的演出的，即使非明的意外沒有辦法避免，但是至少那時他是第一個陪在她們身旁的人，而現在他把那個位置留給了唐業。

唐業低著頭，似乎在跟桔年小聲交談著。韓述聽不到他們的對話，他輕輕縮回了放在門上的手。他覺得自己就像一支離弦的箭，呼嘯著挾著風聲朝紅心奔去，卻忽然間找不到方向，力道漸失，空落落地掉落在地上。

於是他走開幾步，小聲地向非明的班主任詢問病情。他實在弄不明白，看起來健康又活潑的非明為什麼會毫無預兆地得了急病入院。

非明的班主任楊老師面對韓述的提問明顯語焉不詳，而韓述明明從楊老師的神情中看到了困惑和惋惜，他一顆心頓時往下一沉，也不再在老師身上浪費工夫，轉身就朝值班醫生的辦公室走去。

醫生辦公室裡空無一人，韓述只得又找到前台護士值班處，劈頭蓋臉就問：「剛送來的那個小女孩，就是叫謝非明的那個，她到底得了什麼病？」

低頭抄抄寫寫的一個小護士瞥了韓述一眼，「你是她什麼人啊？」

韓述一時語塞，隨即又厚著臉皮答道：「我是她爸爸。」說完這句話，他在護士疑惑的眼神中竟然感到臉龐一陣發燒。

「你能有那麼大的女兒？」對方果然回以不信任的態度。

這時一旁稍微年長的另一個護士接了句：「你是她爸爸，那剛才給孩子辦手續的是誰啊？有什麼事等醫生回來再說吧。」

韓述聞言，心中咯噔一下，也不爭辯，只放低了姿態懇求道：「拜託妳，我只想知道她到底得了什麼病。」

他原本就有一副容易討得異性好感的皮相，兼之言辭懇切，那護士想了想，也沒有再為難，低頭翻了翻入院紀錄，抬起頭來的時候話裡也帶著異樣。

「你真是那孩子的爸爸？她患的是遲發性癲癇……」

「癲癇？」韓述下意識地跟著重複了一遍。

面無表情地說完了謝謝，他走到離自己最近的一張椅子前坐下，發了好一會的呆，最後他見四下無人，用力地掐了掐自己的手臂，疼得厲害，看來這並不是做夢。

這個病讓他想到了非明和另一個人之間也許存在的關聯。這個本應有豁然開朗之感的事實卻如山一般壓住韓述，讓他喘不過氣來。

韓述知道非明不是謝桔年生的，此前他一直歸因於她的善良和孤獨，才會拖著一個非親非故的孩子清苦度日。他真的從來沒有想過，非明竟然是那個人的孩子，竟然是這樣！

其實，現在回想起來，事實不正擺在眼前嗎？

除了巫雨的孩子，還有誰值得謝桔年這麼對待。而非明那張面孔，她的眉和眼，無一不刻畫著熟悉的痕跡。

韓述為著這個發現而冷汗涔涔，這麼多年來，她竟然守著另一個人的影子生活著，他以為不管她願不願意，巫雨留在世界上的影像將永遠隨著那個午後而逝，原來並沒有。

巫雨，有多久了，韓述不願意回想起這個名字，可此刻他閉上眼睛，彷彿就可以看到那個人，還是青蔥少年的模樣，清淡眉眼，笑容明淨。在他面前，年近而立的韓述頓覺自己一身的疲憊和塵埃。

桔年把唐業送到了醫院大門處。她並不是太善於言辭的人，沉默著走了一會，到了該留步的時候，便說了句：「謝謝你。」

「錢的事不要放在心上。」唐業感冒了，說話的時候帶著鼻音。

桔年搖頭，「是謝謝你能來。」

說起來也是巧合，桔年在急症室外等待非明的時候接到唐業的電話。平安夜過後，他們一直沒再見面，電話裡唐業也只是簡單的問候，沒想到聽聞非明的事情，立馬趕了過來。

「好像我們跟醫院太有緣分了。」桔年無可奈何地笑了笑。

唐業說：「那也是緣分的一種。妳回去陪著孩子吧，我走了，妳也注意休息，一切等到明天CT結果出來再說。」

桔年點頭。

唐業看似仍放心不下，又安慰了一句：「別想太多，想得多了，於事無補，還徒增煩惱。」

桔年低聲說：「沒關係。我就想，事情已經壞到這種地步了，還能再壞到哪兒去？這麼想著，心也寬了。」她倉促地笑了一聲，「至少她還活著。」

唐業露出了些許迷惑的神情，他覺得謝桔年就像一汪澄碧的湖水，乍一看清透，其實不知道底下沉澱著什麼。譬如在這個夜晚之前，他並不知道她收養了一個那麼大的女孩，而她似乎到目前為止也無意對此做解釋。

唐業猜想過那個女孩或許是她所生，或許也不是。說實在的，他也只是驚愕而已，更覺得她不容易。不管怎樣，她一定有這麼做的理由。人總是容易被過去所累。

他們揮別，唐業孤身走到院門口三角梅攀成的拱門下，雨剛停不久，一陣對流的風穿過，積聚在葉子上的水滴和零碎的花瓣一道飄落下來，有幾片花瓣棲在了他肩上。唐業拂了拂那些帶著水珠的紫紅色花瓣，回頭對幾步之遙的桔年說：「不知道為什麼，我忽然想起一個朋友對我說過的話——他說世界上有兩樣東西是最無可奈何的，一樣是飛花雨，一樣是往事。不過我想，既然有風吹過去，那麼散了就散了，妳說呢？」

桔年重回非明所在的病房，看到了站在那兒等候的韓述。她經歷了過多的東西，反而不覺得他的突然出現有什麼意外。

「非明……她還沒醒過來？」韓述有些侷促。

「醫生給她用了藥。」桔年頓了頓，推開門時還是側了側身，「你要進來嗎？」

「等等。」韓述明明點了頭，又反手重新掩上病房的門，「我找妳有點事，不要吵醒她。」

桔年看了他一眼，也沒拒絕，走開幾步，找了個地方坐下。是他說有事，既然他不開口，她也不急。

夜裡的醫院迴廊，跟落滿枇杷葉的院落一樣寂靜。

韓沭忽然覺得心裡憋得慌，莫名地氣不打一處來，他焦躁地在她跟前走了一個來回，指著桔年，壓低了聲音，擠出一句話，「妳代他養女兒，妳代他們養女兒，妳……妳……」他都不知道怎麼說才好，見她一直沉默著，只得束手無策地坐到她身畔，整個人都被無力感包裹著。

「妳怎麼能這樣？」他問完又長長地吁了口氣，喃喃地自言自語，「也是，我早該猜到妳會這樣，妳傻到一定的境界了。」

「不敢置信」和「想通」之間其實就隔著一層薄薄的紗。

韓沭自我解嘲，這不就是謝桔年會做的事情嗎？巫雨死了，假如這孩子的身分見不得光沒人要，她怎麼可能讓巫雨的孩子顛沛流離。如果她會這麼做，她就不是今天的謝桔年。

「你覺得他們長得像嗎？」不知道是不是太多的變故沖淡了桔年和韓沭之間的疏離感，她就這麼坐在他身邊淡淡地問了一句，沒有恩怨，沒有芥蒂，沒有原不原諒的問題，就像很多年不見的故人。

今晚在韓沭之前，已經有很多人給過桔年安慰，有學校的老師，有唐業，還有聞訊趕來又離去了的平鳳。他們對她表示同情，也對她伸出援手，對於非明的存在，有的不解，有的埋怨，有的包容……可是，他們其實都不明白其中的緣故，而桔年也不打算說。倒也不是她刻意隱瞞，只不過事情已經過去太久了，許多事情很難從頭解釋，即使費盡口舌，有些東西別人也無法理解，因為那些人、那些事沒有真實地在他們的記憶裡存在過。只有一個人不言而喻，只有一個人說，我早該猜到是這樣。諷刺的是，這個人竟然是韓述。

雖然桔年不喜歡跟韓述再有任何聯繫，但她仍然得承認，那些她經歷過的往事他亦有份兒，除了陳潔潔，也只剩下他見證過那些往昔，那是他們各自割捨不了的一部分。

很多時候，桔年都對自己說，只要她記得這個世界上曾經有一個叫巫雨的男孩存在過，只有她一個人記得她的「小和尚」，那就夠了。她擁有的年華裡，也只有「小和尚」存在過的那些年頭是有色彩的，是有血有肉地真正活過的，後面的十幾年，浮光掠影一般，好在她為自己搭建了一個天地，她在那個回憶的天地裡安然度日。

然而，當她把抽搐著的非明抱在懷裡，當她驚恐地發現也許有一天她會連非明都失去，連這懷抱也變得如同虛空，那她還剩下什麼？還剩下記憶嗎？但這記憶如果只存在於她一個人的心中，誰來為她證明那不僅僅是黃粱一夢？又拿什麼來支撐她賴以生存的小天地？

現在，韓述就在她身邊，他不是他，不是韓述，他是照見謝桔年過去的一面鏡子。他真真切切地提醒她，那些過去不是虛幻。

韓述嗤笑一聲回答道：「當然像，她像她爸，也像她媽，唯獨不像妳。」

他說完又後悔了，不是說好了，從今往後要好好地對她嗎？即使預想的那個擁抱無疾而終，但怎麼還管不住這張嘴。

好在桔年看起來並沒有太介意。她懶懶地靠在椅背上，韓述不經意低頭，走廊的燈光讓水磨石地板上的兩個影子靠得很近，他略略換了個姿勢，它們便真的如同依偎著一般。

「我說陳潔潔為什麼有一兩年好像從地球上消失了一樣，原來是為了這個。自己的親生女兒都可以不要，那還生出來幹什麼？她這些年都沒有想過回來找非明嗎？」韓述害怕太長久的沉默會結束那個「依偎」，總得說些什麼吧，可是問起這個，桔年的無聲又讓他無名火起，「我就知道肯定沒有，那傢伙做事太不地道。對了，她知道非明由妳撫養嗎？」

桔年說：「以前不知道，最近大概是知道了。」

韓述一拍大腿，「前幾天她還給我打電話，拐彎抹角地問起妳的事，我還以為她關心妳呢……」他說到這裡打住了，掩飾性地咳了一下，接著往下說，「不過想想也不奇怪，我估計她現在也不敢認這孩子。」

「是嗎？」

「妳還當陳家跟過去一樣那麼威風？幾年前，陳潔潔她爸爸投資失敗，在一個項目上栽了大跟頭，他們陳家就一天不如一天了，現在也不過是靠找了個好親家撐著那份表面風光罷了。」

桔年想到那日超市見到的那一對，「那也不錯啊。」

韓述冷笑，「是不是不錯，她自己才知道。前幾年不是離婚了嗎？留在國外晃蕩，不知道多瀟灑，到頭來還不是灰溜溜地回來重婚。沒有周家，她估計得在國外洗盤子。拿人的手短，吃人的嘴軟，所以她這幾年也是安分了，好在生了個兒子，要不日子也未必好過。換作我是她，我只怕也要把非明這檔事瞞著，打死也不說。」

他看了桔年一眼，放緩了語氣繼續說：「不過非明雖然是她生的，但她一天也沒養過，算起來還不如妳跟這孩子有緣分，過去不指望她，就算是現在，也未必要指望她。非明的事……非明的事，妳放心吧，還有我呢，我會……」

他從來沒有把一段話說得這麼艱澀，既難堪，又緊張，一方面怕說得太露骨讓她反感，又怕太含蓄，她聽不出另一層意思。

桔年確實有些吃驚，不禁看了韓述一眼，在她的視線下，韓述都不知道怎麼把下面的話說下去，手忙腳亂地掏出一張卡，胡亂地塞到她手中。

桔年被他嚇了一跳，頓時站了起來，「什麼……唉……不用……」

韓述又輕易地在她面前惱了，「我的錢難道就比唐業的髒？」

桔年怕把護士和其他病人驚動了，忙說道：「我出來的時候沒帶夠錢，也沒帶存摺，唐先生先墊上，明天我就會還給他。」

她說完，覺得韓述的臉色好看了一些，也沒想到是那無意中說的「唐先生」三個字讓韓述心中一寬。

韓述把她握著卡的手推了回去，「就當是我給非明的，我知道，她跟我沒關係，但我真的希望過她是我的女兒，就像陳潔潔和巫雨，只要有了非明……他們之間……唉，不說他們，我是說……我可以把她當成我的……反正像妳一樣照顧她……妳別誤會，我也不是因為妳們可憐而補償妳們，不管妳們可不可憐……我不是說妳們可憐，我是想，我想……」

韓逑愈說愈不知道自己在說什麼，他想，正常人應該都聽不懂他要表達的內容。

可是謝桔年從來就不是正常人。她打斷了他。

「你知道不可能的，韓逑。」

韓逑的臉由紅轉白，暗地裡咬了咬牙，可是原本飄浮的一顆心卻因著她毫無迴轉餘地的一句話而定了下來。最慘最丟臉也不過是這樣了，那還怕什麼。至少說明她是懂的。

「妳這是拒絕我是吧？也沒什麼，真的沒什麼。」安慰好了自己，他試圖換上自己擅長的玩世不恭的笑容，厚著臉皮說，「妳剛才說，不可能的，韓逑。那我就不是韓逑，妳當我是剛剛經過的路人甲，我們剛認識，隨便說點什麼……打個招呼總行吧？」

桔年百般無奈，再一次遞回那張屬於他的銀行卡，「嗨，韓小二，再見。」

她見韓逑不動，俯身把卡放在一旁凳子的顯著位置上，搖了搖頭，走回非明的病房。

「桔年。」韓逑在背後叫住她。他強橫地扯過她的手，把卡合在她掌心的時候力道卻很輕，「有事的時候，先想到我行嗎？就當是妳假裝原諒我的一種方式。」

第二十章　毒蘋果

第二天一大早，桔年從醫院提供的劣質折疊床上爬起來，洗漱完畢，打了個電話到店裡請了一天假，回來便發現非明醒了。

其實非明並沒有睜開眼睛，桔年是從她比睡著時閉得更緊的眼睛和顫抖的睫毛看出了端倪。很久以前，桔年曾經也是個愛裝睡的孩子，爸媽在身邊談論即將出世的弟弟的時候、姑媽和姑父大聲叫罵的時候，她也是這樣用力地閉著眼睛，愈希望睡著就愈難沉入夢鄉。後來她身邊多了一個巫雨，兩人常常躺在石榴樹旁的草地上，太陽透過緊閉的眼簾，在黑暗中渲染出一種橙紅色。巫雨的呼吸在一旁，均勻而悠長，她試著將自己的鼻息調至跟他相同的節奏，睡不著，滿腦子都是淡淡的青草味，還有太陽照在松枝上的氣息。偶爾有落葉打在她的臉上，癢癢的，可她不想驚動身邊的人，皺著鼻子忍耐，卻聽到巫雨哈哈的笑聲……韓述說，非明一點也不像她，那是自然的，可是桔年卻似乎有那麼一秒，在非明身上看到了自己，那畢竟是她帶大的孩子。

她坐到床畔，輕輕地喚了聲，「非明，醒了？」

非明紋絲不動，可是過了幾秒，緊閉的眼角就有豆大的淚水流淌下來。

「肚子餓了嗎？姑姑去給妳買早餐，妳想吃什麼？」

「別哭，是不是哪裡還不舒服？」

「非明，妳聽見姑姑說話了嗎？」

任憑桔年在一旁好說歹說，非明彷彿除了流淚，再不會做別的事情。

「妳等等，姑姑給妳叫醫生。」桔年無奈，也害怕孩子有什麼沒觀察到的症狀，於是站了起來。

可非明卻在這個時候爆發出尖銳的哭聲，她在枕頭上竭力地擺著頭，眼睛仍是不肯睜開，嘴裡喊著：「我不要醫生，不要醫生……我沒有病。」

桔年也有些慌了，手忙腳亂地去擦非明的眼淚，「好，妳沒病，那妳先睜開眼睛看看姑姑。」

非明的聲音帶著重重的抽噎，「我不睜開眼睛。我睜開眼睛的話，之前做的夢就變成真的了。老師在催我了，我要去跳舞了……下一個節目就是我們的……」

「妳醒來後，我們出了院，還是可以跳舞啊。」

「妳騙我，沒有人要我跳舞了，別人看見我的怪樣了，李特也看見了……」

她哭得那樣絕望，一雙手絞著兩側的床單，桔年的心也在孩子的哭喊聲中慢慢地揪緊。她不是不理解非明的傷心，這個打擊對於非明這樣一個孩子來說，一定沉重得超出了負荷。

護士來了又走了，同病房的其他病人家屬有熱心腸的，幫著桔年哄了一陣，發現毫無辦法，也只能無奈。桔年也不再去勸，坐在一旁，看著非明竭力地哭泣，直至無力，再也沒有眼淚能流，只剩下間歇的抽泣。她無比嫌惡這一刻的自己，要是她再聰明一點，也許能給予非明更多的寬慰，不會像現在這樣，什麼都做不了。

醫生也進來囑咐了幾次，該送非明去照CT了，可是非明這個狀態，實在不是觀測的好時機。桔年束手無策地耗了一陣，韓述一陣風似地刮了進來，二話沒說，打開手上的一個盒子，將裡面亂七八糟的小玩意兒擺滿了整個床頭櫃。

想必也發現了非明糟糕的樣子，韓述向桔年投去一個詢問的眼神，桔年低下了頭。

韓述清了清嗓子，坐在非明的身邊，「小美女，看我給妳帶什麼來了。」

誰也沒有想到的是，非明聽到了他近在咫尺的聲音，驚人地坐了起來，抱住他，一邊叫著「韓述叔叔」，一邊重新開始號啕大哭。韓述看了桔年一眼，便趕緊拍著非明的背哄著，「有什麼事值得那麼傷心啊，臉都哭皺了，多醜啊……別哭了，鼻涕都蹭在我襯衣上了，韓述叔叔待會怎麼上班呀？」

非明可不管，該怎麼蹭還是怎麼蹭，「我再也不能去學校了，別人都看見了。」

「看見什麼了？」韓述故意輕描淡寫地問。

非明不肯回答，哭得卻更傷心了。

「哦……妳是說昨天晚上的事啊，我聽說了。」韓述拉長語調，朝桔年眨眨眼睛，對非明說道，「這有什麼好哭的，妳不是跳白雪公主的嗎？難道妳不知道，在王子出現之前，白雪公主吃了毒蘋果，就是這樣發了病啊。」

「我……我沒有吃蘋果……」非明斷斷續續地說。

「妳很久以前吃的，慢性而已。」韓述揉著非明的頭髮，「沒有人笑妳，我趕去的時候，同學們都很關心妳，妳上次說過的那個男孩子叫什麼來著……」

「李特。」桔年趕忙在一旁提醒道。

「對，李特，他著急得像個小老頭……」

「你胡說！」非明抗議。

韓述笑了起來，「妳看，王子肯定不會笑話白雪公主，會笑話的都是巫婆。快，看看韓述叔叔給妳帶了什麼，我可是特意給妳送過來的，馬上得去上班了。」

儘管桔年不敢置信，非明還真的在韓述連哄帶騙的胡謅八扯之下慢慢地睜開了眼睛，一隻手拿起來其中一個維尼小熊，邊吸著鼻子邊看。

桔年見狀，趕緊走出去跟醫生聯繫接下來做檢查的事情，剩下韓述跟非明兩個人嘰嘰咕咕地說著話。她回來的時候，韓述已經揹著公事包站在病房外等著她。

桔年還是免不了覺得尷尬，但是韓述的出現幫了她一個忙，這不得不承認。拋開過去的事情，就現在而言，她對他不理不睬也說不通。

「你……不是趕著要去上班嗎？要遲到了吧。」

韓述點頭，「今天有重要的會要開。」

「那……再見。」

「妳好像比我還急。」韓述笑嘻嘻地說。

桔年笑不出來，牽強地勾勾嘴角，「我進去了，待會兒要陪非明去做CT。」

「有結果一定要告訴我，走了走了，我真的要遲到了。」韓述說完，眼尖地瞄見桔年一手拿著杯插了吸管的豆漿，趁她來不及反應，順手牽羊地搶過，嘟囔著說，「餓死了，我早餐都沒吃！」

桔年頓時石化，看著自己空了的手，看似不捨地說：「這杯……」

雖然明知道以她的脾氣不可能有什麼明顯的反應，韓述還是退了一步，得意地搖晃了一下那喝得只剩下半杯的豆漿，生米煮成熟飯似地就著吸管喝了一口，然後看著桔年睜大眼睛呆呆的樣子，頓時覺得心中大樂。

「謝桔年，一杯豆漿而已，妳不會這麼小氣吧？」韓述得了便宜還賣乖。

「問題是……問題是……」桔年一著急，嘴就笨笨的，哪比得上韓述的無賴和嘴快。

他搶白道：「有什麼問題啊，我都不介意是喝過的，妳緊張什麼，難道妳有傳染病？」

韓述邊喝邊走，桔年憋得臉通紅，眼看著有人走了過來，才小心翼翼地說：「我沒病，可是隔壁床小朋友的外婆感冒了。」

韓逑愣了一下，沒跟上桔年思維跳躍的速度，直到他遠遠地看見朝他們走過來的老太太，面孔是有些熟悉，兩手都提著熱水壺，右手的一根手指上還勾著一袋包子。他像是忽然得知了一個可怕的真相，再次看了那杯豆漿一眼，表情怪異，似乎想說點什麼，可又被一個作嘔的表情打斷了，然後就飛快地消失在桔年的視線範圍內。

桔年也沒有辦法，眼看老太太走近，打了個招呼，幫著接過一個水壺，隨便編了個豆漿消失的理由，老太太大方地原諒了她。

將近十一點，平鳳又過來看非明，她臉上的妝都沒卸徹底，眼圈烏青，想是剛「下班」回來。她到的時候非明剛做完各項檢查，倦倦地又睡了，手裡還握著個維尼熊，桔年正低頭看著報紙上的連載，聽到平鳳的腳步聲，抬起頭笑了一下。

平鳳輕手輕腳地搬了張凳子坐到桔年身畔，看了看非明，「沒大問題吧？這孩子也怪可憐的。」

桔年把報紙擱在膝蓋上，點了點頭，「醫生說，等檢查結果出來，沒什麼事明天就可以出院了。」

「看妳這副樣子我放心多了，小孩子嘛，誰沒個三災五難的。」平鳳說著，從隨身的包裡掏出一個舊信封，塞到桔年的報紙底下。

桔年略打開一看，吃了一驚，「妳哪來這麼多？」

平鳳拿起一個自己帶來的蘋果削著皮，「賺的唄。不是給妳的，是還妳的，上次的事妳忘了？」她指的是自己斷腿那次，桔年後來替她還了「訛詐」唐業的那五千塊錢。

桔年壓低了聲音，「我是問妳從哪兒一下弄來這麼多？」

平鳳的生活方式桔年多少也知道一點，那些錢來得也不容易，平鳳家裡有拖累，有時手頭活絡一些，除了補貼那些看不起她的弟妹，就是給自己買各式各樣的衣服和護膚品，有著不花盡最後一分錢誓不甘休的架勢，從來也沒有什麼積蓄，掏空了再去沒日沒夜地掙一輪，實在急用，經常五十、一百的問桔年借。用平鳳自己的話說，做一天和尚撞一天鐘，人生苦短，誰管得了明天的事。

平鳳低頭笑道：「妳還真不相信我會遇到『人傻錢多』的大魚？最近錢來得容易……總之這錢妳拿著，妳現在正是用到它的時候，看這孩子一張臉白得跟牆似的，出院後也給她買點好吃的。」

桔年也不推托，從信封裡抽出部分，放到自己的口袋裡，剩下的塞回平鳳手中，「妳自己也攢著點兒吧，我們年紀都不小了……尤其是妳，總得有些防身錢，現在非明身體不好，有什麼事我也幫不上什麼忙了。」她見平鳳不接，索性直接放到平鳳未拉好的包中，「妳說及時行樂也沒錯，可人只要還有一口氣，總有明天要來，這也是沒辦法的事。」

平鳳默默聽著，看到非明床上擺著的一堆小玩意兒，換了個話題，笑著用腳輕輕地踢了桔年一下，「某人送的吧？」

桔年笑笑不答。

平鳳道：「真看不出他一本正經的樣子，還知道買這個。」見桔年依舊沒什麼反應，她繼續說道，「妳別裝傻，我昨天看見了他，想不到你們還一直聯繫著，要不他能那麼趕巧，孩子一病就眼巴巴地趕過來？我看他就不錯。」

桔年這才意識到她說的是唐業，笑道：「別胡說，別人……」她打住了，她當然不能說出來，唐業喜歡男人，或者，他說他「喜歡過男人」，雖然這對桔年來說都沒有什麼分別。

「別人怎麼了？妳倒是說啊。」平鳳可沒有這麼輕易放過，「說不出來了吧，我說剛來的時候妳怎麼看上去心情不壞，是在想著他吧？說實在的，昨天我發現他看妳的眼神都不一樣，那種男人看女人的眼神……」

桔年趕緊「噓」了一聲，笑著制止了平鳳愈說愈激動的勢頭，「求妳了，這裡是兒科。」

平鳳收斂了一些，聲音放到最低，可依然堅持往下說：「有時候我覺得妳都成仙了，整個都沒七情六欲了，話又說回來，真要那樣還好，就成木頭疙瘩了，什麼都不用煩惱，可妳真能那樣嗎？人活著要吃五穀雜糧，就免不了俗事，就拿現在來說，妳一個人帶著個病孩子，敢說一點兒不苦？事實明擺著，什麼不要錢？妳總說我不為將來打算，我看這話說的是妳自己……桔年，說到底妳跟我不同，我不打算，是因為我沒辦法了，可妳還有……」

「是嗎？」桔年笑笑，平鳳向她說教，那種感覺有點兒怪異。

「怎麼不是，大道理我說不出來，可有些東西是人都懂，說白了，女人就該有個男人，睡覺的時候有人抱著，倒楣的時候有人靠著，就這麼簡單。妳說那個姓唐的什麼不好，他有幾個小錢，長得人模人樣，看上去也不壞，最重要的人家對妳有點兒那個意思。妳知道的，我們都在裡面待過，再找個好男人不容易，身家清白的，誰沒事找個刑滿釋放的，妳當他是耶穌？對了，他知道妳在裡面待過嗎？」

「誰？」桔年怔了怔，「哦……我跟他說過。」

「那妳還想怎麼樣？我說桔年啊，妳上輩子算燒了高香，聽我的，別傻了，就算為了這孩子，活得正常點，過了這個村，就沒有這個店了。別人要是問我想找個什麼樣的，我只求一件事，給我一個不在乎我的過去，也跟我的過去沒有關係的人。」

「不在乎我的過去，也跟我的過去沒有關係？」桔年機械地重複了一遍。

兩人的說話聲儘管壓得很低，還是驚動了床上的非明。非明動了動，迷迷糊糊地睜開眼，張口就問：「韓述叔叔走了嗎？」

桔年忙說：「平鳳阿姨來看妳了。」

平鳳把削好的一個蘋果遞給非明，非明看了她一眼，沒有伸手去接。

「還想著妳的毒蘋果呢？」桔年趕緊代非明接過，轉而對平鳳笑道：「這孩子真把病怪到蘋果上了。」

平鳳也不說什麼，順勢站了起來，把背包掛在肩上，「我也該回去睡一覺了。」

桔年送平鳳出去，非明也沒跟平鳳說再見。這已經不是她頭一次對「平鳳阿姨」這麼冷淡，自從她間接得知這個阿姨和姑姑認識的起點，這種態度就一直沒有改變，不管桔年怎麼責備和勸說都沒用。

也許對於非明來說，桔年是她的姑姑，她沒有選擇，所以她必須忽略姑姑曾經也是一個囚犯這個事實去愛姑姑，但是平鳳是個外人，一個有不堪過去的外人。

有時桔年也不知道該怎麼去教非明判斷善與惡，孩子不理解其中太複雜的東西，即使她長大了，也未必能夠理解，這也許跟年齡沒有關係，這個世界的判斷標準本來就是如此。

她不知道該為孩子日益分明的是非觀念感到悲哀還是慶幸。

但不管怎麼說，非明有一個清白的人生總是好的，不像她，半生都活在混沌的灰色中，她愛上過殺人犯的兒子，被也許犯了強姦罪的男孩子愛過，因搶劫包庇罪入獄，收養個來路不明的孩子，再跟個妓女做朋友，終於有一個男人說也許能給她一段新的生活，結果卻是個同性戀。

桔年想，究竟主宰她命運的神要多麼有才，才能導演這一出瘋狂的幽默劇。

下午，經不起非明一再地抱怨醫院消毒水的味道是如何的噁心，桔年慢慢地開始著手收拾東西，非明的身體狀況和發病原因她心裡有數，也許快的話，從醫生那兒拿到了檢查結果就可以出院了，畢竟這個病並不是在醫院裡躺著就可以根治的。

非明住在一個容納了三張病床的房間裡，其中一張空著，另外一張躺著個患有重病的孩子，連吃飯起床都沒有力氣，只能靠外婆伺候著。那女孩比非明還大一些，可發育得很遲緩，看起來十歲都不到，頭髮所剩無幾。非明都不敢直視那個女孩，她已經知道害怕那種生命的脆弱感，只得一個勁地問桔年出院的信息。

「姑姑，我們什麼時候才能走？」

「韓述叔叔會不會來接我？」

「待會我們出院的時候記得要拿韓述叔叔送我的東西。」

……

終於，臨近醫生下班的時間，才有護士進來叫桔年到醫生辦公室去一趟。桔年點頭時，非明的表情猶如看到了黎明的曙光。

幾分鐘後，桔年坐在醫生辦公室裡。負責非明的醫生是個看上去非常和藹的老頭，他詢問過桔年的身分，以及非明父母未能到來的原因之後，就一遍一遍地翻著非明的病例和檢查報告。

儘管桔年之前早有心理準備，但是那沉默的氣氛和緩慢翻動紙頁的聲音依然讓她侷促而不安。

「謝非明是妳的侄女……那麼，妳對她的身體狀況還是有所了解的吧？」良久，醫生總算是開了尊口。

桔年點了點頭，再難說出口，也不過是「癲癇」兩個字。

從收養非明的那一天她就已經知道了。

最初的幾年，她一直都在擔心著，害怕這個猶如定時炸彈一般的病隨時會在非明身上發作，可是非明就像個健康的孩子漸漸長大了，這個病潛伏了太久，久到連桔年都誤以為它是不存在的。

那醫生看了桔年一眼，隨即從一疊檢驗報告中抽出非明頭部的影像圖，然後用手中的筆端點向圖的某處。

桔年只看到一個白色的小點。

醫生緩慢地說：「我們初步診斷為患兒的大腦半球處長有一個大小約四乘三公分的膠質細胞瘤。」

桔年沉默，靜靜地看著醫生，彷彿一時間難以明白醫生的意思。

「換言之，我們認為謝非明患有腦腫瘤，這很可能就是導致她癲癇發作的根本原因。」

這一次桔年聽懂了。她發現自己再一次犯了錯誤，就像以往很多回，面對恐懼，她都以為自己已經做好了足夠的準備，其實都沒有。

第二十一章　絶望是件好事情

非明得知還不能出院後，又是好一陣哭鬧，哭到最後連聲音都發不出來，只餘一張小臉漲得紫紅。這動靜終於引來了醫生和護士，怕她情緒激動之下導致病情進一步惡化，不得已再次使用了藥物，讓她在聲嘶力竭後沉沉睡去。

在這整個過程中，桔年始終站在幾米開外，怔怔地看著這一幕。她什麼忙都幫不上。命運行經時如巨大的車輪輾過，一地殘碎，從來就沒有給過選擇的機會，當然，除了混沌和清醒的選擇。而這兩者之間的區別也只不過是哪一種比較痛楚而已，對結果來說，都一樣的無能為力。

醫生說，目前還無法判斷非明腦裡的腫瘤究竟是良性還是惡性，但至少有一點可以肯定，這腫瘤存在於非明腦內已不是短時間的事，甚至有可能是與生俱來的，跟上一代的遺傳有著密切的關係。在這一點上，醫生反覆詢問了非明的家族病史，在從桔年口中得知，孩子的生父的確也患有先天性癲癇之後，更肯定了這一推論。因為癲癇正是腦部膠質細胞瘤發作前的典型徵兆之一。

桔年很想醫生能夠給她一個痛快，究竟要怎麼做，才可以救回非明，但是就連那看似經驗豐富的醫生也無法給她一個明確的答覆。先不論腫瘤是良性還是惡性，已經長到了現在的大小，必然壓迫到腦組織，引起一連串的身體反應，如愈來愈頻繁的頭痛、嘔吐和癲癇發作，而且腫瘤極有可能還在進一步擴大中，當它佔據到一定的空間，即使是良性，也會危及生命，而惡性腫瘤的可怕後果更不堪設想。

擺在眼前的唯一途徑也許只有手術，如若手術成功，術後再不復發，那就是不幸中的大幸，但復發與否，誰都無法預言。最令人左右為難的是，非明腫瘤的病灶在一個相當危險的位置，也就是說，手術的風險會非常之大，一旦手術，她有康復的可能，也有立即死在手術臺上或留下後遺症終身殘障的可能。

醫生問過桔年，她只不過是這孩子的姑姑，也不知道她能不能夠代孩子做出這性命攸關的決定。在這個問題面前，桔年的確一時無語。名義上，斯年堂哥才是非明的養父，名正言順的監護人，可是謝斯年當年做出收養孩子的決定完全是為了成全桔年，他跟非明並沒有實質上的任何聯繫。最初那幾年，他偶爾會從不同的地點給桔年和非明寄來一些禮物，這已經足夠讓桔年感激，再不能要求更多，因為她也知道斯年堂哥生性不羈，最不喜牽掛，他愛的人去世後，更是居無定所。即使桔年現在走投無路生起過再向斯年堂哥求助的念頭，也不可能在一時間跟他取得聯繫。近幾年來，她也僅能憑零星的幾張明信片知曉堂哥曾經在哪幾個遙遠的國度停留過而已。

至於孩子另一個存在於世上的血親，要找到她倒也不難，可是單憑韓述那天說起的關於陳潔潔的現狀，桔年也不可能去冒這個風險，她怎麼能指望一個家境破落、一切依靠夫家為生的大小姐去為過去的一段孽緣再添新愁。不管是為了曾經發過的毒誓，還是為了現世的安穩，陳潔潔都是不可能跟非明相認的，桔年很清楚這一點，假如讓非明知道她的親生母親存在卻不肯接受她，後果絕對是致命的，遠比讓她拚命幻想完美的父母更糟糕。

桔年對醫生說：「我們需要時間考慮，哪怕只是一晚。」而我們又是誰？

在做出這個回答時，她也深覺自己的無力和怯懦，在最絕望的那一瞬，她是否也明白，她是個外人，不管她撫養了非明多少年，非明永遠不會是她的孩子。

夜已漸深，非明睡得很熟，臉頰上還有眼淚的痕跡。桔年替她掖好被子，一個人站在住院部門口那個小小的院子裡。從醫院的門口可以遠遠地看到對面熱鬧的街道，此時已近年末，即使是夜裡，也還有許多人忙著採買年貨，桔年看不清，但可以想像那些人臉上喜慶的神情，而這一切和醫院裡的蕭瑟不過是隔了一個街口。

巫雨，如果是你，你會怎麼做？

桔年對著看不見的地方，在心裡默默地問。

陳潔潔是健康的，非明的惡疾來自於巫雨的遺傳，如果醫生的推論是正確的，那麼很有可能巫雨的癲癇也是由於這種遺傳性的腦腫瘤引起的，可惜當時沒有人關心過這一點，而這個祕密也隨著他永遠地長埋於地底。

桔年攤開自己的手掌，再一次看著掌心的紋路，如果他的離開是不可避免的，她的孤獨也是註定的，這對於一個相信宿命的人來說，是否應該好過一點？

桔年記起自己曾經在巫雨的數學課本裡見過他塗鴉的一句話：生如夏花之燦爛，死若秋葉之靜美。巫雨並不是個善於文學修辭的人，桔年曾猜測，這出自泰戈爾詩歌中的一句，或許是他無意中看來，並深以為然，所以隨手摘抄在課本上。這與他做過的俠客的夢不謀而合。

如果真是這樣，如今看來，桔年是有些羨慕巫雨的，活著的時候，也許他遠不如夏花燦爛，但至少在終結的時候，只是電光石火間，一切歸於寧靜，就宛如武俠小說中的慘烈，劍光乍起，血濺五步。總勝過某個配角，斷了一臂，還懷抱遺孤，苟延殘喘地在現實中熬。

只是非明太過可憐。這孩子從來沒有得到命運的眷顧，卻必須要承受遠遠超過她所能負荷的不幸。桔年想著，心中益發惻然。

「她還太小，你不能帶她走。」桔年對巫雨說。

只有風吹過枯枝的聲音回答她……還有放得很輕的腳步。

桔年猛然回頭，看到的卻是站在身後幾步臺階上的韓述。

她沒想到韓述這麼晚還會出現在醫院裡，然而從他夾雜著震驚、悲痛還有憐憫的神色中，桔年知道自己用不著再多做解釋，他想必已經從醫生或者別的護士那裡得知了真相。

不知道為什麼，在回頭看見他那一刻起，平靜而木然地接受了噩耗的桔年忽然有了流淚的衝動，也許是因為失望，也許是因為他的悲痛加深了殘酷現實的真實感，也許只是她在風裡站立得太久……她匆匆扭頭從他身邊走回病房。讓人慶幸的是，這一次的韓述出奇地安靜。

趁著非明早上沒有太多的治療安排，桔年抽空去了一趟布藝店，找到經理，艱難地提出了辭職。這份工作是她這些年來謀生的唯一來源，也曾是她救命的一根稻草，在走投無路的時候，只有這家店收留了她，沒有計較她的前科，甚至還給了她店長的職務，所以長久以來，桔年也始終兢兢業業，除了照顧非明，其餘的心思都投在了這份工作上。

離開當然不是她情願的，但是現在看來又有什麼別的法子？父母這輩子也許都不會再認她，她沒有親人，也沒有足以託付的朋友，而非明的身體狀況現在是離不開人的，不管手術與否，以後只會需要愈來愈多的時間來陪伴和照料，布藝店這邊一而再再而三地請假總不是長久之計。

昨天醫院已經催繳非明接下來的住院和治療費用，萬般無奈之下，桔年只好找出了韓述塞給她的那張銀行卡。桔年實在不願用韓述的錢，那樣的話會讓韓述產生一種錯覺，好像他們之間因此有了更多割不斷的牽連，而那種牽連正是桔年竭力想斬斷的，就好像走進塵封依舊的房間，一不小心，手上、臉上都蒙上了蛛網，那些蛛網是透明的，看不見，也不一定摸得著，但她感覺得到那種黏而纏的不適，她扯啊扯，總也搆不著，好像自己又一次成了網中無力掙扎的蟲子。

她願意承認自己是不夠豁達，事情已經過了那麼久，還有什麼不可以付諸一笑？但是她就是沒有辦法，她可以不再怨恨咒罵韓述，也可以說服自己不再把過去的慘痛歸咎於他。桔年信命，她信韓述只是命運的一雙推波助瀾之手。但是不恨並不意味著能把回憶撫平，只要看見他那張臉，桔年就禁不住去想，他活著，但是「小和尚」哪兒去了？任她百般排解，到底意難平。可是擺在面前的是非明的健康，甚至是一條命，跟這個比起來，別的任何事情還能那麼重要嗎？

桔年也沒有想到，經理聽完了她辭職的理由，並沒有答應，只說給她放一個沒有期限的長假，不管什麼時候假期結束，她都可以回來。

意外之餘，桔年再三感激，也顧不上聽同事們的同情和問候，匆匆趕回醫院，那時已快到中午，她趕不及做飯，又錯過了醫院的訂餐，只得在附近找了個還算乾淨的速食店，買了兩個盒飯。

走至病房外，桔年已聞到一股濃郁的雞湯味，還以為是隔壁病床小孩的外婆煲來的，推門進去，卻看到三個人圍坐在非明的床前。

桔年第一感覺只是訝異而已，還有誰會來看非明呢？然而數秒過後她才猛然反應過來，那不是三個「誰」，站著的小夥子不就是望年嗎？謝茂華坐在床側，而桔年的母親則一手捧著裝湯的保溫壺，一手用勺子往非明嘴裡送。他們許久不見了，桔年又太過意外，以至於竟然不能在第一眼辨認出自己的血肉至親。

她不知道父母和望年怎麼得知了非明的病，又如何肯來，措手不及之下，只得呆呆地站在門口，不知做何反應。而謝茂華夫婦和望年也發覺了她的歸來，一愣之下，都慢慢地站了起來，不約而同地看向她。

也許大家都發覺了，說出第一句話是多麼的難。

「姑姑，公公、婆婆和舅舅來看我了。」非明嚥下嘴裡的湯，怯怯地打破了四個大人的僵局，桔年從孩子的臉上看到了受寵若驚的惶恐。非明只見過她的「公公」「婆婆」和「舅舅」一面而已，那已經是將近兩年前的事，當時聽說可以見到姑姑的家人，也就是她的家人，她多麼歡喜雀躍。可那次見面卻在大人們的不歡而散中冷淡收場，從此之後，非明再也沒能從姑姑那裡得知這些「家人」的消息。起初她問過幾次，都被桔年顧左右而言他地搪塞了過去，後來也不再提了。桔年以為這麼大的孩子會很快淡忘這些人這些事，沒想到她一個個都還記得，就連眼裡那種見到親人的熱切都跟過去如出一轍。

「爸，媽，望年……」原來連稱謂都已生疏。

謝茂華不說話，謝母放下手中的湯，雙手在兩側的褲子上拭了拭，也顯得有些侷促，「聽說孩子病了，我煲了個花旗蔘燉老雞，補身體的。」

非明看著桔年說：「是啊，姑姑，婆婆的湯很好喝的。」

桔年悄悄把涼了的盒飯放到身後的桌子上，朝非明笑笑，「是嗎？那非明要多喝一點……謝謝公公、婆婆還有舅舅了沒有？」

「我忘了，謝謝公公……」

「不用了不用了，我們順便來看看而已。」

「姑姑，公公說不用了。」

「非明，妳應該請公公婆婆坐下啊。」

謝茂華夫婦聞言雙雙坐回原處，謝母摸了摸孩子的手，「這孩子很伶俐也很懂事，妳姑姑把妳教得不錯。」

說話間，桔年用紙杯倒了水，沉默地遞給三人。杯子送到謝茂華面前時，她微微低著頭，不敢直視從小待她嚴厲的父親。

謝茂華接過杯子，貌似也有些尷尬，清了清嗓子，猶豫了片刻，才對非明說：「非明，替公公謝謝妳姑姑。」

非明的眼睛在幾個大人身上徘徊，她不明白為什麼近在咫尺的幾個大人，卻必須要靠她的轉達才能交流，那已經埋藏了十一年的難以言述的情緒，還有二十九年化不開的疏離，小小年紀的她怎麼可能懂得。

桔年接過母親手裡的湯，慢慢地繼續餵著非明。她試過朝自己的三個親人微笑，然而微笑過後，他們彼此間除了無比客套的「請坐」「謝謝」「不客氣」之外，竟再也找不出別的對白。就在回來的公車上，桔年還像做夢一般地想，假如她是一個普通的女人，假如她身邊有親人幫忙照料，也許今天不會那麼無助。可是現在，她疏遠已久的父母親和弟弟憑空出現在身邊，除了尷尬和不安，她卻再也沒有別的感覺。

桔年怕他們看出她端起湯時微微的顫抖，連呼吸都小心翼翼的。她從來就沒有在父母身邊恣意地任性過，而是個唯恐一不小心犯錯的孩子。縱使當年那麼竭盡全力地表現出乖巧和聽話，到頭來仍舊免不了淪落到讓他們徹底地失望，所以她最親的人才在最無助的時候毅然放棄了她。她孤零零地活過這些年，一直活到現在，內心深處早已經把自己當成了孤兒。

「姑姑，我再喝就要吐了。」不知不覺間，桔年餵了非明整整半壺雞湯，非明在這異樣的沉默中為難地開口。桔年才如夢初醒般地放下湯，用紙巾給非明擦了擦嘴角，「靠著躺一下，點滴還有一瓶就掛完了。」

非明閉上眼睛，又睜開，「姑姑，公公、婆婆要走了嗎？」

謝母笑著說：「妳睡吧，婆婆跟妳姑姑說說話。」言罷她低聲對桔年示意，「妳出來一下，我有幾句話問妳。」

謝望年留在非明身邊，謝茂華夫婦和桔年一道走到了病房外，桔年刻意朝走廊盡頭多走了幾步，避開門口。

「爸，媽……」他們說過再也沒有她這個女兒，所以桔年吐出這兩個字總覺得惶恐。她一如平素緊張時在身後絞著一雙手，「我沒想到你們會來……謝謝你們能來看非明。」

謝母歎了口氣，「怎麼得了這樣的病，真不知道是造了什麼孽。」

桔年聽到「造孽」這個詞，心裡頓時一陣難過，低頭沉默不語。

謝母見狀扯了扯桔年的衣袖，壓低了聲音，「我問妳一件事，妳跟韓述，就是韓院長家的兒子是怎麼回事？」

桔年心想，果然是他。

「他找你們來的？」

「我問妳跟他究竟是怎麼回事？平白無故他怎麼會為妳的事那樣上心？」

「那我應該感謝他的關心。」桔年喃喃地說。

謝母見她這副事不關己的模樣，似乎有些急了，「妳別裝傻，我跟妳爸眼睛還沒瞎，他那副樣子我們看得出是什麼意思。我就納悶了，過去妳上學的時候，他時不時地打電話來，妳還騙我說是來問作業，從小妳就不說實話！」

「既然我說的都不是實話，那您說您看出了什麼意思？」

「我只問妳一句，裡面躺著的那個孩子是不是妳跟韓家的小兒子生的？」

母親那麼直截了當的質問讓桔年剎那間滿臉通紅，只能一個勁地搖頭，抖著聲音否認，「不……不是……絕對不是……」

「不是妳生的妳會這麼死活也要養著？跟他沒關係他會心疼成那個樣子？桔年，這麼多年妳還騙我？當著我和妳爸的面，妳敢說妳跟他沒有關係？」

桔年死死咬著嘴唇，說出來的話卻斬釘截鐵，「我和非明跟韓述沒有半點關係。」

謝母臉上閃過一絲希望，跺腳道：「不是韓家的兒子，莫非……莫非是姓巫的那個短命的……」

「妳不能這麼說他！」桔年猛然打斷母親的話，謝母面對一向溫吞的女兒此刻的爆發，似乎也被嚇住了，半晌說不出話來。桔年垂首片刻，淚還是掉落下來，她側開臉去，語氣中帶著哀求，「媽，妳別管了，這是我的事。」

「從小妳就愛鑽牛角尖，妳看看妳把自己弄成什麼樣了？過去的事咱們暫且不提，那個韓述現在對妳還熱乎著，妳還犯什麼渾？妳自己是什麼底細妳不知道？媽也是做女人的，妳不能一輩子這樣過！」

一直不語的謝茂華也開口了，「要是他真對妳……桔年啊桔年，妳還想怎麼樣？我們也老了，管不了妳了……」

桔年無聲地流淚，她莫名地想起了高考放榜時鋪滿了家門口小巷的爆竹紙，滿眼的紅豔豔。那是記憶裡唯一一次父母為了她而展現笑容，那時他們都還滿頭黑髮，現在卻兩鬢染霜。她也想過要成為他們的驕傲，最終卻成了他們最羞於示人的恥辱，不管過去什麼是因什麼是果，她不是一個好的孩子，到現在還讓他們如此操心，但是有人操心的感覺何嘗不是久違了？

「聽我們一句吧，韓述論人才論身分，哪點配不上妳，我不管那個孩子是不是妳跟他生的，他對妳有那份心，妳還求什麼？」

「媽，我跟他……」

「妳就算不想著自己，也為妳弟弟考慮考慮。望年現在給韓院長開車妳也知道吧？妳弟弟讀的書少，找這份工作不容易，這也是韓家記得咱們，最近妳爸爸聽說高院有一兩個轉正的指標，只要韓述肯幫忙，他們家韓院長……」

桔年疑惑地抬起頭，看著她的親生父母。

「望年給韓家開車？轉正的指標？」她好像懂了。

她就這麼看著他們，好像看著兩個陌生人。其實也不是陌生，他們一直不都是這樣嗎？望年……原來他們舉家來看望生病的非明，費盡唇舌撮合她和韓述，也不過是為了望年。桔年剛才可憐巴巴生起的那點感動和溫暖就這麼一點點地冷卻，死去，腐臭……

桔年想，人為什麼會失望，不就是因為我們常懷有不切實際的希望嗎，所以哀莫大於心「不死」。她在這一瞬間覺得，其實絕望有時也是件好事，至少以後不會再犯這個錯了。

「韓家是正經人家，家教很嚴，妳跟著韓述我們是放心的。」

桔年不哭了，噙著淚笑了一聲，「爸，妳真的認為韓家這樣正經的人家會讓他兒子找我這種人？」

謝茂華一時語塞。

謝母立刻接了過去，「那到底是以後的事情，只要你們感情好，他對妳好……」

「那麼就算他不娶我也沒什麼關係，只要能幫望年轉正？」

掀開那層溫情脈脈的外衣，話挑明瞭說，其實不過那麼簡單，就那麼回事。都說天底下沒有不愛孩子的父母，到了桔年這兒，不過是個天大的謊言。

謝茂華夫婦都不再言語，這無聲的默認讓彼此都覺得難堪。

桔年本想算了，就當他們沒有來過，一切回到原點，又有什麼不可以。她側身避開他們，慢慢地走了幾步，可是太多的東西梗在她喉間，她嚥不下去。

她深深地吸了口氣，轉身，平淡而面無表情地對著謝茂華夫婦說：「對了，那孩子雖不是我生的，但你們不想知道十一年前出事那一晚我去了哪裡？韓家那正經人家教出來的孩子又趁我喝醉，對我做過什麼不光彩的事嗎？」

時過境遷的醜聞猶如一個炸彈被引爆，她不該翻出來的，可即便是她這樣一個善於說服自己的人也過不去這個坎。站在面前的人是她的親生父母啊，他們怎麼能這樣對她，讓她心中如何能一點都不怨。

謝茂華夫婦那麼要面子，可桔年就是要看到他們撕下道貌岸然的那張臉，事到如今她還有什麼要顧及的？

謝茂華夫婦呆在那裡，半晌，謝母看了看四周，才驚慌失措地問了一句：「以前妳為什麼不說？」

為什麼不說？桔年記起那天她跌跌撞撞地走出那間破敗的旅館，她不是沒有想過撲在父母懷裡痛哭一場，可是她知道他們會怎麼說，他們會說蒼蠅不叮無縫的蛋，如果妳是個正經的女孩，他就不可能得逞；他們會說既然事情已經發生了，家醜不可外揚，否則沒臉見人，既然韓家的公子看得上她，只要他們給個說法，這個也算她的福分。

她過去尚且想得明白，今天又怎麼會這樣糊塗。

桔年看見提著果籃前來探望的唐業，他遠遠地看見這不似愉快的一幕，正待避讓，桔年卻有如看到了救星，一路小跑奔到他身邊，接過他手裡的東西，拭了拭眼角，嫣然一笑，「你怎麼來了？」

那天，非明好像睡了很長的一覺，她只知道，醒來後公公、婆婆和舅舅都已經離開，姑姑給她帶來了同樣有意思的唐叔叔。

韓述再過來已經是兩天以後，他興沖沖地帶來了一套圖案古怪的杯子，他、桔年和非明每人一個。

「紙杯有股怪味道。」他說。見桔年沒什麼興致，他又拿起桔年那個遞到她面前，笑道：「我選了很久，妳看，這杯子的圖案多配妳。」

桔年瞄了一眼那上面莫名其妙的卡通彩繪，「我配不上它。」

韓述被一盆冷水澆過，只得放好杯子，蹲在坐著的桔年膝前，抬頭看著她。

這個姿勢和距離讓桔年感到了不自在，往後撤了撤。

「妳家裡人來過了？為這個不開心？」韓述問。

「真的是你。」桔年不知道該說什麼好，「你到底跟他們說了什麼？」

「我沒說什麼。真的！」韓述這才意識到事情的走向也許不如自己預期中那樣，他有些不安，「我只是找到妳弟弟和妳爸媽，告訴他們非明病了，他們是妳的家人啊，不求他們為妳做什麼，只要他們肯來看看，至少問一聲：桔年，妳過得好嗎？這樣過分嗎？難道我做錯了？」

桔年聽了，很久都沒有反應，韓述心裡益發沒底。

「妳告訴我，他們是不是欺負妳了？我實在看不慣他們，從小他們就對妳不好。」

良久，桔年苦笑一聲，「韓述，我過去曾經以為你是個笨蛋……」

韓述笑了起來，也不由得有幾分期待。

「那現在呢？」

「現在我才知道，你果然是。」

韓述臉上有些扛不住，悻悻地起身。

「你去找望年，就不怕你爸知道你在幹什麼？」小時候韓院長教訓兒子時的「竹筍炒肉」是家屬院裡的家常便飯。

韓述揉了揉有些僵硬的臉，「反正也瞞不住，我也沒想瞞，他們馬上就會知道的。」

「為什麼？」

「因為非明的病必須轉院，我已經給她聯繫了第一人民醫院，那裡有治療這方面病症最好的設備，還有全省最權威的腦科醫生孫瑾齡，也就是我媽。」

第二十二章　她的殘缺就是我的殘缺

星期四本不是韓述按慣例回家吃飯的日子，下班後他在辦公室磨蹭了好一段時間，好不容易下定決心出了門，到了父母住處的樓下時，卻不幸遇上因開會晚歸的韓院長。

給韓院長開車的司機仍是謝望年，他下車給韓院長遞包，末了鎖好車離去。在這個過程中，韓述裝作漫不經心地掃了他一眼，卻發現謝望年竟也在偷偷地打量自己。

視線與韓述對上，謝望年趕緊垂下頭去，跟韓家父子倆道別。

韓述心想，自己以前怎麼會覺得謝望年長得跟桔年有些神似，現在看來完全不像。

在他看來，謝望年小小年紀，卻不知從哪兒學得既世故又油滑，一母同胞的姊弟倆，差別竟會如此之大。

謝望年走開後，韓院長才對韓述「哼」了一聲，「這麼有空回來？你媽都快以為寶貝兒子失蹤了。」

韓述笑著道：「不是上星期才回來過嘛。」他說著，眼尖地看到了媽媽的車已經停在那裡，頓時鬆了口氣，今天韓院長看上去心情馬馬虎虎，媽媽就是他的救命稻草。

父子倆等電梯的時候，韓述趁機狗腿地一把接過韓院長手中沉甸甸的公事包，「爸，我來拿。」

韓院長看看兒子，「溜鬚拍馬倒精通了不少。」

韓述跟著他走進電梯，笑嘻嘻地說：「對別人我可不這樣，對您那是孝順。」

「就知道耍貧嘴。」韓院長嘴上雖然那麼說，臉色卻緩和了不少。

進了家門，韓母孫瑾齡迎了出來，看到兒子，又是意外又是高興，「回來也不先打個電話，好讓我多買些菜，你看我剛下班，飯到現在都沒做好。兒子，跟你爸先看會兒電視，我看冰箱裡還有什麼好吃的。」

韓院長最見不得妻子對兒子的寶貝狀，搖了搖頭，「兒子都多大了，還當孩子似的，難怪他總是成熟不起來。」

孫瑾齡哪理會他，自顧自地給兒子張羅吃的去了。韓述隨父親坐到沙發上，邊喝茶邊看電視裡的本地新聞播報。正好新聞播至全省政法工作年會的片斷，一直有些忐忑的韓述樂了，指著電視笑道：「爸，那不是您嗎？」

韓院長不置可否。

「您別說，鏡頭掃過，就我們家韓院長最帥。」

韓院長也禁不住笑了起來，「胡說八道，大家正兒八經地開會，誰理會帥不帥。說到開會，我在會後跟你們市檢察院的歐檢察長一塊吃了飯，他也問到了你，二十年前小歐還在我手下工作過一段時間，你到市院的事，他也出了力。你啊，也是不知輕重，有你這樣拖著在原單位不肯到新部門報到的嗎？」

說到工作，韓述認真了些，他只說：「爸，您等著吧，我很快就會抓一票大的。」

韓院長鬆鬆領帶，「年輕人，做事切記要謹慎、紮實。這次開會我也見到了林靜，人家林靜能比你大幾歲，現在已經穩坐城北院的一把手交椅，你跟他關係也不錯，別人的言談行事你就不能學著點？」

「您表揚一個也犯不著貶低另一個啊，就像我喜歡喝檸檬茶，但也沒說您的龍井苦是吧。何況做到林靜那一步，也未必有多難。」

「你要不是我韓設文的兒子，再說難跟不難！」

韓述還想據理力爭，他承認自己在事業上的順利跟「韓設文的兒子」這一身分是分不開的，但這不能否定他自己的努力。但是他忍住了，他今天不能跟老頭子鬧翻。

飯桌上，孫瑾齡照舊頻頻往兒子碗裡夾菜，韓述心裡有事，嘴裡的滋味也淡了。

「想什麼呢，兒子，茶不思飯不想的。」孫瑾齡問。

韓述笑道：「就不許我有心事？」

「你還能想什麼，盡是些烏七八糟的東西。」韓院長說。

「終身大事怎麼能說是烏七八糟？」

韓述半開玩笑地說完，過了一會兒沒聽見父母搭腔，從飯碗裡抬起頭，才發現父母不約而同地放下了筷子看著自己。看來他還是低估了這件事在老人心中的重要性。

「寶貝，你又找到女朋友了？」

韓述輕咳一聲，說：「媽，能不能去掉那個『又』字。」

「是誰啊？長什麼樣？」孫瑾齡問。

「是誰？是我喜歡的人唄，至於長什麼樣，就是長得我喜歡的那樣。」

以前孫瑾齡也不是沒這麼問過，韓述的回答也總是千篇一律，可是那時他總說「那是跟我結婚的人，長得像您兒媳婦一樣」，這次他說他「喜歡」。孫瑾齡與丈夫對望了一眼。

「真的？那你得把那女孩子帶回來讓我們瞧瞧。」

韓述連連搖頭，「你們這副嚴陣以待的樣子，我看了都怕，何況是她。」

「胡鬧！」韓院長責備道，「我跟你媽什麼時候過分干涉過你感情方面的事，不過是想讓你正正經經找個身家清白的人。」

「我是正正經經的，可別人未必願意跟我上門來。」

孫瑾齡一聽便笑了，看著丈夫說：「想不到我們家小二也有啃不下來的骨頭。」

韓院長卻沒有笑，「對方姓什麼，是做什麼的？」

「媽，您看我爸這是政審呢。」韓述避開韓院長太過直接的問題，轉而向媽媽求助。

「你爸那是關心你。」

韓述說：「我知道你們會問什麼，她做什麼工作、多少歲、家裡是幹什麼的……可是這些都是虛的。為什麼不問她善不善良、聰不聰明、我跟她在一起快不快樂？」

孫瑾齡順著兒子，說道：「好吧，那你說她善不善良、聰不聰明、你們在一起快不快樂？」

韓述放下筷子答得斬釘截鐵，「當然！」繼而又補充了一句，「至少我覺得很快樂。」

「三分鐘熱度，只貪圖眼前，那也是膚淺的快樂。」

孫瑾齡按住了丈夫的手，「你別把兒子想得那麼不堪。韓述啊，你也別怪我們兩個老的著急，你姊在國外生孩子，你爸嘴上不說，心裡也是遺憾的，要是你能早一天定下來，有個孩子……」

韓述漫不經心地接口，「要是有一天我真把孩子帶到你們面前，你們可不許嚇一跳。」

「你說什麼？」

見父母俱是一愣，韓述才自悔失言。一番試探下來，他心裡益發沒底，看來還是得走迂迴政策，先把老頭子放一邊，說服媽媽再說。於是他「嘻嘻」一笑，「我是說，等你們退休了，我真把孩子扔給你們，媽，到時您沒那麼多手術，我爸也沒那麼多會議和應酬，就天天給我帶孩子，可不許說煩。」

他本是信口胡說，孫瑾齡也一笑而過，沒想到剛又端起碗的韓院長聞言，重重地把筷子一放，「你也盤算著我退休，我退休對你又有什麼好處？」

韓院長莫名其妙的火氣讓韓述吃了一驚，不知就裡，見媽媽不語，他也不敢吭聲，低頭扒著飯。餐桌上頓時沉寂了下來，誰也沒再說話。

等到韓院長放下筷子離桌，韓述才如蒙大赦，見媽媽收拾好碗筷走進廚房，趕緊跟了進去，搶著洗碗。

孫瑾齡打小寵愛兒子，韓述沒做過什麼家務，就連洗碗的次數都寥寥無幾。見他有模有樣地戴上了洗碗手套，孫瑾齡笑道：「這孩子今天是怎麼了，讓你爸看到，非說你『無事獻殷勤，非奸即盜』不可。」

韓述心中正納悶著，隨即湊近孫瑾齡，小聲問：「媽，我也沒說錯什麼吧，看老頭子的模樣像被人踩了尾巴似的，到底哪兒不對了？」

孫瑾齡趕緊提醒道：「你可別在你爸面前提『退休』兩個字了，前一陣上面來了風聲，打算讓你爸這個年齡段的提前退居二線，讓更年輕一些的幹部頂上，你爸心裡不痛快。你也不是不知道，他一輩子要強，不肯服老，其實若不是真的老了，哪來那麼多疑心，上頭的檔還沒正式下來，他的脾氣倒先來了，稍不留心就觸到他的痛處，以為別人都盼著他無權無勢成『廢人』的那一天。不只是你，連我都碰了幾次冷臉。男人和女人真的不一樣，我整天想著，要是我退了，就一心一意地伺候你們爺兒倆，你爸呢，愈是到了臨近退下來的時候，工作和應酬愈是一天多過一天……」

正說著，客廳裡隱約傳來了韓院長接電話的聲音，也不知道另一端是誰，只聽見他嚴詞厲句地呵斥。孫瑾齡朝著丈夫的方向努努嘴，低聲對兒子說道：「聽見了吧，不知道誰又觸了楣頭，你可得小心點。」

韓述做出了哆嗦的樣子，「怪不得別人說男人也有更年期，媽，還是您最好。」

孫瑾齡沒好氣地笑，「別給我戴高帽子，我當然好，但那也得看對誰。」

「愛吾子以及人之子，媽，前天我在電話裡跟您說的那件事安排得怎麼樣了？」韓述打蛇隨棍上。

「什麼事？」孫瑾齡似乎想了想，才做出醒悟的樣子，「哦，你說那個朋友家生病的孩子啊，我給你聯繫了，可是我們醫院的床位實在太緊張，而且我手頭上排的手術也多，恐怕……」

「媽，那孩子如果不能及時救治，她有可能會死的，她才十一歲！」韓述當即停下了雙手的動作，「反正我不管，您得給她做手術！」

「兒子，媽不是不管，實在是管不過來。」

韓述一下急了，「醫者父母心，您不能見死不救。」

孫瑾齡的臉稍稍冷了下來，「你回來吃飯、給我洗碗就為了這個？既然你說醫者父母心，那也該知道做為醫院對待病人應該一視同仁，我不是沒有見過病得可憐的孩子，但是可憐的孩子千千萬萬，我不是神仙，能救得過來嗎？我說了我可以盡量幫助她，但也得有個原則，難道別的患了病的人就不是一條活生生的命？」

「別人是別人，現在是您親兒子求您，能一樣嗎？」

「韓述，不是媽說你，幫朋友要有個限度！你也跟你那個朋友說，我看了病歷，那孩子的手術就算我親自來做，也未必有把握，有些時候人得接受現實。」

「如果她不是我的朋友，是我的親人，也是妳的親人，妳還會說這樣的話嗎？」

「但她不是。」

「誰說她不是？」韓述脫口而出，媽媽話裡不祥的暗示讓他益發不安。他早已想過對媽媽說出一些事情，但是沒有料到用的是這種方式。

孫瑾齡安靜了數秒，才抬起頭看著韓述，「我也看出來了，最近你和你爸一樣不對勁，說吧，你到底想說什麼？『她』是誰？」

韓述一遍一遍地洗著那個早已光潔如新的碟子，他的焦慮就像洗碗槽裡的清潔劑泡沫，愈攪愈濃，一些往事的片斷如泡影逐個炸開，悄然驚心。

「媽，您還記得謝桔年嗎？謝茂華的大女兒。她弟弟就是現在給我爸開車的謝望年，很久以前他們就住在我們樓下。」韓述遲疑地說。

「謝桔年？有點印象，記不太清了。」孫瑾齡淡淡地說。

「怎麼會？您過去在我面前誇過她又乖又懂事的。」

「那是很久以前。」

「現在也一樣啊，她就是我說的那個朋友，也是我……」

「我說昨天謝茂華怎麼就能堂而皇之地找到你爸談他兒子轉正的事呢。」孫瑾齡忽然打斷了韓述，嘴角有幾分譏誚。

韓述一怔，繼而說：「那肯定跟桔年沒關係，真的，她跟她父母太不一樣了。」

「韓述！不管她怎麼不一樣，也不管以前我怎麼誇過她，都不能代表我現在會對她認同，更不代表我會把她的孩子當作我們的親人！」孫瑾齡看了一眼客廳，壓低聲音正色警告。

「是嗎？可是如果她願意，我會娶她的，真有這一天的話，您連我都不認嗎？」韓述試著心平氣和地跟媽媽說話，他不願意讓媽媽以為他是在賭氣。

「你別又一次犯渾，為了她自毀前程。」

「您說過不在乎我找個什麼樣的人，只要我喜歡。」

「我跟你爸是都說過這樣的話，我們對你未來的妻子、我們的媳婦沒有什麼要求，她可以沒有家世，也不漂亮，甚至可以沒有工作、沒有學歷，什麼都沒有，但是唯獨有一點，她不能坐過牢，不能帶著個來歷不明的孩子，你知道這對於我們這樣的家庭來說意味著什麼嗎？這是底線，你現在就是在挑戰我和你爸的底線！」

孫瑾齡在韓述心中，一直是寵溺孩子的慈母，她彷彿可以包容韓述的一切，韓述從沒有見過媽媽用這樣痛心而嚴厲的樣子對自己說過話。他露出了疑惑的神情，然而這疑惑不是因為媽媽的態度轉變，因為這早在他意料之中，他只是忽然覺得似乎有哪裡不對。

媽媽之前說，她已經不記得舊時司機的女兒謝桔年了。的確，從桔年被送往她姑媽家起，韓院長和孫瑾齡再也沒有提起過她，甚至就連高三那一年韓述的惡夢發生後，也從來沒有過，他們好像順理成章地遺忘了這個女孩。

韓述曾經慶幸過，他一直以為是乾媽蔡一林和自己把事情隱瞞得很好，然而現在他忽然不那麼確定了，真的是這樣嗎？為什麼他今天還來不及說起桔年當年發生的事，他那早已「不記得」桔年這個人的媽媽卻一口道破桔年曾經坐過牢的事實，不但如此，她還知道桔年的孩子「來歷不明」，在說起韓述「犯渾」的時候，她用的是「再一次」這個詞。難道……難道當年的事情他們並非毫不知情，而是大家都心知肚明，只有他一個人藏在他透明的祕密裡？

不能不說，這個猛然間的覺悟極度地讓韓述震驚，他有些不知所措地脫著滑溜溜的洗碗手套。

「媽，你們……你們是不是早知道……」韓述的聲音帶著顫意。

孫瑾齡帶著難以言說的意味凝望著自己的兒子，最終歎了口氣。

他猜對了，他們竟然一直都是知道的。知道他偷偷戀過司機的女兒，知道他跟這女孩坐牢息息相關，甚至知道他曾經對桔年做過什麼。然而這麼多年來，面對他，面對他們年少荒唐鑄下過大錯的兒子，他們竟然能夠死死守住這個祕密，若無其事地假裝一切從未發生，直到如今韓述自己按捺不住親口點破。韓述使勁晃了晃腦袋，這是真實的世界嗎？

知子莫若母，彷彿是猜到了韓述心裡的疑問，孫瑾齡撫著額頭緩緩說道：「你以為蔡一林四處托人的事瞞得了你爸？不過是時間的問題罷了，等到我們反應過來，事情都過去了，一切都成了定局。那時我跟你爸想了很久，好多個晚上都睡不著啊，你也太渾了，可是有什麼辦法，再提也於事無補，你還有很長的路要走。韓述，你畢竟是我們的兒子！」

「是，我是你們的兒子！」韓述雙手覆在整個臉上，可那眼角的潮意依舊真切，漸漸地在指尖暈染。他當然是他們的兒子，因為他和他父母多麼相似，他們愛得一樣自私。他甚至不敢去想，假如當年他肯向父母坦白，假如他父母願意出面，桔年的牢獄生涯是否會有轉機，那答案讓他驚恐不已。

「所以，謝望年給爸爸開車也不是巧合？」

「那樣不是很好嗎？韓述，媽本來不想說的，以為你長大了自己會變得懂事，不再犯錯，你不要一而再再而三地讓我和你爸失望！」孫瑾齡語重心長地說。

「可是，你們既然知道過去的事，就明明知道桔年沒有做錯過什麼。」韓述依舊不敢置信。

「還要我再說一次嗎？就算我承認她像你說的那樣是個好女孩，那又怎麼樣？已經發生過的事情是不可逆轉的，她的過去也是既成事實。你靠近她，只會給自己惹上一身麻煩。你要找什麼樣的找不到，為什麼偏偏一而再再而三地中她的邪，我記得你是個喜歡完美的人，補償她可以有很多方式……」

「那就從救那個孩子開始，媽，算我求您了，她的孩子就是我的孩子！」

「不可能，你們的孩子……」

「什麼？」

「沒有什麼。」孫瑾齡繼而用近似哀求的語氣說道，「韓述你醒醒吧，尤其是現在，你爸已經夠煩了，你別在這風口浪尖逼他發作，難道你嫌他的命太長了？這些事你對我說說也就罷了，那個孩子的手術我再盡量安排，可是在你爸面前，這些事提都不要提！」

韓述點頭，「好，我不提。可是遲早有一天他會知道的。」他頓了頓，含糊地笑了，「您剛才說我是個喜歡完美的人，大概是吧，這點我是跟爸爸學的，可是他那個結婚時用到現在的搪瓷水杯，也不知道摔了多少次，補了多少次，可他就是喜歡，怎麼也不肯換，您知道為什麼嗎？因為那每一道疤都是他親手造成的。桔年對於我而言也一樣，如果她不完美，那每一個原因都跟我相關，她的殘缺就是我的殘缺。」

第二十三章　怎樣才能有個家

桔年送走了來醫院探望非明的老師和學生代表，心裡也頗為無奈，他們是好心前來，可是根本就沒有得以進入病房。因為非明從得知老師和班上的同學要來看自己這一消息後，就一直哭鬧個沒完，她以激烈的態度回絕了這次探訪，那哭聲讓桔年不得不滿是歉意地送客。

班上那個叫李特的小男孩離開的時候還依依不捨，他甚至扯著桔年的手問：「阿姨，我就看謝非明一眼行嗎？等她睡著了再看也可以的。」桔年知道，非明一直渴望著擁有這個聰明又好看的男孩子的注意，假如非明把自己當成白雪公主，那李特毫無疑問就是她的白馬王子。然而，桔年更知道，這個時候李特又恰恰是非明最不願意看到的人。

「老師和小朋友們陪著妳說說話不好嗎？說不定李特還可以給妳補補課。」桔年後來這樣對非明說。

非明半靠在病床上極其緩慢地搖了搖頭。入院不到半個月，她瘦了整整一圈。儘管醫院已全力治療，但是她頭痛和痙攣的次數卻愈來愈頻繁，隨之而來的還有嘔吐和全身的疲乏、虛弱。原本就不大的一張臉，消瘦得讓人心驚，血色漸失的面龐上，醒目的只剩下一雙大眼睛，而那眼睛裡的稚嫩朝氣也在病痛中慢慢消磨。

「姑姑，妳真的相信我還能回到學校嗎？」

非明說這話的時候並沒有過多的表情，也許難過的只是桔年而已，她那麼努力地瞞，不過是想讓孩子高興一點，然而，非明的敏感和早慧卻讓這善意的謊言如風中的殘破窗紙，輕易就破了，縱使她還不完全知曉自己的病因，但絕對已明白自己躺在醫院不是個小小的意外插曲。

令人費解的是，非明對老師和同學的探望極度抗拒，可是對於只探望過她一次的謝茂華夫婦和謝望年，卻一再地提及。

「公公、婆婆說了還會再來看我的，還有舅舅，為什麼他們還不來？婆婆還會不會給我帶她燉的雞湯？」

桔年不知道如何作答，她可以說「公公、婆婆」和「舅舅」暫時沒有時間，但是非明耗在醫院的日子不知道還有多長，她能騙多久？然而她又怎麼能告訴非明，她幫不到小舅舅轉正，所以公公、婆婆將再也不會來了。似乎任何一種答案都會讓非明更加難過。

所以，桔年只能默默地自己給非明燉雞湯。她明明記得她母親的廚藝並不佳，可是不管她用了多少方法多少火候，非明總是說喝在嘴裡覺得淡了些，這孩子念念不忘的還是她婆婆燉的雞湯。

「公公、婆婆妳都沒見過幾次，難道平時朝夕相處的老師和同學都比不上他們？」有時候實在沒有辦法，桔年就這麼問非明。

非明答得理所當然，她說：「姑姑，那怎麼能一樣，老師是老師，同學是同學，可公公、婆婆還有舅舅是我的親人。」

「有區別嗎？」

「當然有，朋友、同學、老師都會離開，可是親人不會。」

桔年聽完這句話，當時別開臉去，很久都不敢看著非明。

因為她太了解，只要是活著的人，都難保不會離開。

但這些都不能告訴非明。非明是個不一樣的孩子，她太渴求愛和一個家，那種對親情和團圓的期盼已近乎偏執。這又怎麼能責怪她，父母、親人這些天經地義的東西，她什麼都沒有，我們不都是瘋狂地追求自己從來都沒有的東西嗎？桔年甚至開始明白，也許非明留戀的不是婆婆雞湯的味道，而是她想像中家的味道。桔年束手無策，她已竭盡全力給予非明一切，卻唯獨給不了非明渴望的這種味道，因為她品嚐過的也是那麼的少。

這種無力感隨著非明病情的惡化益發的深濃，直至有一次，非明在持續的低燒中迷迷糊糊地問起自己的名字，她說：「姑姑，『非明』是不是說我是個來路不明、沒有人要的孩子？是不是因為我不夠好，所以爸爸媽媽和公公、婆婆都不要我？」

桔年用濕毛巾去擦拭非明的臉，一再地說：「怎麼會，怎麼會？只要妳堅強點，他們一定會來的。」

非明說：「以前，我每天醒來的時候、做眼保健操的時候，就在想，會不會這一次我睜開眼睛，他們就會出現在我的面前？可是我醒來過很多很多次，做了很多很多回眼保健操，睜開眼睛，什麼都沒有。我知道他們不可能會來了。姑姑，沒有家的小孩會不會在另外一個世界也是一個人？我害怕一個人。」

饒是桔年已經看淡了許多許多的事，這個時候眼淚還是差一點湧了上來，可她不能在非明面前流淚。在非明陷入昏睡之後，她逃也似地離開病房，一個人躲在走廊的盡頭，彎著腰大口大口地呼吸。不過是一個家，多微不足道的請求，那麼多人急不可待地要擺脫家的束縛，有人偏偏就求而不得。她要怎樣才能給非明一個家？

韓述似乎是遇到了相當棘手的案子，這些日子更是忙得沒日沒夜的，他來看非明常常是趕在住院部夜晚門禁之前，有時非明都睡著了，他會靜靜地陪她們一會。每次離開，他都會在非明的床邊放一個不一樣的小玩具。

桔年太累了，好幾回，她靠著床頭櫃迷迷糊糊的，都不知道韓述是什麼時候離開的。只有一次，她感覺到韓述給自己蓋上毯子，還有他的手很輕很輕地覆蓋在她的手上。桔年屏住呼吸，悄然等待著他的撤離，然而許久許久，久得她快要陷入另一場夢境，他的手還是小心翼翼的，沒有撫摸，沒有抓握，甚至一動也不敢動，就像飄浮在她手上的一根羽毛。直到桔年假裝在小寐中略略移動身子，不動聲色地抽出了自己的手，他才默不作聲地再待一會，不久，桔年會聽到病房門微微吱呀地開合，腳步聲才漸漸地遠了。

唐業的辦公地點距離醫院頗近，所以他來得更容易一些，他在的時候，非明總是眨巴眨巴眼睛，看看唐叔叔，又看看姑姑，那老人精的樣子，好像她什麼都懂，其實她什麼也不懂。

桔年一直思量著要把唐業墊付給醫院的錢還給他，為了非明的病，她已經動用了韓述銀行卡裡的錢，不管是不是出於本意，她和韓述之間著實有太多的糾葛。她和韓述，韓述和巫雨，巫雨和非明，到底誰欠誰的，怎麼算也算不清了，這已經夠複雜的了，唐業不應該再攪進來。正好平鳳還了桔年一些錢，加上自己手頭上的一些零碎，她正打算趁唐業來醫院，一道給他，誰知道偏偏那幾天，唐業都沒有出現。

非明枕頭邊有一本《少年維特的煩惱》，是唐業送給她的，唐業每次來，都要給她唸上一大段，非明等著故事的下文，於是也追著問：「唐叔叔跟韓述叔叔一樣要加班嗎？他們又不是同事，為什麼會一樣忙？」

冬至那天，桔年才接到唐業的電話。當時要不是來電中清清楚楚地顯示了對方的名字，桔年幾乎辨不出那個沙啞的聲音出自於唐業。

唐業在電話那邊只是問候非明，寥寥幾句話，他中途幾次停下來咳嗽。桔年才想起他上次的重感冒一直都沒有徹底地好，病情纏綿反覆，這會兒竟像是愈來愈嚴重了。她謝過了唐業的關心，也禁不住問了一句：「你還好吧？」

唐業苦笑著說：「也沒什麼大礙，只怪自己在感冒初期沒重視，想不到現在嚴重起來，連續兩天連班都上不了，一直在家休養，可燒一直都沒有退下去。」

桔年也愛莫能助，本想說一聲讓他好好休息，誰知道話剛到嘴邊，就聽到電話那邊一聲脆響，原來唐業邊打電話邊往嘴裡塞藥，暈暈沉沉之下，把水杯都摔破了。

桔年當下不由得添了幾分擔心，連連追問他有沒有被碎玻璃割傷，可對方很快就傳來了斷線的忙音，再打過去已是無人接聽。

這些年，桔年也沒有什麼朋友，她信奉一個理念，人人獨善其身，管好自己，自求多福，那大家都清淨了。可唐業是個好人，也是少數能讓桔年安心泰然與之相處的對象，更何況他一直對她和非明關照有加，他現在這個樣子，桔年再置之不理，自己都覺得說不過去。時值下午兩點剛過，非明照例打著點滴沉沉入睡，桔年拜託隔壁床小朋友的外婆抽空替她照看一下非明，自己憑著記憶匆匆趕往唐業的住處。

午後的公車在交通要道上堵得厲害，等到桔年到達唐業家門口已是一小時後，她唯恐唐業出事，也不敢耽擱，抬手就去按門鈴。

幾乎就在鈴聲響起的同時，門忽然朝內側開了。桔年沒料到會這麼快，連手都來不及收回。然而站在門後的年輕男人卻不是唐業，桔年匆匆掃了他一眼，覺得有幾分面熟，一時間也想不起來在哪裡見過。

她以為是唐業的朋友，心裡一鬆，笑了笑正想打個招呼，如果他沒事，自己就可以趕回醫院。沒料到那男子卻微眯著眼睛打量了她許久，那神情伴隨著醒悟也漸漸冷了下來。他的眼神讓桔年如芒在背，正不知做何反應，他卻隨手一推，讓原本半掩的門洞開，桔年也看到了疲憊地靠坐在一張單人沙發上的唐業。

「原來是這樣……」那男子推了推鼻梁上的玳瑁眼鏡，笑容裡有種說不出的味道，「好啊，唐業，好，你真有本事……」

隨著眼前男子的手勢和那種似曾相識的漠然眼神，桔年的記憶也逐漸復甦，她想起來了，第一次遇上唐業的那個夜晚，她不是同樣跟這個男子狹路相逢嗎？她還記得他們在暗處糾纏撕扯的黑色影子，那種感覺讓她尷尬，彷彿自己又一次出現的不是時候，撞破了別人最不願示人的隱祕。

唐業在聽聞門口的動靜之後，從沙發上支起身子，看到桔年怯怯地立在門外的身影，眼裡有了一絲光彩。他彷彿沒有聽到那個男子的話，自顧自地站了起來，略帶驚喜地說：「桔年，妳怎麼來了。」

「呃……電話忽然斷了，我怕你出事就過來看看，沒事就好，我先走了，你好好休息……」桔年匆匆說完，就要離開這個是非之地。

「等等。」她沒料到唐業會站起來挽留，畢竟她知道他們的那些事情，而他確實對此又非常在意，所以他那一刻的急切讓她有些迷惑。

「桔年，妳不用急著走的。」唐業說。

桔年似乎聽到一聲冷笑，頓時覺得頭皮有些發麻。她實在不願意攪進別人的糾葛裡，可偏偏事與願違。

她沒有回答，三個人的場面似乎陷入了僵局，然而隔著鏡片，那男子眼裡的憤怒、懷疑和居高臨下的疏離依然讓她強烈地不自在。她甚至可以理解那個人，本以為他會當場發作，可是他只是回頭看了唐業一眼，淡淡地說了句：「你何必這樣，我本來也是打算走的。」

其實這個人有一張端正的面容和非常悅耳的帶有磁性的聲音，即使是在他極度憤怒的時候，給人的感覺依然是說不出的妥貼，他彷彿天生就是個說服者，讓人很難抗拒。然而唐業似乎例外。

唐業說：「離開之前麻煩把我家的鑰匙留下。」

在靜下來的那一瞬間，桔年低下了頭去。良久，她聽到金屬鑰匙墜落在石質地板上清脆的一聲，那人從她身畔擦過，他們再也沒有說話。

那人離開了，桔年遲疑地走進唐業的住處，腳步經過那把門鑰匙時，她俯身撿了起來，放在唐業的茶几上。這屋子跟她上次到來時大相徑庭，原有的整潔和舒適被一片狼藉取代，沙發附近，果然有一大片無人收拾的碎玻璃。

「謝謝妳能來看我。」唐業試著站起來給桔年倒水，搖晃了一下，被桔年制止了。

「你坐著不要動，看醫生了嗎？」

唐業靠回沙發上，點了點頭，「沒想到小小的感冒會這麼厲害。沒事的，我躺躺就好了。」他閉上了眼睛，略微發白的一張臉上，益發顯得眉目疏淡。

「小小的感冒也是會誘發肺炎的，你怎麼就不能愛惜一下自己的身體。」桔年說著走到唐業身邊，伸手在他額頭上試了試溫度，還好不是太燙。

在觸到唐業的那刻，桔年才察覺自己舉措的突兀。她那麼習慣而熟稔地抱怨他、照顧他，這種感覺熟悉而又遙遠，好像已在記憶裡重複了無數回。是她糊塗了，也許就在上一秒，她渾然忘了眼前的人究竟是誰。

她飛快地縮回了自己的手，在唐業睜開眼睛看著她時，訥訥地說：「醫生給你開藥了吧，你吃過午飯了沒有？」

唐業搖頭，「沒什麼胃口。」

桔年歎了一聲，低頭去收拾那些一不小心就會傷人的碎玻璃，末了說道：「我看看你這兒有什麼能吃的。」

她走向廚房，昏昏沉沉的唐業忽然說了聲：「對不起。」

桔年回頭，「說什麼胡話？」

唐業勉力一笑，「我是說，妳來了我真的很高興。」

桔年從唐業的冰箱裡找到幾個雞蛋，攪成蛋液隔水蒸起，又翻出小半碗米，正好煮粥。唐業蜷在沙發上，似是睡著了。

水剛燒開，陌生的門鈴聲把桔年嚇了一跳。她想起上次在唐業家遇到他姑婆的事情，又疑心是剛才那人去而復返，心中暗暗叫苦。她明明記得唐業提過他家很少有外人來，可從她的經歷看起來，事實並不是這樣。

門鈴聲在不厭其煩地重複，桔年不便貿貿然去開門，站在廚房門口輕輕叫了唐業幾聲，唐業好像很久都沒有安穩入睡過了，在沙發上以一個並不舒坦的姿勢竟然沉沉入夢。

見他沒有反應，桔年也沒有辦法，只得把手上的水在圍裙上蹭了蹭，走到門邊，踮起腳尖從貓眼往外看了看。

只是這一眼，足以讓她倒吸一口涼氣，不由自主地連連退了兩步，雖然明知道此時隔著門，自己看得見對方，但對方看不見自己，她卻仍然感覺到薄薄的冷汗從背後滲了出來。

門外站著三個人，均是身著制服，那深藍色的制服和他們胸前若隱若現的徽章桔年是熟悉的，她不只一次在下班後直接奔赴醫院的韓述身上看到過。然而最可怕的是，那個站在最前面，一手按響門鈴，一手擺弄著鑰匙的人，不是韓述又是誰？

第二十四章　委屈的紙杯

門鈴仍在響著，隔著門板，桔年似乎都可以想像得到韓述此時固執且帶著點不耐煩的神情。她回頭望了一眼，唐業竟然還是恍若未覺。不一會，門鈴聲裡便夾雜了規律而急促的敲門聲，這聲音同時擊碎了她心存的幾分僥倖。不知道出於什麼原因，但他們堅信這屋子裡是有人的。

電話響了會想著去接，門鈴響了會想著去開，這似乎是人的一種本能，否則焦慮便油然而生，然而桔年都不願往下設想，要是門打開的那一瞬，韓述看到裡面站著的人是她，會做何反應。她隱約聽說過唐業最近的麻煩，猜也猜得到韓述此番是為公務而來，對唐業來說必定不是什麼好事，因此更害怕給唐業惹麻煩。萬般無奈之下，桔年快步走到唐業身邊，蹲下來搖著他的手臂，壓低聲音叫醒了他。

唐業似是陷入了極深的睡眠，睜開眼睛好一會才明白了自己的處境。聽見桔年說門外有檢察院的人，他看起來也不是特別吃驚，見桔年有幾分惶恐之色，他強撐著站起來的時候甚至還安慰她，「妳別擔心，沒有什麼事的。」

桔年是真急了，說話都結結巴巴，「韓述……門口……唉……」

唐業愣了愣便會意了，他聽著愈來愈重的敲門聲，試探著指著自己的臥室，對桔年說道：「要不，妳進裡邊躲一躲？」

桔年啞然，她幾乎懷疑唐業是燒糊了腦子，若韓述他們真的進屋搜查，又豈會放過臥室和書房？而上一次到唐業家的經歷已經足以讓她肯定，那房間裡沒有可藏身之處，跳窗更是癡心妄想。如果她在唐業的臥室裡被韓述撞個正著，以韓述的脾氣，還有比這更糟的事嗎？

這時廚房的粥煮沸了，撲騰聲傳來，桔年心念一動，趕忙往廚房裡走，進去之後順勢關上了門，她也不知道這樣能藏多久，更不明白為什麼自己每次出現在唐業的住處都必須考慮躲藏的問題。

廚房就在玄關一側，隔著門，桔年聽到唐業開門，然後一個陌生的男人聲音略帶譏誚地說了句：「原來你在裡邊啊，我們都快以為你潛逃了。」

唐業說：「對不起，我睡著了，讓幾位久等。有罪的人才會潛逃，我想我不需要。」

聽著幾人的腳步聲，估計是進了屋子，大門又被關上了。有人對唐業宣讀了搜查證的內容，桔年聽出來了，是韓述。他的聲調平板而冷硬，不帶一絲感情，而唐業並沒有出聲，似乎平靜而沉默地接受了一切。

韓述說他最近在查一個大案子，那唐業就是涉案人員之一，看上去善良而謹慎的唐業難道真的與那些貪污受賄的黑幕相關？桔年熄了爐火，屏住聲息半倚在料理台邊，掀開了蓋的鍋裡，那沸騰已漸漸平息，乳白的粥水不時湧起一兩個氣泡，提醒著她那看似平靜下的暗湧。

腳步聲漸漸從廚房附近走開，說話的聲音也變得不那麼分明。間或還可以聽到嗓門大一些的一個檢察官的詢問，唐業的聲音則是模糊的。桔年在廚房緊閉的狹小空間裡等待，等待被發覺或是不被發覺，這些其實都由不得她決定。既然這樣，著急有什麼用？她這麼想著，撲騰的一顆心也緩緩地歸位了，她也不知道自己還要等多久，便無意識地拿起手邊的勺子輕輕地攪拌著那一鍋粥。

十來分鐘後，貌似詢問已告一段落，而搜查的範圍又落在了玄關附近的一個雜物架上，有翻動物件的聲音，還有搜查者偶爾的閒聊。桔年甚至還聽見有人笑著問了句：「哎，待會下班去不去吃門口那家沸騰魚，韓科長，你去不去？」

「我哪來那個工夫？」

「我說，幹革命也要講個勞逸結合啊。」

「你知道什麼，韓科長現在是二十四孝好男人，加班到九點都還要趕約會……」

韓述好像笑了一聲，竟也沒有否認，「還有你不知道的嗎？」

他的聲音就在門外，幾個人還在繼續閒聊，而桔年心裡其實是清楚的，那些所謂的「約會」，大概都是用在了醫院裡。

他們聊了幾句，又靜下來做事。忽然間，那個大嗓門的檢察官「咦」了一聲，說道：「廚房你們檢查了嗎？」桔年頓時直起了身子僵在那裡，連呼吸都似乎停頓了。

「好像沒有，老胡你不是專喜歡從旮旯裡搜東西嗎？」另一個檢察官說。

「那倒是，從馬桶水箱裡搜出現金的事我遇到過不只一回，天知道廚房裡藏著什麼。」

「找不到現金，至少也給我找杯水喝。」

就在他們半開玩笑的調侃中，廚房的門把被轉動了，明知避無可避，桔年還是抽了口氣，一顆心提到了嗓子眼。

門終於被打開了，那個被稱作「老胡」的檢察官探進了半個身子。大概他在開啟廚房門之前萬萬沒有想到裡面竟然會有人，驟然與桔年四目相對，他竟然被嚇了一跳，條件反射地退了一步，門又被關上了。

門外安靜了幾秒。

「老胡你見鬼了？」韓述詫異的聲音傳來。

讓桔年更意外的是，一直保持沉默的唐業忽然開口了，他彷彿壓抑著一絲惱怒問：「我究竟還有沒有一點隱私？」

桔年不知道他為什麼會說這樣的傻話，事情到了這個份兒上，難道他以為這樣能夠阻擋門外那些人的本分和好奇心嗎？

果然，韓述冷笑了一聲，一句話頂了回去，「法律當然保護守法公民的隱私，但不包括某些蛀蟲。」

這一次用力推開門的是韓述。桔年就知道會這樣。現在，他站在門口，定定地看著裡面的人，臉上一丁點表情也沒有。桔年一時間也不知道如何應對，手裡還拿著攪粥的勺子，愣愣地半舉在空中。

過了一會，韓述抬起手正了正自己的領帶，然而過了一會，他又覺得自己快喘不過氣來了，又用力地扯鬆了一些，然後才問了句：「妳在這兒幹什麼？」

他的聲音應該是莊嚴肅穆的，可那雙放哪兒都不對的手連帶著洩漏了眼裡的驚色，所以顯得有些倉皇，還好只有面朝他的桔年看見了。

究竟是誰把他們推到了這樣莫名而尷尬的境地？

「妳在這兒幹什麼？」

韓述把他的問題又重複了一遍。

桔年的眼睛看著自己的足尖，她已經不知道說什麼才能讓韓述不那麼憤怒，雖然他看起來是那麼義正詞嚴，就像過去上學的時候，他執勤，她遲到，抓到了她，他憤怒，抓不到她，他更憤怒。

桔年小聲地說：「我在煮粥。」

她的確是在煮粥，空氣中還蕩漾著一股米香。韓述用了很長的時間去消化這個答案，與他一塊來的老胡卻先一步轉向門口的唐業，問道：「怎麼回事啊，廚房還藏著個大活人，搞什麼把戲？」

唐業看了桔年一眼，「她只是我的一個朋友，知道我病了，所以來探望我。」

「探望你很正常，但是關著門在廚房裡面算怎麼回事？」另外一個檢察官跟老胡一樣繼續不知就裡地盤問。

唐業的眼簾微垂，興許是因為他長長的睫毛，興許是因為現在的身體狀況，他眼底有淡淡的陰影，「我不希望她知道我的事，這個答案你們滿意嗎？」

「早知今日，何必當初？」老胡側身從韓述身邊走進廚房，把能檢查的地方都檢查了一遍，最後連桔年面前的那鍋粥也沒有放過，接過勺子，煞有介事地在裡面攪了攪。

「家裡什麼都沒發現，韓科長，你怎麼看？」

韓述整理好自己的領帶，回頭看了唐業一眼，漫不經心地對自己的兩個同事說：「你們說要不要把嫌疑人帶回院裡審訊？老胡，你說呢？」

那個叫老胡的檢察官忙不迭地點著頭，「沒錯，以我們現在手頭上的證據，完全可以傳訊他。」

唐業的臉白了一下，身子難以察覺地微微一晃，單手扶住了玄關的牆壁。

「那麼，請吧。」韓述轉身背對桔年，客氣地對唐業說。接著，他好似想起了什麼，又笑了笑，「哦，我們應該讓你跟你的『朋友』道個別，畢竟下次見面也不知道是什麼時候的事了。」

唐業張了張嘴，卻說不出什麼，只是劇烈地咳。半晌，他才平息了下來，臉已漲得通紅。

「讓我去拿件外套，可以嗎？」

「『裡面』涼，當然。」韓述做了個請便的手勢。

唐業點頭，往臥室的方向走了幾步，他試圖讓自己的腳步更穩一些，然而還是徒勞，高燒和幾天來的粒米未進讓他腳步虛浮。

老胡已經收拾好自己的東西，打開了大門，另一個同事又開始跟他討論著那家味道不錯的水煮魚。

「那家店的味道真的不錯，價格也還行，就是辣。」

「你一說到辣，我就覺得喉嚨快要冒火了。」

他們自顧自地說著，差點忽略了一個細聲細氣的聲音。

「他還生著病呢。」

桔年知道自己底氣不足，可是唐業現在這副樣子，也的確經不起折騰了。她說完這句話，發覺三個穿著制服的人同時看向了自己，當然，也包括韓述。

桔年低下頭去，可依舊沒有死心，訥訥地又說了句：「對不起，可他現在真的病得很重。」

韓逑一臉漠然地說：「妳知道他做過什麼嗎？如果我是妳，我會離他遠一點。」

桔年想說，你本來就不是我。她想，自己也許是個底線很低的人，不管唐業做過什麼，她只知道，唐業沒有傷害過她，而且他確實病了。

但她當然不會試圖去挑釁韓述的耐心，扭頭找到自己之前燒開的水，翻出唐業家的紙杯，給他們各倒了一杯。

第一杯她先端到了那個年輕一些，老嚷著口渴的檢察官面前，小心翼翼地、近似卑微地說：「您請喝水。」

只可惜對方年輕氣盛，又看穿了她的企圖，拒絕接受她的套近乎。「不用。」他一揚手，恰好手指拂到桔年端水的手，不穩之下，紙杯裡的水頓時潑灑出來，澆在了桔年的手背上，雖然不是滾燙的，但那溫度仍是灼得皮膚發紅。

「你沒長眼睛啊！」韓述當時就吼了一聲。

桔年的臉比手上的皮膚更紅，趕緊說了聲「對不起」，一邊趕緊就去甩手上的水。

「我不是說妳！」韓述氣得一張白淨的面皮也似被水燙過似的。

他不是說她，那說的自然就是手下不留神的同事。

那個小年輕估計剛從學校畢業不久，他原本也不是存心，只不過要在同事和求情的疑犯「家屬」面前表明自己的立場，無奈動作過大，一時手誤，他完全沒有想到這番舉動會引來自己的頂頭上司如此激烈的反應，一時間也下不了臺，束手無策地站在那裡。

老胡好歹多混了十幾年，趕緊用手在壺上試了試水溫，打著圓場說：「還好，還好，不是很燙。」

韓述竭力讓自己的眼神從桔年的手上移開，他剛才的反應幾乎是本能，根本沒有經過大腦，說出來之後就後悔了。他平素最要面子、重儀態，從不在同事，尤其是手下面前失態，於是清咳了兩聲，轉而對那年輕人和緩地補了句，「小心點，不是你說口渴嗎？」

「嘿嘿。」那年輕人尷尬地笑了一聲，衝桔年說道：「對不起。」

「是我不小心。」桔年趕緊趁勢把水重新倒滿遞過去，這次非常順利，尤其是老胡，剛接過就喝了一大口。

韓述是最後一個從桔年手裡接過水杯的，兩人的指尖在小小紙杯交接時輕觸，桔年卻看到了韓述伸出來的右手手背上有一條醒目的紅痕，一直延伸到白色的袖口裡。

她露出略略驚訝的神情，韓述在接過水後飛快地將手一收，空出來的另一隻手輕輕地扯了扯衣袖。

這時唐業挽了件外套，走回了幾個人聚集的門口。

「好了。」說話的間隙，他仍單手握拳在嘴邊，側身斷斷續續地咳。

桔年眼神裡的哀求意味不由得更盛了幾分，她不是沒有經歷過審訊，所以更知道那過程的漫長和煎熬。

韓述用雙手捧著手裡的紙杯，她其實應該知道他多麼討厭紙杯的味道，但她不知道他更討厭端著紙杯時的小心翼翼——輕了，杯子就會脫手，重了，它又變了形狀，溢得一身狼藉，到底怎樣做才是對。

沒想到這時候老胡開口說了句：「韓科長啊，依我看，他這副樣子還是緩一緩為好，事情也不急在一時，反正他也跑不了。」

「是嗎？」韓逑若有所思地應了一句，掃了唐業一眼，這才說道，「老胡說的也有道理，既然病得那麼重，今天先這樣吧。不過假如你聰明的話，就絕對不會想試著在這段時間內離開本市。」

「他不會的。」桔年心中一寬，求證似地看了唐業一眼，唐業輕輕點頭。

「我先去把車開過來。小曾我們先下去，哦，對了，韓科長，你還有份檔在桌上別忘了。」

不等韓逑收回置於唐業客廳桌上的檔，老胡和小曾已經下了樓。

「謝謝你，韓逑。」唐業聲音虛弱，但語氣是由衷的。

「千萬別。」韓逑譏誚地笑了起來，「有些事你心知肚明就好，我不是放過了你。說實話，我不知有多渴盼將你繩之於法的那一天。還有，我既然能查到江源廣利的葉秉文那筆錢是從你的海外帳戶轉移的，那麼找出以往的紀錄也不是難事，你做了什麼你自己知道。但是，我告訴你唐業，你吃不下這筆錢，也扛不住，如果你不肯交代你後面是誰，這個鍋足以壓死你。」

唐業說：「既然你們什麼都能查到，那我承不承認、交不交代又有什麼區別呢？」

韓述說：「那也是，雖然你不說，但我還真是查到了一些很有趣的事情，比如說廣利的滕副總……」

唐業先前尚算平靜的臉頓時變得鐵青，胸口急劇地起伏著，但再也沒有發出任何聲音。

「你想知道嗎？」韓述惡作劇似地微微俯身對一側的桔年說。

桔年只能假裝什麼都沒有聽見。

「我送你吧，韓檢察官。」桔年走出去，給韓述按了向下的電梯。

韓述看似欣然應允，走到她的身後，唐業的門緩緩掩上了。紅色的樓層數字跳躍著，眼看就要到達，韓述方才面對唐業的一絲絲得勝感覺也消失了，而桔年則心無旁騖地虔誠等待著電梯的到來。

「我知道……妳認為我針對他……」韓述拉長了聲音，語調有些怪異，「不過也不奇怪，我乾媽也那麼認為……我在妳們心中就是這樣小心眼的人，妳就這麼想吧，無所謂。」

桔年卻回頭看了他一眼，文不對題地說：「你手怎麼了？」

就這麼簡單的一句話，韓述竟然眼睛都紅了。他看著天花板，心想，真他媽沒用，但是，的的確確，真他媽委屈。

「又被抽了？」桔年用的是問句，但心中答案已八九不離十，從小到大，除了韓院長，還有誰能在韓公子手上抽出這麼一道？

韓述沒有回答。其實從她看見自己手上傷痕的那一瞬開始，雖然自尊讓他故意藏著遮著，可是他心中還是期盼著她能多看一眼，期盼著她能問一聲，因為老頭子下手很重，真的很痛。只有她明白，他才值得。

「非明轉院的事情已經辦妥了，明天就轉。既然在這兒遇到妳，今晚醫院那邊我就不去了。」

電梯門終於在眼前敞開，韓述逃也似地衝進裡面，他害怕多待一秒，自己會在桔年面前做出更丟臉的事情。

電梯護送著韓述徑直往下，出了大樓，老胡的車子已經在等，韓述這才發現自己手裡竟然還端著那紙杯！經過垃圾桶時，他狠狠地把水杯朝裡面一扔，深呼吸，再深呼吸，面色如常地朝車子走去。

第二十五章　掌紋是最多變數的特徵

檢察院白漆藍字的車子消失在視線中，桔年收手，微微挑起一角的窗簾便垂了下來。

唐業將身子蜷在他那張單人沙發裡，他的房子跟他的人一樣，彷彿也有了種劫後餘生的混亂。滕雲離開後，四處已是一片狼藉，再經過韓述他們的一番搜索，就真的如同風暴過境一般。

現在，一切總算歸於寧靜。雖然大家都心知肚明，這寧靜只是暫時的，可是喘口氣的時間是多麼寶貴。唐業也聽到厚重的窗簾從她手中落下的輕微響動，忽然之間，他不知道自己該如何面對這個過於安靜的女人。感激？感歎？或者他欠她一個解釋，可他就是無從開口，他墜入一團亂麻般的局裡，如何能從頭說起。

然而，這個時候桔年已經在客廳和廚房間走了個往返，她朝唐業走來，毫無障礙地越過角度傾斜的茶几，越過散落一地的書籍紙片，駐足在唐業的身邊，微微俯身。

唐業以為她至少會問一句「為什麼」，可她只是說：「粥熬好了，你喝一點吧。」

幾分鐘前，她剛剛目睹了義正詞嚴的檢察官們對他家一番毫不留情的搜查，同樣也是幾分鐘前，他看著她不得不與糾纏不清的那個人尷尬地狹路相逢。在這一片顛覆的混亂中，她有太多的話可以問，她有太多的事可以做，可她卻像是在最安詳的午後，若無其事地端出了精心熬就的一碗粥。

唐業愣了一會，雙手接過她遞來的碗。粥已經有些涼了。

「桔年，謝謝妳！要不是妳，我真不知道……」唐業低聲說道。

「不，你是知道的。」

唐業驀然抬起頭看著立在他身畔的人，桔年背對著窗戶的方向，他甚至一時間看不清她此時的表情，而她的聲音一如既往的平淡，如沉寂的湖水，就像心平氣和地陳述一個大家都再清楚不過的事實。

「唐業，你知道我會來的，也許你還知道滕雲會來，韓述會來……太多的巧合。這樣的結果是你想要的嗎？」

唐業一口氣提了上來，就這麼憋在胸口，他沉默。

「你還是顧及滕先生的，我想我能理解。可是韓述的脾氣……難道你就不怕讓事情變得更糟？」

「桔年，妳相信我，已經沒有更糟的餘地了。也許我遲早逃不過，可至少還能換回一些時間。」

「你是需要時間，還是需要用時間安排那些錢？」桔年覺得自己不能理解，為什麼連唐業這樣的人竟然也會為了那些不該屬於自己的錢鋌而走險。

「妳可以鄙視我，我也常常問自己，怎麼就走到了今天。以前我看不起我那個跳樓的同事王國華，為了那一點蠅頭小利甘願被人操控，後來我才知道，當你處在那個位置，但凡有一絲貪念，就有太多沒有法子的事。王國華為的是他兒子的將來，而我比他更醜陋。」

「有人知道了你和滕雲的事？」

唐業的手無意識地在沙發扶手上握緊又鬆開，最後他點了點頭，「我痛恨那種見不得光的東西，可是我偏偏掙不開。最可笑的是，我曾天真地想過，只要我有了一筆錢，就可以跟他一起遠走高飛。其實我要的並不多……一步錯，步步錯。」

「可你背上了全部的黑鍋？」桔年說出這個意料中的結果，平靜到有些悲哀。

「這個黑鍋曾經是王國華背的，結果他從樓上跳了下去。王國華以為自己一死了之，這案子就此結案，他不用擔心自己會牽扯更多的麻煩，他兒子在國外也有了保障。可是韓述他們不肯就此結案，愈來愈多的線索被他們掌握，那麼勢必還要有個人出來接替王國華背上所有的罪。我早該想到有這一天，我們都算不上無辜，也是活該，可是我希望滕雲能夠去他想去的地方，過他想要的生活。」

「你們約好的地方，只有他一個人去了，你覺得這樣就是為他好？」桔年莫名地就想到了自己，想到了曾經在她身邊的那個男孩，他也說過：桔年，妳應該有更好的生活。結果他走了，她獨自一個人，他永遠不知道，她渴望的是什麼樣的生活。

唐業說：「桔年妳明白嗎？我跟滕雲不可能一起走的，即使沒有這些事，一樣不可能。我曾經答應過他，是我太傻，我忘了我是再世俗懦弱不過的一個人，遇到挫折，會想要放棄，所以到不了終點，我已經累了。」

桔年忽然問：「你難道從來都沒有想過，像韓述說的那樣，說出實情，讓一切真相大白，讓那些真正貪婪的人得到應有的懲罰？」

唐業低頭笑了一聲，「沒有用的，桔年，妳有過螳臂當車的感覺嗎？可能連韓述遲早也會明白，那只不過是徒勞。」

桔年沒有再說話，所有草芥自以為是的堅韌在強者面前其實不堪一擊。更何況，在冥冥之中不動聲色等著看笑話的，還有真正強悍的命運。

許久，她才聽到唐業說了一聲：「對不起。」

桔年歎了口氣，「粥徹底涼了，你真的不喝嗎？」

唐業一聲不吭地去喝那碗冷卻了的白粥，忽然，他放下手中的碗，抓住了桔年的一隻手，就像抓住溺水前的最後一根稻草，連聲音中都帶著幾分自己都不確定的希冀。

他說：「桔年，如果，我說的是如果，我過得了這一劫，那麼我們就在一起，就當重新過來一次，我們誰都不為，只為了我們自己好好地生活。我會一輩子照顧妳，給妳和非明一個家。」

桔年怔了一下，滿臉通紅地閃躲。

唐業慢慢鬆開了她的手，像從一場夢境中醒轉過來，苦笑了一下，頗有些自我解嘲的意味，「其實妳可以答應我的，就當安慰我，因為我躲得過的可能性實在太小。」

桔年在他的手撤離之前重新抓住他，翻過他的手掌，蹲下來看著他的掌心。

金星丘佈滿羅網，感情線中斷，這是她再熟悉不過的掌紋暗示，她沉住氣，再細細往下端詳。唐業的手薄瘦而青筋浮現，命運線起自太陰丘，終於下方，且由許多小線組成，中途有支線。書上說，有這樣掌紋的人一生起伏，命運最是變幻不定，好在生命線雖然頗有曲折，但尚算明朗深長，她隱約記得這意味著什麼。

桔年合上他的手，「我是個迷信的人，你的掌紋告訴我，你一定會逢凶化吉。」

「會嗎？」唐業無奈地笑了，不置可否。

桔年說：「當然會，因為我等著你的『如果』。」

轉院通知果然很快就下來了，這已經是身體每況愈下的非明最後的機會。桔年沒敢有一絲的拖延，辦理好必要的手續，當日就帶著非明轉到了第一人民醫院。

轉院的過程非常順利，非明入住第一人民醫院的首日，該院的專家組就對她的病進行了會診和系統全面的檢查。因為知道非明一時半會出不了院，醫院裡還有一場持久戰要打，桔年準備了不少東西，平鳳也特意趕過來幫忙。

韓述走出電梯的時候，正好看到兩個女人滿頭大汗地抬著一個大箱子從一側的步行梯上來。

「請問妳們知道電梯這個東西已經進入人類文明社會整整一百五十年了嗎？」韓述手裡還抱著自己從院裡帶出來準備拿回家的「作業」，百思不得其解地問。

平鳳跟他沒有打過交道，看了他一眼，沒有作聲。

桔年則是累得臉紅撲撲地解釋道：「上來的電梯有很多坐輪椅的病人，反正只是三樓，我想還是不要跟別人擠了。」

她說完，又跟平鳳兩人全力以赴地朝目標病房前進。

韓述氣結，跟在她們後頭走了兩步，實在受不了了才提醒道：「嘿，麻煩妳們，假裝一下妳們知道這裡還有個男人。」

他這麼一說，前邊走著的兩個女人不得不放下手裡的東西，停了下來。

桔年用手在額頭上拭了一把，大冬天的，上面都是汗，她嘴裡卻還客氣著，「不用了。」

韓述說：「我不想跟妳這種太古時代的女人爭論。」

桔年猶豫了一下，「太古時代根本就沒有女人，只有藻類和海綿。」

韓述死死地盯了她幾秒，然後，他毅然擠開了她，手裡的檔袋就那麼不管不顧地往她身上一塞，「懶得跟妳說，拿著。」

牛皮紙檔袋拍過去的方位正好是桔年的胸口，雖然隔著好幾層衣物，猝不及防之下，還是讓桔年一陣尷尬，一個遲疑，兩手隻抱住檔袋一角，那朝下的口子未封得嚴實，嘩啦啦地散出來了好幾頁，她趕緊蹲下來撿。

韓述瞪著她，「再多看妳幾眼，我真的也要跟妳一樣退化成藻類和海綿了。」

「那……如果我在二疊紀，你就在震旦紀。」

「什麼意思？」

桔年抬起頭來，用手比了一段很長的距離，小聲說：「同是藻類和海綿，也可以隔著幾億年。」

說話間，那些散落的紙張已收拾得差不多了，唯獨有一頁被始終沒有摻和的平鳳撿起來，那上面貼著的是一張幾個人的合照，奇怪的是，平鳳看得很仔細。

韓述咳了一聲，平鳳才如夢初醒地將照片遞還到桔年手中。

「請問有什麼問題嗎？」韓述客套地問道。

「照片裡的人是……」

「妳認識照片裡的某個人？」韓述不動聲色地驚訝著。他眼尖，平鳳這個人雖然以前沒有見過，但他可以猜到幾分來歷。當著桔年的面，他是客氣的，然而不管願不願意承認，照片裡的人和看照片的人，著實不應該是一路。

平鳳勾起描畫精細的紅唇巧笑倩兮，「我怎麼會認識，隨便問問罷了。」

韓述倒也沒有繼續往下追問，他叮囑桔年道：「我的東西可要拿好了。」俯身就去扛那個紙箱。

他起初想是沒料到會有那麼沉，剛施力的時候漫不經心，差點沒扛起來，晃了一下才站穩，嘀咕了一句：「妳把震旦紀的石頭都運過來了？」

韓述扛著箱子好不容易才到了非明的新病房，幾個人走進去，護士正在給非明打點滴。一段時間的住院治療後，非明雙手的手背佈滿了針眼，基本上已經沒有靜脈注射落針的地方，護士忙活了半天，最後從她左手內側手腕將針扎了進去。

手腕內側是人全身上下皮膚最是細膩的地方之一，桔年想像得到那麼粗的一根針扎下去該有多疼，落針的時候她撇開了頭去，不忍再看，身上的每一寸肌肉每一個關節卻都繃得緊緊的。非明卻一聲都沒吭，她躺在床上，看著護士的動作，彷彿被擺弄著的是別人的手，視線不經意掃到韓述，蒼白的一張臉上才綻出了一個笑顏。疼痛也是一種會習慣的東西。

等到護士離開，韓述坐到非明身邊，說：「韓述叔叔小時候最怕打針，一點也比不上非明堅強，好孩子，再忍耐一段時間，病好了韓述叔叔帶妳去好多好玩的地方。」

非明卻說：「韓述叔叔，你看上去瘦了，跟我姑姑一樣。」

話音落下，桔年那邊有了輕微的動靜，韓述回過頭，桔年已經背對著他們在整理東西了。

韓述繼續哄著非明，「那是因為韓述叔叔和姑姑擔心非明啊。等妳好了，我們也會胖起來的。」

他鼓著腮幫，想逗非明開心一點。

非明閉上了眼睛，呼吸急而淺，就在大家都以為她睡著了的時候，她喃喃地問了句：「姑姑、韓述叔叔，你們真的喜歡我嗎？」

桔年沒有轉過頭來，聲調也有些奇怪，「這還用問嗎？傻孩子。」

可非明還在問，問得不依不饒，「那你們為什麼喜歡我呢？」

「因為妳是最可愛的小女孩啊，我們怎麼會不喜歡妳？」韓述笑著說。

「姑姑呢？」

桔年回過頭來，也試著擠出個笑容，「因為妳是姑姑最親的人啊。」

非明點了點頭，桔年和韓述卻不約而同地從那張被病魔折磨得無比消瘦的臉蛋上看到了小小的失望，雖然非明再也沒有說什麼。他們毫不懷疑自己對這個女孩發自內心的喜愛，他們願意摘下天上的星星讓她開心，讓她的病好起來，但他們同樣也不知道，這孩子追尋的究竟是怎樣的一個答案。

非明睡熟了，她陷入昏睡的時間愈來愈長。好多次，她睡得太久，手腳冰涼，這讓一旁守候的桔年油然生出最可怕的念頭。原本還顧慮重重的桔年開始無比渴盼一場手術。必須要有那麼一場手術來為她留住非明，哪怕手術會留下遺憾，至少孩子還在身邊，她再也沒有什麼可以失去了。

韓述看著長久地坐在非明身畔泥塑一樣的桔年，彷彿她的生機也在隨著非明一點點地減弱。他也想用言語來給桔年慰藉，可她是個心如明鏡的人，太容易識穿他善意的謊言，然而擁抱她，她更會退卻。

「那天的粥味道怎麼樣？」他突兀地冒出這樣一個問題。

「嗯？」

「我以為妳會跟我一起離開。」

「他病了。韓述，其實那天的事我挺感激你的。」

「切……」韓述不自在地嗤笑一聲，平鳳出去打開水了，單間的病房裡只剩下他們和昏睡中的非明。末了，他惶惶然地問：「要是……要是我病了，妳會給我煮一碗粥嗎？」

「為什麼連生病你也要摻和？」桔年理解不了這個公子哥兒的想法。

韓述悻悻的。他不是犯傻，而是真的有過這樣的念頭，有時候他發現自己竟然嫉妒巫雨的殘缺。因為巫雨的病，桔年永遠都在疼惜他，永遠放不下他。非明得到桔年無微不至的照顧，他無話可說，然而就連唐業，也病懨懨地贏得了她的憐惘。他錯在太健康，從小到大，最嚴重的病也不過是場重感冒。那天，桔年可憐兮兮地為唐業求情的樣子，他還記得清清楚楚，雖然他一再地告訴自己，那不過是同情——可同情他又何嘗得到過？

「我們走後，妳和唐業就繼續喝粥？」這樣的試探多麼拙劣。

桔年看了他一眼，「嗯，我給他看了看手相。」

「那妳也給我看看。」韓述頓時來勁了，死乞白賴地朝她攤開手。

「你不是徹底的唯物主義者嗎？」桔年想當然地懷疑他的動機。

而韓述仍是眼巴巴地伸過手去。那是一雙年輕男人的手，乾淨、白皙、指節修長，沒有醜陋的繭子，剛才搬過重物的紅色痕跡仍在上邊，桔年還知道，此時她看不到的手背，還有被筷子抽過的傷。

「就給我看看吧，隨便看看也行啊。」

桔年受不了，湊過去看了一眼，毫無意外的漂亮掌紋。韓述的掌心，成功線始於命運線，一路筆直修長地延伸，成就、財富和聲望對於他來說並不是太難得到的東西。十字紋出現在無名指的下方，貴人提攜，春風得意。命運線清晰，伴有副線，百事順遂，偶爾小挫折也無傷大雅。智慧線橫穿掌心，聰明但過於自負。

「你的掌紋很好，基本上都跟你的現狀很吻合的。」桔年敷衍著說。

「掌紋也說我求而不得嗎？」韓述咬了咬自己的下唇，厚著臉皮問道。

「不會啊，你看你的生命線，這是事事順遂的象徵。」

「那還是不準。」韓述有些悵然。

「都說了是看著玩的。」桔年見狀正好推託，起身說，「我去看看平鳳到哪兒去了。」

韓述哪裡肯依，要橫地一把揪住她，「妳根本沒有仔細看。隔得那麼遠，妳連我的手都沒碰，未免太不專業了。」

桔年怕他鬧，猶豫了一會，戰戰兢兢地捏起他的一丁點兒指尖，他揪著的另一隻手才總算鬆了下來。

「看啊。我就想聽唯心主義的詭辯。」

他說得理直氣壯，手心卻開始冒汗，她碰觸到的那幾毫米肌膚，火燒似的，也不知道誰在抖。

「呃，事業有小波折，總的來說還是順利，你看你的成功線這裡……」

「咳咳，看感情，看感情！」

「等一會，我看看啊，中指下怎麼有等高線……」

「等高線怎麼了？」

「同、同性戀。」

「胡說八道！」韓述一聽頓時炸了，本想甩手而去，可畢竟捨不得。他按捺著，警告道，「看清楚一點，少說廢話，誰是誰不是大家心裡有數。」

「別抖啊，我看錯了，那是結婚線，哎，你別抖了，一抖什麼都看不清了。」

「抖又怎麼了？」

「伸出手要是一直抖，書上說，說……不及格。」

「什麼不及格？」韓述一臉納悶。

桔年很快地轉移了話題，「感情線起點附近有不少支線，經歷豐富。」

「妳看主線不就行了！」

「主線有斷續，喜怒無常，任性，波瀾不斷；智慧線跟感情線分得太開……」

她絮絮地說著，最後也不知道韓述聽進去了沒有，只覺得自己和他的手上全是汗，那些交纏的紋路漸漸地也模糊成一團。

也許他最後還是聽膩了，翻過手來去抓她的，交接處太滑膩，堪堪抓住了食指和無名指的前兩個指節，她就再也掙不脫了。

「妳直接說哪一條線是妳。」

她抽了抽手，沒有用，那些碎碎的頭髮又汗濕在臉上。

蘇東坡寫花蕊夫人「冰肌玉骨，自清涼無汗」，桔年卻最是汗腺發達。許多年來，韓述再沒有像此時離她那麼近。他和她的指尖纏在一起，他不放。這讓他想起很久以前的一個夜晚，他那麼緊緊地貼著她的背，兩人都是濕漉漉的，水洗過一般，他也是不放。那時他埋首在她的頸窩，潮熱溫暖的味道，事後他反覆迴避，反覆想起，延綿成後來他心底描繪欲望的唯一具象，他每次情動的起端。

桔年的臉卻由原先的通紅轉為煞白，那種黏稠的感覺在她記憶裡如此不潔，讓她幾乎艱於呼吸。

她說：「韓述，你先放開，手相本來就是最多變數的一種特徵。」

他頭昏腦熱，哪裡聽得進去。直到病房的門被人克制地敲了三下。

第一人民醫院腦外科主任孫瑾齡站在門口，「謝非明的家屬請到我辦公室來一趟。」

第二十六章 瘋狂的世界

桔年與韓院長的夫人、韓述的母親孫瑾齡上一次打照面還得追溯到十幾年前。其實孫瑾齡跟桔年的母親年齡相仿，桔年還能模模糊糊地記起上小學前跟韓家同住一棟筒子樓的時光。她的媽媽做好了飯，滿面塵灰煙火地對著窗外摳螞蟻洞發呆的女兒扯開嗓子喊：「看飽了？飯都省了？」而下班晚了的孫醫生則牽起跟一群男孩子打鬧的兒子，笑語嫣然地問：「寶貝，告訴媽媽你想吃點兒什麼？」

印在桔年腦海裡揮之不去的是孫醫生漂亮的淺色連衣裙，裙裾飛揚，腳步輕盈。韓述長得更像母親，偏白皙的膚色、帶笑的眼睛、尖尖的下巴，無處不像一個模子裡刻出來的。

現在，桔年坐在第一人民醫院腦外科主任辦公室裡，看著那似曾相識的眉眼，等待對方的第一句話。

孫瑾齡似乎想過要更公事公辦一些，不知為什麼，沒有成功。她面前擺著非明從前一個醫院帶過來的病歷資料，不過是幾頁紙，她翻了又翻。

最後她用了一個連自己都感到有些意外的開場白，「都說女大十八變，我都沒法把妳跟小時候的那個老謝家的丫頭聯繫起來了。」

桔年說：「孫醫生您倒沒怎麼變，還跟以前一樣年輕。」

她不善於恭維別人，然而為了非明的病，她不能再給自己和身為韓述母親的孫醫生之間原本就微妙的關係增添任何不快。

孫瑾齡笑笑，「這是傻話，人怎麼可能一直年輕，韓述都快三十歲了，還沒少讓我操心，我能不老嗎？」

桔年沉默。

孫瑾齡打量著桔年，跟蔡一林檢察長那種彷彿想要一眼將人看穿的眼神不同，孫瑾齡的端詳是柔和的、母性的，甚至還帶著點可以洞悉的憐憫和愧疚。

「桔年，我知道妳吃了很多苦，有些事不應該降臨在妳身上的……」

這一次桔年卻回答得很快，她說：「我很好，孫醫生，但是我的小侄女病得很重，請您救救她。」她能夠體會孫瑾齡的難以啟齒，但是不管對方了解也好，愧疚也好，怎麼都不可能讓她的過去重來一遍，現在她眼裡只有非明。

孫瑾齡點了點頭，視線落在病歷的某一頁。

「這個孩子的病韓述跟我提過，我也認真看了病歷。」她雙手交疊在膝上，注視著垂頭不語的桔年，「做為一個醫生，救死扶傷是我的份內事，何況是這樣一個可憐的孩子……然而，同時做為一個母親……桔年，我不知道說這樣的話會不會讓妳心生反感，但是妳我都心知肚明，孩子能夠在醫院床位和手術安排如此緊張的情況下轉院，這不僅因為我是個醫生，更因為我是個無法拒絕兒子的母親。」

「我知道。」

「妳應該是個聰明的孩子，有些事我們既然註定繞不過去，那還不如坦誠一些，同樣，有些話即使聽起來不那麼動聽，但是這能讓我們心裡更明白，妳說是嗎？」

桔年還是沒有出聲，她知道對方並不需要她的回答。

「站在一個母親的立場，我想說的是，我會盡我所能地去救那個孩子，不管她是妳的什麼人，但是，關於韓述，請妳……」

「好！」

桔年脫口而出，她看到了孫瑾齡詫異的眼神。

害怕對方不能夠相信，她再度無比誠懇地應承，彷彿唯恐這麼划算的交易下一秒對方就會反悔，「好，我答應，我答應！求您了，孫醫生，非明她才十一歲……」

如果說孫瑾齡不感到意外，那肯定是騙人的，她一再地問自己，這個讓自己兒子神魂顛倒的女孩到底有什麼過人之處，她究竟是太過單純，還是城府太深？

「妳就這麼急著答應？我甚至還沒有說出我想要妳做什麼。」

桔年把一縷頭髮撥到耳後，猶豫地笑了笑，「不管您要說什麼，但至少絕對不是希望我跟韓述天長地久百年好合吧？事情到了這個地步，還有什麼是我不能答應的？況且對於韓述，也許我們想要的結果是一樣的。」

孫瑾齡好像有些懂了，謝桔年之所以如此爽快，無關乎聽不聽明，只不過是因為她不在乎。自己那傻兒子，原來是剃頭擔子一頭熱。

孫瑾齡一手將韓述帶大，知道打小人人都護著他，讓著他，他也許根本不知道什麼叫作「得不到」。她寵愛兒子，有時也覺得或許寵壞了他，應該讓他受受挫折，可是兒子這一撞撞得太厲害，她的心也跟著生疼，一個母親就是這麼矛盾。

桔年沒有猜錯，孫瑾齡打心眼裡希望桔年離韓述遠一點，雖然她知道錯的人是韓述。當孫瑾齡知悉韓述做過的荒唐事後的那天晚上，她和丈夫一樣徹夜難眠，她摸黑走進兒子的房間，差一點就想一個耳光搧醒他，問他為什麼要那麼做？可是當她的眼睛適應了房間的黑暗，她看到抱著枕頭蜷成一團的兒子臉上未乾的淚痕，那一刻她知道自己或許也是卑鄙的，但是她必須選擇保護她的兒子，她沒有辦法在關係到兒子一生的問題上置身事外地高尚著，所以她用原本打算打醒孩子的手，為他掖了掖被角，事情已經發生，一個耳光能挽回什麼？

後來孫瑾齡以不同的方式和理由給過謝家幾筆錢，謝家沒有想太多，感恩戴德地接受了，那種感恩戴德曾經讓她感到無比羞恥，因為她匯往監獄的錢被一次次退了回來。後來，她和丈夫還是心照不宣地給謝家早早輟學沒有工作的小兒子謀了個司機的職務。就連這次，即使她無法忍受謝家自以為抓到把柄的得勢嘴臉，還是跟丈夫商量著，該怎樣把那個轉正的名額安排給謝望年。並非是他們真的怕了謝茂華夫婦的要脅，那對貪婪的夫妻不過是跳樑小丑，只是她知道他們欠下了什麼，還不完，但只要對方願意給個機會，她仍願意還——除了以韓述為代價。

叫她怎麼能相信一個因韓述蒙冤入獄，失卻一切美好的女孩仍然對韓述存有善意？韓述也愧疚，孫瑾齡知道，但不能用一輩子來還。這些她都跟韓述說得很清楚，然而韓述眼裡的失望卻一日甚過一日，他焦灼，他難耐，好像心肝都缺了一般，魂也丟了。她的寶貝兒子，真的只是因為歉疚嗎？還是因為他在乎，而別人絲毫不這麼想。

有那麼一瞬間，孫瑾齡也有些迷茫。她對桔年說：「妳答應得那麼快，我那傻兒子呢，幾天前卻上竄下跳地說他要娶妳。我就差沒求他了，我說，小祖宗，輕點兒……可他非把他老子也驚動了，說妳的孩子就是他的孩子，我們不救那孩子不認妳，就等著韓家斷子絕孫。結果他老子脾氣上來，果真給了他一頓好打。我知道病床上那孩子不是妳的也不是他的，可他那麼堅決，我真的以為你們……」

桔年說：「韓述是真心對孩子的，但是我跟他之間從來就沒有過可能。」她已經不恨他了，但是也沒有辦法去愛他。他們就真的像二疊紀的海綿和震旦紀的海綿，中間隔著十幾億年，存在卻沒有任何關聯。她要給非明一個家，自己一個人做不到，好的男人也不會選擇她，所以那天她寧可承諾唐業的「如果」。她理解唐業竭力想擺脫身陷泥沼的絕望，就如她理解了「小和尚」說的毛毛蟲的夢想，也許正因為這「如果」之渺茫，她願意存有這樣渺茫的希望。唐業的「如果」可能永遠不會降臨，這是一個夢，但假如真的有那一天，就如同她不知道歌名的那首歌所唱的，「如果夢醒時還在一起，請容許我們相依為命」。

孫瑾齡歎了口氣，「我不想說別人的不是，可是妳跟妳父母真的不一樣。」她心裡一軟，伸出手去想要摸摸桔年瘦瘦的肩膀，不只她兒子，她都覺得我見猶憐。可桔年輕輕地閃開了。

孫瑾齡收回手，重新置於膝前，開口道：「我為什麼總記得妳小時候的模樣？因為我們家剛搬來的時候，韓述才四歲，人生地不熟，幼稚園的小朋友他一個也不認識。沒幾天，老師說園裡有個演出少了個小矮人，問他能不能頂上，他高興壞了。那天我們給他拍了很多照片，其中有一張還是個烏龍來著，我們家韓述被個小女孩拖著，臉紅得像猴屁股。我們常用那張照片和他開玩笑，所以他特別不喜歡那張照片，小時候誰翻出來他跟誰急。他上高中那年，照片不知怎麼就丟了，直到他上大學我給他收拾東西，才在枕頭底下找到。韓述這孩子，毛病是不少，怪我，所以他爸說慈母多敗兒，儘管他爸雖然動不動就抽他，但誰要說他兒子的不是，他就跟誰急。我們把他保護得太好了，以至於他心裡還跟孩子似的，也許可惡，但一點也不壞，他心裡藏著……」

「媽，您說什麼呢！」韓述氣急敗壞地在門口處打斷，也不知道他在那兒站了多久。他敲打著辦公室門口的一塊牌子，「您是醫生還是家屬樓下閒著曬太陽的老太婆啊，說病情，別說那些沒用的！」

他說話的當口，桔年已經侷促地站了起來，孫瑾齡無奈地看著兒子笑笑，繼而對桔年說：「關於非明的病情，我要等更詳細的檢查報告出來，然後我會第一時間通知妳。」

「好，謝謝孫醫生，謝謝了。」桔年給孫瑾齡匆匆鞠了個躬，就要離開，走至辦公室門口，她不得不停了下來，因為面無表情的韓述堵了大半個門口，而且沒有半點要讓路的意思。

「借過。」桔年小聲說。

韓述不知道為什麼較著勁，黑面神似的，依舊一動不動。

「借過，謝謝。」桔年說了兩遍之後，也放棄了說服他讓路的念頭。

孫瑾齡看不下去了，「你說你這孩子是幹什麼呀。」

「別管我的事行嗎？」韓述嚷嚷道。

桔年只想離開，見韓述和一側門框之間還留有些許縫隙，便硬著頭皮，試圖側身從那個縫隙擠出去。

她努力著不讓身體跟韓述有接觸，眼看就要成功，韓述卻不冷不熱地冒出一句，「妳是土撥鼠啊，鑽什麼狗洞啊？」

桔年成功脫身，心想他哪根筋不對，連損人都沒了邏輯，低聲回他：「土撥鼠哪會鑽狗洞啊，再說這洞不是你親手搭建的嗎？」

回到病房，平鳳還在，正逢韓逑回來拿他的東西，然後招呼也不打就走人了。

「這人到底是誰啊？」平鳳不知道從哪兒弄了包瓜子，邊嗑邊問，見桔年悶悶地去看非明的吊瓶，又說道，「我一直看著呢，沒事……哦，我知道了……他是不是……」

「行了。」桔年沒讓她說下去。

「法院還是檢察院的？」

「怎麼了？」

「大蓋帽，兩頭翹，吃了原告吃被告。這種人我見得多了。」

「妳見得多了？」桔年也隱約覺得這話不對，她心細，這時不由得又想起了韓逑檔散落時平鳳看到照片時的異樣。在確定韓逑真的離開之後，小聲地問出她的疑惑，「妳是不是認識照片上的人？」

平鳳點頭，「認識其中一個，就是比較年輕的那個。」

桔年沒仔細看照片，自然也不知道「比較年輕」的是誰。

平鳳接著說：「長得是人模人樣的，有錢人家的公子哥兒，姓什麼不知道，反正老說他家裡開著個什麼溫泉山莊，也不知道是不是吹牛。」

「他是……妳的客人？」

「可以說是，也不是，他替人給錢，自己倒有別的相好，我看他在那老肥羊面前也點頭哈腰地賣著好，嘻嘻……」她神祕兮兮地附在桔年耳邊說道，「這姓葉的老公子哥帶來的那老傢伙年紀大了，發神經了，其實也做不了什麼事，我都不知道他幹嘛老來，還非讓我穿那些莫名其妙的衣服，說些莫名其妙的話。嗨，反正花的也不是他的錢，咱們照收就是！」

桔年卻愈聽愈擔心，韓述是做什麼的她知道，他不會無緣無故地揣著別人的照片，於是她勸平鳳道：「我看這事不太對，妳啊，攢著點兒錢，趁早收手吧，那些人太複雜，我怕妳惹禍上身。」

平鳳咯咯地笑，「來找我的人，哪個不複雜啊，妳就別操心我了，想想妳自己吧。剛才那小白臉身上有不少油水吧，妳就算不打算跟他怎麼樣，他送上門來，該拿的妳也別心軟，憑什麼放過他啊？」

桔年也不跟平鳳扯，隨便聊了幾句，平鳳要趕去開工，她便送了出去。

平鳳還是改不了留不住錢的毛病，剛嚷著鬧饑荒，手上又添了個新背包，看桔年視線落在了包上，她笑著把包甩過來問：「怎麼樣，好看嗎？」

「好……好看。」

桔年愣了一下，因為她這時才看到平鳳掛在背包上的一個草編小玩意兒。

「什麼啊，這是。」

「兔子，草編的兔子，別人送的。」平鳳看了桔年一眼，語氣裡忽然有些不確定的東西。

「手挺巧的啊。」桔年讚歎道。

「當然，他說這樣的兔子是獨一無二的。」平鳳這才又興致高了起來。

「朋友送的？」

「嗯，是啊。」

平鳳走了，桔年返回病房的每一步卻都難掩心驚。她再了解平鳳不過了，平鳳哪有什麼朋友啊，除了那些客人，她認識的也不過是過去監獄裡的一些牢友或同行。而她口中那個「獨一無二」的兔子桔年也會編，因為那是「小和尚」教她的，入獄之前，她曾教會了當時仍是稚童的弟弟望年。

桔年覺得自己的身子一陣冷一陣熱的，頭也有些發昏。為望年，為平鳳，還有平鳳方才發自內心的笑容。怎麼可能，望年才十八歲！這個世界太瘋狂了。

她拖著遲鈍的身子，渾渾噩噩地走，在即將靠近非明病房的時候，卻一個激靈。病房外，有人在靜靜張望，那張望是如此渴盼，但腳卻不敢越雷池一步。

她還是來了，陳潔潔。

陳潔潔後來出現過好幾次，有時桔年在陪伴非明的時候不經意回頭，會看到她匆匆閃過的身影，有時是在住院部夜晚門禁時間到來之前，看到她獨自坐在公共休息區的座椅上。桔年假裝什麼都沒看見，陳潔潔出現，也未驚動她們分毫。她只是日復一日地來，來了卻不知道能做什麼，彷彿只是被一種模糊的本能所驅使，欲罷不能。

為了治療和檢查的需要，非明原本就脫落得差不多的頭髮在醫生的要求下被全部剃光，桔年給非明織了頂別致的小紅帽。那天，她把孩子的落髮收集起來，倒進了醫院的垃圾箱，回來後，聽到了來自病房附近撕心裂肺的哭泣。

在醫院的時間長了，很難不對那些哭泣、絕望、痛苦感到漠然，就連非明也一樣，她甚至已經不害怕那些形如枯槁的病友在身邊消失、死去，只是覺得失落而已，不知道自己什麼時候也有那麼一天。所以，縱然那哭泣聲如此淒涼，非明喝著姑姑餵的粥，並沒有感到意外，當然，也沒有留意到姑姑時不時地失神。

桔年知道那哭聲源自於誰，陳潔潔曾經是那麼要強的一個人，然而，非明所剩無幾的幾縷落髮輕易就壓垮了她。那是她身上掉下來的一塊肉，那是她曾經愛過的一個男孩留給她的唯一的紀念，她可以假裝孩子並不存在，然而，當她得知她努力忽視的那個存在或許即將湮滅，如何能夠不痛。更痛的是，她發現她再也不是十幾年前那個恣意飛揚的女孩，可以為了自己所愛不顧一切遠走高飛。

她如今只是活在紅塵中一個有丈夫有兒子有家庭的最普通的女人，有了太多的牽掛和羈絆，記憶裡的瘋狂青春，還有逝去的愛與傷永不復返。縱使痛哭一場，然而擦乾淚，她依然沒有相認的勇氣，是的，今時今地，此情此景，她沒有一點辦法。

有一回，韓述也跟陳潔潔遇上了。

自從那天韓述打斷了桔年和他媽媽的一場對話，不知道為什麼心裡憋著一口氣，他還是常來看非明，卻不怎麼再理會桔年。桔年自然不會主動去碰他的冷釘子，也並不為少了交流而感到有什麼不妥。反倒是韓述，雖然冷戰是由他而起，但他還是時常選在桔年在場時出現，還頻頻弄出些響動，那臉上分明寫著「跟我說話，主動跟我說話」。如果來醫院的時間正趕上飯點，他通常會順道捎來吃的，明明除了自己的，還另買了兩份，他偏跟非明說：「兩份都是韓述叔叔買給妳的，由妳挑。」等到桔年當真到醫院食堂打了飯回來，他又鬱悶得不行。

他心中原就鬱結不快，冷不丁遇上陳潔潔更是無名火起，兼之思及非明的可憐還有桔年這些年的艱難，也顧不上自己和陳潔潔以往私交尚算不薄。他迎頭就是一句，「陳大小姐，不，周太太不在家享福，怎麼就逛到這地方來了。嘖嘖，鬧出病了也不該看腦外科啊？」

陳潔潔並不打算跟他爭，意外之餘只說了一句：「韓述，這不關你的事。」

「不關我的事？」韓述好整以暇地笑了起來，「難道就關妳的事？」

「我沒有得罪你，韓述。」陳潔潔眼睛都紅了，「你也不是不知道我為什麼來，她都病成這樣了……」

「她都病成這樣了，妳又能怎麼樣？再說，『她』是誰？我可不知道妳為什麼來，裡面是妳什麼人？要不妳悄悄告訴我，讓我長長見識。」

「你別以為我不知道你為什麼針對我，韓述，你那點心思……你再想也沒有用……」

兩人都是要面子的，各自心裡計較著，也不會放開嗓門地對吵，可是他們忘了這個爭吵的位置離病房著實太近，而長久臥床的人四肢都疲乏了，唯有聽力變得異常敏銳。

戴著小紅帽入睡的非明醒了，頭疼折磨得她每一次睡眠都難以安穩，她迷迷糊糊地對桔年說：「姑姑，我好像聽見韓述叔叔跟誰在說話。」

桔年摸了摸她的臉。門外的針鋒相對還在繼續。

「真的，姑姑，我聽見韓述叔叔的聲音，還有一個阿姨，他們在說什麼？」

桔年其實早已聽見了，只不過她龜縮在自己的殼裡，拒絕理會那些於事無補的紛爭。然而好不容易睡得好一些的非明一再被驚擾，終於讓她忍無可忍。

她對非明說：「乖，妳先睡。韓述叔叔在跟護士阿姨說話呢，我出去看看。」

「……這裡根本不需要妳。」

「你又有什麼立場跟我說這些？」

……

同樣憤怒無奈找不到宣洩口的兩個人都沒有意識到桔年是什麼時候從病房裡走出來的，等到他們有所發覺，她已經靜靜地站在一側不知道有多久了。

走廊上冷得厲害，桔年身上隨意地披著件毛衣外套，湖水一般的碧色，映襯著她無波無瀾的一雙眼睛，像冰凍已久卻未凝結的深潭，像上古的玉，並不光潤，卻凝著蒼寒的一抹翠。她一句話沒有說，面紅耳赤的韓述和陳潔潔竟在看到她的瞬間不約而同地停止了爭執。

「走。」

桔年指著走廊盡頭大門的方向對兩人輕聲地說。

他們都沒有動。

「桔年……」

「求你們了，換個地方再吵，求你們了，走吧！」

她是幾乎從來都不會動怒的一個人，此刻蒼白的臉上血色泛了起來。昨夜非明的癲癇再一次發作，幾乎要了小命，桔年擔心得一晚上都沒睡，白天照例也得守著，惶惶然害怕下一次發病，此時已是心枯力竭，只求這兩人從視線裡消失。她本就不習慣待人強硬，一句話說出來，自己先有了淚光。

陳潔潔仰起頭，不讓淚水掉下來，一言不發地轉身離去。

第二十七章　小樹的夢

除夕的前一天，但凡可以出院的病人都走了，發病的人估計也忍著，什麼都等到年後再說，護士們都在值班室討論著春節怎麼過。醫院裡很安靜，安靜得像空曠的山谷，風走了，雨走了，只留孤零零的一棵小樹，靜悄悄地掉下一片葉子，沒有人察覺。

非明就是這樣一棵小樹。她閉著眼睛，想像自己還會在一場春雪後抽枝發芽，她長啊長啊，愈長愈高，枝繁葉茂，最後與繁育她的那片森林相連，同樣的枝椏同樣的樹葉，她也會開出一樣美麗的花……她遺忘了濃重的消毒水氣息，在一片綠色的馥鬱中充滿了歸宿感地恬然睡去。

後來，非明做了一個古怪的夢，夢裡有人在哭泣。她不記得在哪裡聽過這樣的哭聲，但這哭泣聲是熟悉的，熟悉得彷彿天長地久一直存在，並且早於她記憶之前與生俱來。她努力想張望，先是看到一個輪廓，然後是一張臉，再是一個因壓抑的哭泣而顫抖的剪影。

「我的孩子，我的孩子……」

「妳是我媽媽嗎？」也許因為知道是在夢中，而非明又做過太多相似的夢，所以她並沒有太多的震驚和意外，跟以前無數次一樣，媽媽又在夢境裡找到了她，唯一不同的是，這一次媽媽的臉特別清晰，清晰得像某一個擦肩而過讓她無比豔羨的漂亮阿姨；媽媽的眼淚也如此真實，她幾乎要以為它們真的打落在她掛著點滴的手背。

「妳認得我？妳真的認得我？」

非明不知道「媽媽」為什麼眼淚流得益發洶湧，她不是別人，是媽媽啊，非明當然認得她。

「媽媽，妳不要哭，否則我也會掉眼淚，我一掉眼淚，就醒了。我想妳多陪我一會。」

媽媽的聲音在抑制不住的痛哭中支離破碎，非明費了很大的勁才聽出來她在一遍又一遍地追問：「非明，妳恨不恨我，妳恨不恨媽媽……」

非明搖搖頭，喃喃地說：「恨過一分鐘。我想我只是太想念妳了……媽媽，妳為什麼不要我？」

媽媽的臉貼在非明的手背上，和著眼淚，濕而燙，非明好害怕那種過於強烈的觸感，害怕下一秒夢就碎成了午後陽光下的泡影，啪的一聲，無影無蹤，連殘片都沒有，一如她無數次醒過來，睜開眼睛，沒有爸爸，沒有媽媽。

為什麼不要我？

非明只是習慣性地問出久藏於心中的疑惑，這是伴隨她的成長而從未停息的追尋，其實她沒有期待過真的會有答案。

可是她卻聽到了媽媽在長久哭泣後的回答。

「媽媽年輕時做過一件錯事，不，也許是我這輩子做得最對的一件事……媽媽不是不要妳，為了要妳，媽媽發過一個毒誓。」

「什麼毒誓？」

「毒誓就是媽媽只要能生下妳，只要妳活著，就再也不能來看妳。」

「否則呢？」

「否則媽媽就會不得好死，非明，對不起，非明。」

媽媽說完了她的毒誓，她的眼睛裡寫著害怕和不安，非明一度以為媽媽是害怕毒誓應驗，可是她隱約又覺得，似乎不是這樣。媽媽的害怕裡還有歉疚，因為姑姑說，一個人歉疚的時候，就會不敢看另一個人的眼睛。

非明想得頭又開始有些疼，她輕輕地呻吟了幾聲，媽媽的手覆蓋在她的小紅帽上，小樹閉上眼睛，她的枝椏終於和大樹相連了。

非明說：「那妳來看我了，妳會死嗎？媽媽，我不想讓妳死……」

媽媽的表情是那麼痛，痛得非明覺得自己的心也要跟著碎了。她一隻手緊緊地揪住床單，另一隻手抓住了媽媽……她墜入了混沌的深淵，最後一絲意識消失之前，她還記得，媽媽的手是熱的。

桔年從家裡趕回來，拿來了非明非要穿的紅色小棉襖。她們都心知肚明，這個春節，恐怕要在醫院裡度過了。除了節日裡非明喜愛的紅色衣服，徵得護士的同意後，桔年還帶來了幾串紅燈籠。但願鮮豔的紅能讓她們暫時忘卻醫院的孤寒。

到了醫院之後桔年才知道，就在她離開的下午時分，非明一度陷入了相當危險的狀況，大腦甚至出現了短暫的缺氧，好在搶救及時，已經沒有什麼大礙了。

桔年不禁暗暗責備自己為那些紅燈籠浪費了太多的無謂時間，自是再也不肯離開非明寸步。非明雖然身體狀況明顯不好，但興致比以往每一天都高，她對姑姑說自己做了一個很好很好的夢，比以往每一次都好。桔年想，能夠給她帶來快樂的，即使是個夢，也實在太珍貴。

姑侄倆說了一會話，天色已經不早。醫院部分員工已經放假，只餘少數人在值班，桔年擔心連開水都沒了，早早地去準備。她提了兩個熱水壺走出去，正好聽到值班的護士長對著一個女人問道：「妳究竟是來看誰的啊？老在這兒坐著也不是個辦法啊。我看妳樣子不太好，臉怎麼了？有什麼我能幫到妳的嗎？」

那女人沒有吭聲，桔年最不愛多管閒事，低頭從一側匆匆走過，走著走著，還是放慢了步子。

「桔年。」

就在她回頭的那一瞬，她聽見有人這樣叫她。

護士長看到兩人認識，也不再摻和，施施然走回值班室。

陳潔潔站在那裡，醫院的燈光把她原本就高眺的身影拉出很長的影子，在醫院裡打過那麼多次照面，她第一次喊出了桔年的名字，桔年卻覺得這時的她彷若丟了魂。

桔年心中也有幾分惻然，她不禁想，那天她憤而讓韓述和陳潔潔走人，他們都嚇住了，沒有表示任何異議，然而她的憤怒真的站得住腳嗎？韓述為非明做了什麼自不待言，而陳潔潔是非明的血肉至親，她可以不待見這兩個人，但不能代替非明將他們拒之門外。

「妳想看看孩子嗎？」桔年幽幽地說，「其實，也不是不可以。誓言這東西是做不得準的，妳應該也清楚。只不過非明這孩子，我……我只是怕她失望。」

陳潔潔幾步衝到桔年面前，把桔年嚇了一大跳，連忙後退了幾步，背抵住了走廊的牆壁，手上的熱水壺跟水泥牆相撞，砰的一聲。

在她回過神來之前，陳潔潔從包裡掏出了一堆東西，不管不顧地往桔年並不得閒的手裡塞，桔年無處閃躲，只得放下了熱水壺。陳潔潔塞給她的東西裡，有卡，有存摺，有各種面額的現金，甚至還有不少首飾。

「妳這是幹什麼呀？」桔年接也不是，丟也不是，只得慌張地問。

此前失魂落魄的陳潔潔此刻臉上全是一種異乎尋常的狂熱，一雙眼睛亮得像黑暗裡的燭火，語無倫次地說：「這是我眼下能拿出來的所有東西，所有的都在這裡了！桔年，妳收下，我現在只有這些。」

「別……」

「我會再去想辦法的，我知道不夠，但妳先收下。」

離得那麼近，一直沒有正視陳潔潔的桔年這才看到她臉上的紅腫淤傷。桔年是個水晶心肝的人，頓時就明白了幾分，不由得也心驚。

「他打妳了？」

陳潔潔這才露齒一笑，縱然牽動了面頰上斑駁的傷，那笑容依然嬌豔動人。

「我也打他了。我的傷算什麼，他的臉十天半個月只怕都不敢見人，呵呵，這就叫貨真價實的撕破臉！」她笑得很誇張，前俯後仰。桔年沒有笑，也不願細看她眼角的淚水。

那樣賞心悅目、天造地設的一對金童玉女。桔年承認自己詛咒過、失落過，但她想起了「小和尚」曾經看著這張嬌美面龐時留戀而動情的目光，此時此刻，如果他也在默默看著這一幕，他的心會疼嗎？她是「小和尚」愛過的人，而「小和尚」，是桔年的所有。

陳潔潔在桔年的沉默中笑夠了，笑累了，表情迷茫而恍惚，像一個迷路的孩子，而且她迷失得太遠。即使如今有了方向，卻再也回不了家了。

「桔年，桔年，妳也夢見過他嗎？」

桔年扭開頭去，她拒絕談論這個話題，心卻跟著顫了。她自私地不肯說出來，她從不夢見他，因為他一直都在。

陳潔潔抬頭去看天花板上的照明光，直視著它，久了，光暈一圈一圈的，讓人有種不真實的錯覺。

「我知道妳也忘不了他，所以妳才替我這個不負責任的媽媽照顧非明……我卻不想夢見他了，我過得很好，我很幸福，是他不肯來找我，他違背了我們的誓言，所以我一定要幸福，氣死他，氣死他！」她一直仰著頭，桔年可以看到眼淚在她的腮邊流淌，每一滴淚水在光線的照射下，晶瑩到罪惡。

陳潔潔的笑聲被喉間的嗚咽吞沒，「我都忘了，他早就死了。妳親眼看見的，他死在妳身邊，我看不見，他只叫我等著他，連道別的話都沒有說。」

「夠了。」桔年不想再聽下去。

「他怪我了，怪我不負責任，所以要把非明帶走。不行，巫雨，你不能帶走她，我要這個孩子永遠提醒我記得恨你，我等著你，但是你沒來。」

她搖搖晃晃地蹲在地上，像孩子一樣號啕大哭。青春宴席早已經散場了，剩下的該由誰來埋單？

桔年在哭聲中走了神，她自己也不知道她的心飄到了哪裡。最後只知道哭泣的陳潔潔一隻手抓住了她的褲管。

「對不起，對不起，妳可以看不起我，但是我要非明，求妳讓我帶她走！」

桔年發出空洞的笑聲，「帶她走，去哪裡？」她用只有自己和陳潔潔聽得到的聲音道，

「醫生下午剛告訴我，檢查結果已經出來了，非明的腫瘤是惡性的，而且已經在擴散。現在妳還要帶她走嗎？」

「妳騙我！」陳潔潔囈語一般。

「我希望我騙妳。」每一個字說出來，其實都是痛，鈍刀子割肉，不得安生。

陳潔潔怔了好一會，站起來之後，她擦乾了眼淚，那種桔年熟悉的決絕又回來了，「我會再離婚，然後拿到我應得的。花光所有的錢我也要救她，我再也不會讓非明離開我。桔年，我只求妳，求妳讓我認回她。」

桔年沒有說話，其實不光是她，陳潔潔應該也知道，做為一個母親帶走她的女兒，天經地義，沒有人可以阻擋。但陳潔潔選擇了哀求，想必她也明白，這錯失的十一年，是多麼難以挽回。

她們驚動了不少人，護士長的頭從值班室伸出來又縮了回去，桔年的視線穿過陳潔潔，落在了她身後的某個點。

她低聲說：「就讓非明來做這個決定吧。」

陳潔潔也在這個時候回過頭去，十幾步之遙的病房門口，她看到了一個小小的身影，還有鮮豔得讓一切失色的小紅帽。

第二十八章 終歸有個地方等待我們回家

等桔年回到病房的時候，非明已經好好地躺在了床上。桔年都已經忘記了，非明已經有多久沒有在無人幫助的情況下離開那張病床，況且她當時一隻手還高高舉著正往自己靜脈注射的吊瓶，究竟要有多大的力量才能支撐著她日益虛弱的身體完成那幾秒鐘的張望。

現在，桔年坐在她身邊，她把被單拉得老高，幾乎覆蓋了她鼻子以下的全部身體，小紅帽的帽簷也拉了下來，遮住眼睛，儼然一副不看不聽不說的姿態，手腕針頭附近的膠管裡，還有淡紅色回血的痕跡。桔年心下全是憐惜，不知道為了什麼，非明要承受這樣的苦。

桔年知道非明心中必然有所察覺，也許陳潔潔已經見過了孩子，事情到了這一幕，遲早是瞞不住的，與其欲蓋彌彰，還不如讓一切順其自然。

於是桔年對非明說：「妳應該也知道了，外面那個阿姨就是妳心裡一直等著的那個人。妳不是個孤兒，妳的親生媽媽回來找妳了。」

非明像跟床單融為一體的化石般一動不動。

桔年心裡也亂糟糟的，低著頭胡亂地揪扯著床單上的一根線頭。良久，她才又開口道：「我是不是應該讓妳和妳媽媽單獨待一會？」

這一次她同樣沒有等到非明的任何回應，只是白色的被單下有了些許起伏。桔年伸出手去撥開了非明遮住眼睛的帽簷，果然，那孩子緊緊閉上的眼睛裡早已溢滿了淚水。桔年再也沒說什麼，她悄無聲息地起身走了出去，把自己的位置讓給了一直佇立在門外垂淚的陳潔潔。

一對母女，兩端眼淚，她夾在中間，又能怎麼樣呢。

桔年刻意想走遠一些，給她們更多的空間，她們看不見她，才能更自在地流淚。無奈室外淅淅瀝瀝地下著雨，她便坐在一樓大廳的椅子上，茫然地看著外面被雨幕覆蓋得灰暗朦朧的小天地。

過了一會，面朝大廳的電梯門敞開，韓述從裡面快步走了出來。他眼睛紅紅的，面有戚然之色。桔年方才沒有見到他，想必他是從孫瑾齡那裡得知了非明的情況。

大概韓述也沒有想到會在大廳裡碰見桔年。平日裡人來人往的住院部一樓，而今只坐了她一個人，那情景，就好像末班車都已開走了的車站，徒留下一個乘客，寂寞旅途，淒風苦雨，沒有方向，沒有位置，沒有伴侶，更沒有歸途……

韓述走過來，坐在跟她間隔了一個位子的座椅上。他彎下腰，手肘支著大腿，手指插進髮間。他信心滿滿地為非明爭取到轉院，沒有想到等來的竟然是這樣一個結果。

「我……」

「韓述，我能求你件事嗎？」桔年依舊看著沒完沒了的雨幕，有些木然地開口。

「妳說！」韓述頓時直起腰來，他不知道還能為她做什麼，只知道但凡她肯說，沒有什麼他不願意做。

桔年說：「求你不要安慰我。」

她不是不知好歹，也並非不近人情。言語的慰藉即使出自善意，其實，除了再一次提醒當事人是多麼可悲之外，再無別的用處。該發生的還是會發生，該傷心的一樣會傷心。有時候桔年甚至覺得悲傷是一種不可分擔只會傳染的東西，沒有任何一劑猛藥能將它遏制，唯一的解藥只有接受而已。至少她就是這樣的一種人，如果她傷心，怎麼都不會釋懷，只會想通，只會習慣，然後把它當成一種常態，也就沒有什麼過不去的了。

桔年知道韓述想讓她別那麼難過，但是，她也知道如果他再說下去，她會流淚，然後發現原來還有人跟自己一樣難過，悲傷的感覺益發真切，她只會更加難過。她害怕在這樣一個被淒冷冬雨填滿的午後淚眼相對，哭過後散去，大家發現自己如此無能為力，那會讓她感覺更加孤獨。

韓述很長時間沒有吭聲，桔年可以想像他咬著牙的模樣，他在試圖忍耐。最後他說了一句：「是啊，反正橫豎都是個不可能，我又何必浪費唇舌，獻無謂的殷勤。」

說話間他已經站了起來，看似隨意地說：「非明的盒飯我照例是多帶了一個，待會護士長會拿給妳們，妳別以為我錢沒地方花，明天就是除夕，醫院吃飯的人少，今天食堂已經停了伙食，外邊也別想輕易買到吃的了。」

他的車停在門口露天處，桔年看著他一路跑著衝進雨裡，筆挺的黑色大衣，瞬間就濕得一塌糊塗，而他從電梯裡走出來時手裡拿著的傘還擱在她的腳邊，雨傘沒有全乾，每一個褶皺都整理得服服貼貼。

桔年一直坐到陳潔潔從醫院裡離開，她回到病房，虛弱的非明、白色的背景、永遠打不完的點滴，跟以往一樣，沒有任何的不同。非明倒是醒著，雙眼茫然地看著天花板，不知道心裡在想什麼，也不知道不久之前她和她的親生母親經歷了什麼。

給她們送飯過來的不是護士長，而是值班的孫瑾齡。她把幾個餐盒放在非明的床頭櫃，一手插在白大褂的口袋裡，一手掀開其中一個餐盒看了看，淡淡地說：「我說是怎麼回事呢，最近他天天回家吃飯，我不在家的時候，就在廚房守著家裡的阿姨給他換著花樣做，哈。」

桔年還猜不透孫醫生最後那一聲笑究竟是什麼意思，也不打算往下想，只說了聲「謝謝」。孫瑾齡出去後，她打開尚是溫熱的「速食」，蘆筍肉絲配培根鱈魚捲，外加一盅山藥煲小排，居然還另有兩杯新鮮的檸檬茶。非明什麼都吃不下，勉強喝了桔年餵的一點湯。桔年也沒什麼胃口，但是看到眼前這番，還是每樣都吃了一點，胃裡充實的感覺才讓她真實感到自己仍在人間，仍需要那點兒煙火氣息。

收拾餐盒的時候，似乎忘卻了語言功能的非明忽然對桔年說了一句：「姑姑，我要回家。」

不知道是因為對非明病情的考慮，還是緣於節日特有的氛圍，或者還有孫瑾齡的默許，總之，桔年帶孩子出院回家過年的請求意外地得到了院方的准許，只是要求病人如感不適，隨時就診，並且春節一過，立即返院。

除夕一大早，是唐業開車來接桔年姑侄倆回的家。唐業的重感冒基本上痊癒了，可是一張臉上雙眼深陷，容光黯淡，竟比病時更為憔悴。桔年簡單問起他的近況，他只是說，檢察院的人後來還找了他幾次，照舊是無休無止地盤問，但是除了限制離開本地，其餘的行動尚未受到影響。

除夕是中國人一年一度的大日子，但是老天似乎存心跟人間的喜慶作對，天暗得像罩了一口大鍋，雨一夜沒停。到了早上，雨水開始夾著細細的雪粒打了下來，冰碴子和著潮濕的風撲面而至，刀割似的，這是不少旅居南國的北方人也忍受不了的附骨之蛆般的寒意。

非明從坐上唐業的車子開始，精神明顯地好了起來，她靠在姑姑的身上，張大眼睛朝車窗外張望，白得泛青的面孔上竟然泛起了淡淡的嫣紅。車子經過火車站時，非明更是萬分好奇地看著車站廣場上的人頭攢動。姑姑說，那麼多的人冒著雨，冒著寒風，都是為了一個共同的理由——回家。

「我也可以回家了。」非明喃喃地說。

桔年摸著她滾燙的臉蛋連連點頭，那個被全世界遺忘的破敗院落，總歸是個可以收納她們身體乃至靈魂的所在，她跟非明一樣，忽然無比渴望回到那個地方。

唐業幫她們安頓好，末了，他說道：「桔年，今天是年三十，要不妳和非明就去我家一塊吃年夜飯吧。」

桔年猶豫了一會。

唐業接著說：「也沒別人，我也是個離孤家寡人一步之遙的主兒，姑婆在家做飯，老人家怕孤獨，她也讓我叫上妳們。」

桔年的顧慮其實也不是沒有道理，唐業已經是她們少數可以親近的人之一，自然沒什麼可見外的，但是一則非明重病在身，大過年的，傳統一些的人家會覺得晦氣，她不願意給別人添麻煩；再說唐業的姑婆過去雖然待她不錯，但是經歷了跟蔡檢察長那一次的接觸，桔年相信自己的底子早就暴露在老人家面前了，唐業不介意，並不代表他姑婆也不介意。

「過年其實有什麼意思，不就是圖個熱鬧，讓大家都感覺沒那麼寂寞嗎？相信我，姑婆也知道非明身體不是太好，她很心疼妳們。」

「那……蔡檢察長呢？」桔年回頭看了一眼，非明眼裡分明也有期盼，她何嘗不想給孩子一個溫暖的節日，可是她無法想像再跟蔡一林同桌用餐的畫面，那只會讓她食之無味。蔡一林膝下無人，丈夫又亡故了，除了唐業這個繼子，她還能跟誰團聚去？

唐業笑道：「阿姨不跟我們吃年夜飯的，這種日子她都要陪他們檢察院值班待命的同事一塊過。她總是說，只要還有一個同事因為工作不能回家過年，她就要跟他們並肩作戰到底。妳別不信，我阿姨就是這麼徹底的一個職業女性，沒什麼比她的工作更重要的事了。」

桔年想起蔡一林永遠一絲不亂的髮髻、挺直的脊背和利刃一般的眼神，可她依然懷疑，一個女人真的能把工作看得比一切都重要嗎？還是因為有些人除了工作，其實已經一無所有了？不管怎麼樣，在得知蔡檢察長不會出現在年夜飯的餐桌上之後，桔年確實心動了。

「姑姑，我們去吧，妳現在也來不及準備什麼好吃的了。」非明已經按捺不住，牽著桔年的衣袖可憐巴巴地央求。畢竟還是個孩子，有那麼幾秒鐘，桔年甚至忘記了非明其實已經吃不下什麼東西。

唐業佯裝不快，「妳再不答應就是跟我見外了。」

桔年拉著非明的手也笑了起來，「那我真的可以省了不少事，做飯一直都不是我的強項。」

既然打定主意要跟唐業一塊吃年夜飯，桔年便也不急著去張羅晚飯，非明躺回小床後，她和唐業聊了一陣，唐業的手機就響了。

唐業接電話沒用多長時間，從飄雨的廊簷走回來後，他對桔年說：「姑婆年紀大了，老是到了派上用場的時候才知道忘記買最重要的東西，這不，飯都開始做了，才想起還有些必備的材料沒買呢。這樣吧，我回去看看她，妳們先休息一會，中午的時候我就過來接妳們。」

桔年自然沒有什麼意見。送走了唐業，嚷嚷著不想睡的非明也慢慢睡著了，她便坐在正對著院子的窗口下，看著院子裡滿地被雨水泡開了的枯枝殘葉。

「又一年了。」她對看不見的巫雨說。

雨打屋簷的沙沙聲在回答她。

每當她靜靜坐著的時候，時間流逝的速度是驚人的，所以桔年毫不意外十一年就這麼眨眼間過去了。跟唐業約好的中午來得很快，桔年叫醒了非明，換上她的小紅襖，等著唐業的車輪聲。

將近一點鐘的時候，她們等來了唐業的電話。

唐業在另一端心急如焚又不知如何是好，他說：「我阿姨在城南院跟留守的同事包餃子時急性心肌炎發作了，現在已經在送往醫院的途中，情況很不妙，阿姨身邊沒有什麼人了，桔年，我……」

他還沒有說完，桔年已經明白了，趕緊飛快地答應著：「我們沒事，你快去忙你的，病人要緊，你不用惦記著我們這邊，一切等她好轉了再說吧。」

非明換好了衣服，半靠在床頭照著一面小鏡子，見狀有些困惑，忍不住問道：「姑姑，唐叔叔什麼時候接我們一塊去過年啊？」

桔年走過去，俯下身將自己的額頭輕輕抵著非明頭上的小紅帽，笑道：「跟姑姑兩個人過節不也是很好嗎？姑姑馬上買菜做飯去。」

第二十九章 一門之隔的世界

桔年手忙腳亂地把熱騰騰的清蒸魚從鍋裡端出來，燙得她直甩手，就在這時，她隱約聽到了大門處傳來的動靜。已經是下午五點左右，按照當地的風俗，除夕年夜飯普遍吃得比較早，飯前照例是要放鞭炮，零落的劈啪聲中，桔年用了很長的時間才斷定那一陣陣叫門聲並非是幻聽。

非明仍是靠在床上看她喜愛的韓劇，迷迷糊糊的，手裡還抓著遙控器，見桔年走過來，便揉著眼睛問：「姑姑，晚飯好了？」

桔年一邊朝院門走去，一邊回答說：「馬上就好，我去看看是不是唐叔叔來了。」

她拿了把傘穿過門廳走至小院，鐵棍焊就的院門外果然有人，但是並非是她意料中的唐業，而是一手握住一根鐵棍，一手徒勞地遮擋著細雨的韓述。

看見她的人之後，門外的韓述顯然鬆了口氣，「千呼萬喚始出來啊。」

桔年卻駐足不再近前，這個時候韓述的出現可以說是意外，也可以說不是意外。之所以說這麼矛盾的話，因為自打兩人重逢開始，他一直都是陰魂不散的。可今天的日子特殊，他縱有一千個膽子，也不敢在一年一度團圓飯的時節拋下父母跑到她這裡胡鬧，更何況一天之前他剛在她面前負氣而去。

韓述見她不動，頓時有些耐不住了，沒好氣地抱怨道：「妳吃了定身丸了？快給我開門，衣服都快濕透了。」

他說得如此理所當然，就像一個晚歸的丈夫，桔年卻輕易打破了這種讓他滿意的親暱氛圍。她撐著傘，雨水讓他們的距離看起來更遠一些。

「你有什麼事？」她問得很是小心。

韓述頓足，「妳非得隔著這個破鐵門跟我說話嗎？這也不是待客之道吧？」即使有一隻手擋在頭頂，但他的頭髮還是基本濕透，一縷縷地貼在額前，看起來很是狼狽。

桔年說：「今天不是待客的日子，大過年的，你來這兒幹什麼，別鬧了，回去吧。」

韓述看來是真急了，單手抓著鐵門直晃，「妳能不能讓我進去再說，這雨澆在身上真不是開玩笑的。」他抹了一把臉上的雨水，指節蒼白得泛青，想來真的是冷得厲害，話音剛落，還很應景地哆嗦了一下，側身打了個噴嚏。

桔年猶豫了一會，惻隱之心似乎讓她拒人於千里之外的態度有了一絲軟化，她上前幾步，與他一門之隔。

韓逑剛升起的期待很快就熄滅了，他看見桔年伸出手，一度誤以為她要將門打開，誰知她卻是收了手裡的傘，欲從鐵門縫隙中塞過去給他，「傘拿著，你原先那把我放在了孫醫生的辦公室，我……我先進去了，你趕緊回家吃飯吧。」

韓述安靜了一會，沒有去接桔年遞出來的雨傘，他隔著髮間流淌下來的水滴和雨幕端詳著她，好像剛剛才發覺，她那麼不善於強硬的一個人，對他的拒絕之意卻是如此堅定。他一度以為自己那麼地努力，已經離她近了些，更近了些，其實不然，就算此刻，不過是一步之遙，她的門從來就沒有想過為他開啟。她在她一門之隔的封閉世界裡，他在門外，是遠還是近，其實沒有區別。

她不知道這個除夕他經歷了什麼，忙碌、疲憊、驚愕、憤怒、委屈……韓述覺得自己已經到了極限，全世界沒有比他更倒楣的人了，全世界都跟他過不去。在那扇和她一樣固執緊閉的鐵門面前，所有的負面情緒忽然攀至頂峰，他退後一步，毫無風度可言地抬腿在鐵門上狠狠踹了一腳，「我就這麼招人厭！」

那可憐的鐵門在他們上次爭執的時候已經壞過一次，後來在財叔的幫忙下重新立了起來，也是個防君子不防小人的「豆腐渣工程」，韓述發洩而出的一腳之後，那鐵門震了震，邊緣的粉塵和著泥塊呼啦啦地往下落，有一小塊甚至打到了桔年的褲腿上。

桔年慌張地退後一步，好在鐵門一息尚存，搖搖欲墜尚未倒下。她在這難以收拾的情境下竟然荒唐地生出一種可笑的感覺，怎麼會有這麼無賴的人，他明明正在做著讓人討厭的事，還一邊問，我為什麼會這麼討人厭。

她漠然地掉頭回屋，心裡卻不得不惴惴不安地想，要是他發起瘋來再補上一腳，鐵門真的犧牲了，不知道還能不能再立起來。

然而韓述補上一腳的慘劇並沒有發生，桔年走到屋簷下，才聽到一個可憐兮兮的聲音，「我被老頭子趕出來了。」

「啊？」桔年一驚，愣愣地轉身看他。在桔年一貫的印象裡，韓述雖然無賴且不講道理，但是他很少說謊。

韓述站在細雨中，垂頭喪氣的，可那彆扭勁卻仍在，他踢著鐵門邊上掉下來的小泥漿塊，不情不願地說道：「我沒地方去，行了吧。」

桔年猶有些不信，她早些時候聽非明說過，韓述跟父母並不是住在一起的，即使他真的跟韓院長鬧了彆扭，終歸也不是沒有容身之處，何況以他的本事，要找個收留他的去處實在不算件困難的事。

韓述好像猜到她心裡在想什麼，繼續說道：「我知道妳不信，可是我現在的住處還是老頭子付的全款，在他名下……我就想爭口氣，讓他看看，我不是離了他就活不了。」

「何必呢。」桔年是沒有得到過父母任何庇蔭的人，所以她無法理解韓述這樣的人苦苦想要證明的是什麼。

「我沒那麼不要臉，妳說不可能，我認了，也不想幹什麼，就想找個地方喘口氣……」

屋簷下穿堂風掠過，桔年感到刺骨的涼意，韓述要面子，沒有在雨中瑟縮發抖，可她知道他想必是冷透了。桔年沉默了，她不是鐵石心腸，也不是非得看他受苦才能從中收穫快慰。換作別的時候、別的地點，容他小坐也不是不可以，但這裡不同。這是「小和尚」生活過的地方，收納著她所有不願示人的記憶，是她堅守的最後一方只屬於她和「小和尚」的天地。她可以容忍唐業這樣與回憶完全沒有交集的人偶爾踏足，但是韓述不行，唯獨他不行，她不要這僅有的一寸安靜的角落也被他驚擾得天翻地覆。

她只顧著思前想後，不知道此處的動靜已經引來了床上的非明，非明從姑姑手臂旁鑽出來，看到門外的人，又是驚又是喜，大叫一聲「韓述叔叔」，眼看著就要撲過去開門。

桔年趕緊一把摟住非明，心中仍然害怕，這孩子連外套都沒披，還想一頭衝到雨水裡，那會要了她的小命！

「姑姑，韓述叔叔來了，他淋雨了，會生病的！」非明被桔年攔在屋簷下，仍拚命探出頭看著門外的韓述直嚷嚷。

桔年侷促地回頭，只見韓述一言不發地立在鐵門外，他不再發火，也不再開口請求，渾身濕答答地看著她。這廂還在她懷裡的非明也是睜大了眼睛，滿是困惑。在這兩雙眼睛的前後夾擊之下，不知道為什麼，桔年感到孤立無援。

在非明再一次喊著「韓述叔叔」，試圖掙脫桔年的桎梏要奔去開門之後，桔年穩住了這瘦得只剩一把骨頭的孩子，用從來沒有過的嚴厲目光瞪著非明，厲聲喝道：「別鬧，妳知道他是誰嗎？」

這孩子，她只念著韓逑的好……她什麼都不明白。

非明不敢動了，她雖有些小任性，但到底還是個聽話的孩子，姑姑驟然冷下來的容顏和眼裡看不懂的東西讓她覺得陌生而驚恐，她低下頭，一雙大眼睛泫然欲泣，老老實實地回答道：「他是韓述叔叔。」

在這樣簡單的一句回答面前，桔年的唇顫抖著，居然一句話都說不出來。是，她無言以對，門外的那個人，是非明喜愛、崇拜，甚至假想為父親的韓述叔叔。她能怎麼反駁？難道她要說，他是間接讓妳淪為孤兒的罪人，他是姑姑十一年孤獨的禍端？

然而，事實真的是這樣嗎？

有時她覺得是的，有時，她又覺得不是。

十一年了，已經走到這一步，什麼是因，什麼是果，什麼是真，什麼是幻？

桔年脫下身上的外套，緊緊地裹在了非明身上，非明的眼淚流了下來，唐業的失約已經讓她失望過一輪。對桔年來說，這一扇鐵門把守住的小小院子是她最渴望的安寧，但對孩子來說，是與生俱來的孤寂。

「妳站在這兒別動。」她害怕這孩子再不要命地往雨裡跑，帶著點警告意味地對非明說。然後她一步步走到搖搖晃晃的鐵門前，不去看韓述此時做何表情，低頭掏出一把小鑰匙，插進鏽跡斑斑的鎖孔裡。

鎖孔旋轉，桔年聽見那彈簧輕微地㖸嚓一聲，門開了。

韓述推門而入，一步踏在被雨水泡得綿軟的枯葉上。這一段時間以來，桔年忙於照顧非明，哪裡顧得上收拾拂掃，水吱吱地從鞋底邊緣冒了上來。桔年沒有招呼他，已經先領著非明走進屋裡，他厚著臉皮尾隨著跟了進去。他以往從沒有得以進入這屋內，也素知她們日子過得清寒，心中雖有準備，但看到昏暗老舊的屋子裡，除了必備的生活用具外幾乎空無一物，再配上枯葉遍地的院落，有種說不出的破敗寥落之感。他是個注重生活品質的人，吃穿用度無不講究個精益求精，乍一看她們多年來過的竟是這樣的日子，強烈的心理落差之下，如鯁在喉，說不出的酸楚艱澀。

韓述四處打量的空隙，桔年取了塊乾毛巾，默默地遞給他。他心中難過，又恐她看穿，便管不住那張賤兮兮的嘴。只見他嘖嘖有聲，邊擦著濕漉漉的頭髮邊說：「我看妳這院子裡亂七八糟的東西要是都賣給收廢品的傢伙，換來的錢就足夠讓我現在提前退休，安享晚年了。」

桔年聽罷，無限同情，「那恐怕你的晚年得很短才行。」

「英年早逝」的韓述很明智地在這個話題上打住了，因為他無法判斷謝桔年這傢伙是完全喪失了幽默感，還是在跟他講一個冷得青出於藍的笑話。

不知是什麼緣故，老房子更容易令人感覺陰寒一些，屋裡也沒有暖氣。韓述的手冷得半僵，好不容易擦得頭髮不再往下滴水，實在忍不住又打了一個噴嚏。非明已不肯躺回床上去休息，搬了張凳子緊緊地挨著她的韓述叔叔坐著。桔年見狀，只得將非明平時用的一個小小的電暖器拎了出來，放在兩人的身畔，韓述趕緊拉著非明一塊將手靠近電暖器烤著，好一會，才覺得渾身的血液又開始迴圈起來，這時濕漉漉的衣服貼在肌膚上的不適感益發明顯。

他脫了外套，裡面的薄毛衫和襯衣也被雨水濡濕了一大片，別人程門立雪，他是謝門立雨，目的似乎達到了，後果也很嚴重。也不枉費他疼了非明一場，小傢伙見狀，當即就哇哇地叫出來，「韓述叔叔，你這樣是要生病的！」

韓述空抖著自己身上的衣服，咳了幾聲，適時地對桔年提出了一個看似合理的請求，「那個……我能不能借用一下妳們的浴室洗……洗個澡？」

他實在是謙恭，但桔年也實在是意外兼為難。在她看來，容許他踏入這個屋子已是她的底線，想不到他會繼而提出這樣的要求。

桔年訥訥地說：「你不是說坐坐，緩口氣就走嗎？」

韓述睜大眼睛，「我是這麼說的，但是妳看我一身都濕成這樣了，天又冷，再不換下來非得感冒不可，我現在也沒個人照顧，給我煮粥什麼的，也許感冒就成了肺炎，肺炎就成了腦膜炎，到時別說緩口氣，別斷了氣就算是好的了。」

說完連呸兩聲，大過年的，他以前可不會說這樣的話，不過跟謝桔年對話多了，就會很自然地說一些莫名其妙的對白——不過，有效果就行。

桔年勉強一笑，「我這兒也沒有給你換洗的衣服啊。」

「有的，姑姑，妳忘了，妳房間裡……」

「非明！」

童言無忌，桔年蹙著眉打住了孩子的話。非明沒有心眼，她只是想留住她的韓述叔叔，哪裡知道一句話足以讓姑姑滿臉通紅，尷尬莫名。

「那都是妳斯年爸爸的舊衣服，韓述叔叔怎麼能穿？」

韓述沉默地看了她們姑侄倆一眼，欣然站了起來，「這個不是問題，我車上有換洗衣服，只是借一借妳們的地方。」

第三十章 韓院長的兒子

韓述很快從停在門口的車子裡取來了他的東西。桔年發現他說他有「換洗衣服」簡直是太含蓄了。他拖進來一個幾乎可以容納非明的皮箱，豈止是換洗衣服，就算他說他帶夠了流落荒島生存一個月的物資，桔年也會相信的。她開始認真思索，允許他進來，並且答應他一步步提出的得寸進尺的要求，是不是一個很不明智的決定。

其實，韓述備的東西是很齊全，不過這也不能簡單地歸咎於「狼子野心」，他本來就是那種出差在外、旅居酒店也會帶上一條乾淨床單的男人，至今他仍無法明白為何唯獨在面對謝桔年時審美如此特殊。

因為身上確實濕冷得厲害，更害怕桔年忽然推翻之前的默許，韓述沒敢囉唆，在非明的指點下很快進了這屋子裡唯一的一間衛生間。

關上門，裡面很窄，但是好在很乾淨。最普通的白色瓷磚，其中一面牆上鑲著面小小的鏡子，韓逑急不可待地除去讓他無比難受的衣服，站在噴灑著熱水的花灑下，一身的狼狽濁氣蕩然無存，滿足得恨不能長歌當哭。

他用手指穿過濕漉漉的頭髮，在蒸氣氤氳中，透過眼前那面鏡子看到半裸的自己，然後伸出手去拭鏡子上的水氣，有種不真實的觸覺。她的浴室，她的鏡子，這鏡子裡也曾映照過她的影像……水太熱了，韓逑調涼了一些，身上還是燙，煮熟了的蝦子似的紅，還是一隻特別傻的蝦子。他沒敢往下想，抓起一旁小架子上的沐浴乳往身上胡亂地抹，不知名的牌子，香氣清淡，她身上也是這樣的味道。韓逑覺得自己都魔怔了，手忙腳亂的，不知怎麼就打翻了架子上的東西，那傾倒的瓶瓶罐罐滾落下來，驚動了外邊的人——這衛生間原本就與廚房相鄰，韓逑聽見桔年好像走過來幾步，似乎也沒好意思出聲，又回到廚房裡繼續忙她的沒做完的活兒。

衛生間除了一扇薄薄的門，還有個小小的窗戶，掛著淡青色的簾子，韓逑不知道自己在裡面待了多久，他隔著影影綽綽的窗簾，聽著她在廚房裡發出的響動，鍋碗瓢盆的聲音如此親近。韓逑忽然想起很遙遠了的朱小北說過，太容易感歎是蒼老的前兆，可他願他就這麼老了，白髮蒼蒼地走出去，問一句：「飯好了沒有？」

「姑姑，韓逑叔叔洗了好久，怎麼還沒出來，他不會暈在裡面了吧？」

這是非明的聲音，韓逑為她的推論感到汗顏，正想輕咳兩聲打消她的疑慮，忽然聽到廚房裡水龍頭大開的水流聲，然後花灑的水驟然變小，水溫攀升，燙得韓逑情不自禁地「哎喲」了一聲。

「聽見了吧，沒量。」他隨後聽到桔年很自然地向非明陳述了一個事實，頓時氣結，連上吊的心都有了。咬人的都是不會叫的狗，這女人心忒恨，做的事忒絕。

如此一來，韓述也不好意思再在裡面待得太久，匆匆擦乾自己，套上衣服，就跟非明一塊在廚房外看著桔年為晚飯做最後的準備。

桔年正在煲著一鍋湯，回過頭看見韓述心安理得等著晚飯的模樣，猶豫了一會，還是問道：「你真的要在這兒吃年夜飯？」

韓述一副天地良心的表情，「我的食量真的不算很大。」

「不是。」桔年在圍裙上輕輕拭了拭手，低聲道，「我是說今天這個日子，你爸媽……」

好不容易神清氣爽的韓述眼裡又閃過一絲陰霾，他竭力用聽起來沒有那麼沉重的語調說：「嗨！就是老頭子翻臉了，這事說來話長……對了，我乾媽病了妳知道嗎？」

桔年不語，韓述繼續往下說：「我今早上還加著班呢，拖著老胡、小曾他們幾個，這案子辦到現在，費了那麼多工夫，大家心裡都憋著一口氣，非弄個水落石出不可。快中午的時候，廣利的滕雲給我打了個電話……」韓述說到這裡，有些不確定地看了桔年一眼，「滕雲妳知道吧？」

桔年含糊地「嗯」了一聲。

韓述顯然開始慎重了起來，他在掂量著組織句子，「他單獨約我出去談了一會，也提供了一些我們原先並不掌握的證據……我得說這些證據對我們來說很有意義。」

桔年專注地看著她的湯，韓述不能確定她有沒有聽進去，她既然對滕雲這個名字有所知覺，那麼在如此敏感的關係中，竟然連提問的打算都沒有，這實在讓他有些不能接受。

他試圖觀察她的表情，未果，於是斟詞酌句地說：「有時候我覺得自己不能理解那種『規則外』的感情，不過滕雲這個人讓我很觸動。怎麼說呢，這件事他本來可以不受牽連，但是他一心想著幫助唐業脫身，甚至，甚至很荒唐地提出願意填補那個巨額虧空。」

「這是你乾媽病倒的原因嗎？」桔年出其不意地問道。

「嗯……其實我也不知道事情是怎麼發生的，我乾媽對唐業這個便宜兒子是很上心的，但是她之前應該不知道唐業『那方面』的事情……妳別看著我，對天發誓，我什麼都沒有說，可這事捅到這個地步，紙包不住火，她知道也是早晚的事。見過滕雲之後，我回院裡跟老胡他們交換了一下意見，因為老媽催著我回去吃飯，我就先走了。乾媽一貫都是陪留守的同事吃年夜飯的，這也不是第一回了……後來，我回了家，本來什麼都好好的，除夕嘛，年年還不是一樣過，可老頭子偏喜歡問我工作上的事，我見他有興趣，說實話，也想聽聽他的意見。跟滕雲的談話證實了我們之前的一個猜測，唐業跟王國華一樣，他吞不下那麼多，大部分還是代人受過，而他背後的人……」

韓述的手指在廚房的門框上反覆畫圈圈，桔年始終背對著他，說到這裡，他也有些迷惑，「妳難道不關心？」

桔年回頭，「我在聽的。」

「其實這事我本不該說。」韓述指尖的圈畫得更沒有章法了。他想說其實他沒把桔年當外人，這話他說不出口，但他覺得桔年應該是知道的，正因為她與唐業的親厚，所以有些事情她心裡應該有個數。

「妳還記不記得之前有一次我到醫院看妳們，從檔袋裡掉出的那張照片？」韓述問。

桔年心中一動，很自然地想起了平鳳說起她認識的照片裡的「老公子哥」，還有「老公子哥」介紹的「老肥羊」，難道這跟韓述的案子也有所關聯嗎？

「呃，我記得，不過照片我沒仔細看。」

「那上面有兩個人，一個是廣利的負責人葉秉文，一個是省建設廳副廳長鄒一平，他們之間一直有著聯繫。過去我們就懷疑鄒一平才是操縱王國華、唐業之流的小嘍囉後面拿大頭的人，今天跟滕雲的談話進一步證實了我們的線索沒有摸錯，而且他願意配合我們搜集證據。」

「建設廳副廳長？」桔年默念著這個陌生而遙遠的官位。

「是啊，牽扯太大了，我心裡其實也沒個譜，所以跟老頭子談的時候，我就提到了這件事。」

「他不讓你繼續查下去？」

韓逑沉沉點頭，「其實我知道我們家老頭子跟鄒一平還算有點交情，過去還一塊去釣過魚什麼的，但是他從來不是會因為那點交情就放棄立場的人。相反，我爸在政法這一行當幹了半輩子，他最恨的就是以權謀私、拿黑錢的勾當，所以我才希望在正式上報之前聽聽他的意見。我完全沒有想到他一味地質疑我的判斷，認為我的消息來源本身就有問題，而且還指責我妄下結論。」

說到這裡韓逑顯然有些激動，而且苦惱，看來這件事確實對他造成了極大的困擾。

「我知道我還沒有確鑿的證據，但是現在很多線索都指向他，我並不是沒有根據地胡亂推測，而且我爸也沒有能讓我放棄對鄒一平懷疑的理由。我就知道從小到大在他眼裡我都是一副不成氣候的樣子，我什麼都不如他，我做什麼他都覺得不對，再努力地證明給他看，他也是輕而易舉地就否定了。他那雙眼睛赤裸裸地寫著，如果我不是韓設文的兒子，根本什麼都不是。其實……我真的已經很努力了，生來就是他的兒子不是我的錯！」

「你自己知道就行了。」

韓逑頓了一頓，他不確定桔年是不是在安慰他，過了一會，他長吁了口氣，「所以我沒有鬆口，就事論事地跟他論了幾句，他就發脾氣，要我節後立刻到市檢察院報到，不准有半天耽擱，而且手頭上的案子不管進程如何都要放下……我說憑什麼啊，他又不是我們檢察院的頭，有什麼資格那麼獨裁地安排我的工作，難道還像小時候，他要我學什麼，不管我喜不喜歡，都得讓他老人家滿意？他知道為了這個案子，我和老胡他們幾個加了多少班，熬了多少夜嗎？我絕對沒有理由在案子有眉目的時候撒手。他說得倒輕巧，我當然不服，就跟他吵了起來，結果他把一些……一些舊帳全翻了出來。」

桔年不傻，韓述不願詳說、一筆帶過的「舊帳」她猜得到是什麼，想必跟她脫不了干係，她低下頭去專注看湯的火候，什麼都沒說。

「那些家裡的破事就不多說了，反正就是吵，吵得天翻地覆誰都不得安寧，老頭子大概也沒想到我這次會那麼堅持，看他那架勢，要擱舊社會，恨不得就把我當作逆子家法處置了。說到底，我也不明白，我是他生的，他怎麼就逼得我一點兒餘地都不留。我媽就勸唄，邊勸邊哭，估計沒誰家的春節過得跟我們老韓家一樣淒慘了。到了最後，我媽讓我給老頭子認個錯，低個頭，先聽他的話，這件事就那麼算了。換作別的事，我可能真的就服軟了，但這回不行。就眼前來說，我沒覺得我有錯！我沒錯幹嘛要認啊！是誰從小教訓我凡事要堅持，我難得堅持一回，結果他給我個大嘴巴子！我偏就不認，看他能拿我怎麼樣！」

「他就把你趕出來了。」桔年為韓述的話做了一個言簡意賅的結尾兼注釋。

「對，趕出來就趕出來，難道我還真活不了了？」韓述冷笑著說。

桔年的湯煲好了，她端下來放在一邊的案板上，近距離看著韓述。她未嘗不知道韓述看起來斬釘截鐵、駟馬難追的硬氣外加那副滿不在乎的樣子，其實骨子裡都透著一股悽惶的勁兒。他是習慣有家的人，說到底對父母還是依戀的，這次做得那麼絕，想必是出於無奈也下了決心，但怎麼可能一點都不難過。最重要的是，也許他心裡也明白，他嘴上說韓院長不能拿他怎麼樣，但如果韓院長真要讓他離開城南院，他想留也是留不住的。他那麼驕傲的一個人，只怕在這道坎面前，不得不伏低。桔年深知韓述的臭脾氣，也覺得他活該栽跟頭，可是這一次不知為了什麼，竟然覺得他有那麼點可憐。

韓述自覺還沒有把事情說清楚，接著道：「我跟我媽也說，這年夜飯是吃不成了，我再不走該釀成家庭慘劇了，我媽也沒辦法，所以我就思量著到院裡找老胡他們去，沒想到半路上就接到電話，說我乾媽出事了，好端端的急性心肌炎發作，差點……我趕緊去了醫院，她還沒醒過來，醫生說暫時沒有生命危險，但也不妙。我守了她一陣，院裡的不少人都來了，唐業也在那兒。這種時候，我跟他接觸太多也不好。從醫院裡出來，我才發現沒有地方去，孤魂野鬼似的，就飄到妳這兒了。故事到此結束。」

「難道我會招魂大法？」桔年笑了笑。

韓述笑嘻嘻地說：「說不定是勾魂大法。」

他就這樣，只要在她面前，桔年稍微給個臉，他一得瑟，那輕佻的勁兒就上來了。見桔年直接漠視他，韓述便有些悻悻地跟著非明一塊洗手，打算吃飯。

第三十一章　煙花裡的三人自行車

桔年還在廚房裡善後，菜已經擺上了桌，韓述和非明迫不及待地圍桌而坐。雖說這應該是一年一度最看重的一頓飯，桔年也比往常花了心思，可是在韓述看來，他們的「宴席」真可謂簡單得可以。一煲老雞湯、一個邊爐，另外就是一條清蒸魚。

非明看著這簡單的一桌菜，眼睛卻放著光，她悄悄對韓述說：「我姑姑做的菜裡最拿手的就是清蒸魚了。」

非明的精神看上去要比在醫院時好許多，舉止神態之間雖然仍有病容，但至少不再病懨懨地臥床不起了。

韓述幾乎一整天都沒有進食，胃裡空空如也，早已餓得發昏。桔年遲遲不入席，那熱騰騰的菜香對他來說是種煎熬的誘惑。當他聽到自己肚子裡隱約響起的「空城計」，不得不暫時忘了自己不請自來的「客人」身分，一如在家裡開飯前偷吃媽媽做的菜，偷偷夾了一筷子魚肉放到嘴裡，大言不慚地接著非明的話說：「我先嚐嚐她最拿手的菜做得怎麼樣。」

非明眨巴著眼睛看著韓述，認真地問：「怎麼樣？」

說實話，桔年的廚藝實在馬馬虎虎，要換在平時，以韓述挑剔的味覺，最多也就值個六十分，就拿這條清蒸魚來說，火候過了一些，味道也稍淡。不過以韓述現在的飢餓程度和人情的因素考慮，他很大方地連連點頭。

見他如此，非明也忍不住探出筷子，邊吃邊說：「本來我以為今天不用吃姑姑做的菜了，唐叔叔說過邀請我們跟他一塊過年的，可惜他沒來。」

韓述聽著非明以同樣親暱的口吻談論著唐業，心裡不由得有些不是滋味，腦子裡一轉，卻又狡詐地試圖從孩子嘴裡套話，問道：「妳姑姑跟妳聊過唐業叔叔嗎？」

非明剔著魚刺，過了一會才想起點頭，「聊過很多次啊。」

「聊什麼？」韓述趕緊跟進。

「聊唐叔叔給我送的故事書，還有他給我講的故事。」

「這樣啊。」韓述不由得有些失望，也暗笑自己，孩子懂什麼？

非明卻在這個時候把身子朝韓述探過去一些，神祕兮兮地說：「有一次，姑姑還問我，假如有可能，我願不願意跟唐叔叔一塊生活。」她似乎還怕韓述不理解，用兩人才聽得到的聲音，古靈精怪地補充解釋道，「我猜姑姑是問我，假如有可能，她要不要嫁給唐叔叔。」

韓述一愣，也湊過頭去，同樣鬼鬼祟祟地追問道：「那妳怎麼回答的？」

非明故作老成地說：「我跟姑姑說了，她要是跟唐業叔叔在一起了也好，那等我病好了，長大了，我來跟韓述叔叔結婚。」

韓述緩緩直起身子，看著非明那一副「看吧，我一直站在你這邊」的表情，什麼話都說不出來，機械地夾了一塊魚肉放進嘴裡，差點被魚刺卡住。

「韓述叔叔，你沒事吧？」

韓述笑得一副苦瓜相，「小姑奶奶，妳可真能幫襯我。」

正竊竊私語間，桔年的腳步聲漸近，嗅這邊的一大一小道：「準備一下可以吃飯了，非明，妳把姑姑那盤魚端哪兒去了？」

非明頓時張開嘴，啞然了數秒才有些慌張地對韓述說道：「慘了，我剛才顧著說話都忘記了，每年除夕，姑姑要用雞和魚來拜神，拜過了之後才能吃的。」

她和韓述不約而同地看向桌子中央的那條鱸魚，在他倆剛才邊吃邊聊的一問一答之下，小半邊魚腹都進了肚子。

非明飛快地放下自己的筷子，下意識地吐了吐舌頭，什麼話都不敢說了。

韓述一時間也嚇住了，呆呆地嘀咕道：「妳這個女人怎麼還那麼迷信？」

不等他們想出對策，桔年已經走到桌邊，張口結舌地看著那條殘缺的魚，然後又看著低頭默然無聲的兩個傢伙。

「我只吃了一點點。」非明怕姑姑生氣，趕緊承認並且表明態度，言下之意，已經輕易地把剛才還是盟友的韓逑給賣了。

韓逑尷尬地撓了撓頭，「我不知道還有這程序……怎麼辦，要不妳跟神仙說今年就先不吃魚了？」

非明繃不住，偷偷地笑出聲來。

桔年沒好氣地白了這一大一小一眼，伸出手一言不發地拿過筷子將魚翻了個個兒，倖存的那面朝上，然後面不改色地將那條魚端至早已擺設在天井一側的案前，虔誠地祭拜。

等她把雞和魚重新端回桌上，理應心虛的韓逑和非明仍在笑個不停。

韓逑說：「妳拜的是哪一路的神仙，這不是對神仙赤裸裸的欺騙嗎？」

桔年坐到非明身邊，韓逑這才發現她的唇角也是上揚的，她終於忍不住也笑了起來，自我辯護道：「心誠則靈。」

「吃飯吧。」桔年給非明裝了一碗湯，見韓逑老老實實坐在那裡，她遲疑了一會，順手也給他裝了一碗，低聲說，「我沒預料到你來，潦草了些，你將就著吃吧。」

韓逑趕緊伸手去接，頓覺受寵若驚，美滋滋地喝了兩口，借著這良好得不可思議的勢頭，投桃報李地夾起最好的一塊魚肉，殷勤地往桔年碗裡送。

他起初還有些惴惴不安，怕自己再次熱臉貼在冷屁股上，非明的目光也呈一條拋物線，一路跟隨著筷子的軌跡，小心翼翼地察看桔年的反應。

桔年專注地吃飯，連頭都沒有抬，她沉默地吃下碗裡的魚。過了一會，她才抬起頭不好意思地笑了一下，「魚蒸得太老了。」

韓述當即也笑了起來，非明跟著笑，誰都不願意去深想，一條蒸得太老的魚有什麼值得高興的。

天色漸漸地暗下去，屋子裡老舊的日光燈時不時地忽閃一下，爆竹聲還在遠遠近近地炸響。奇怪的是，本該嘈雜的聲音，在這樣的時刻裡，卻讓人感覺莫名的安寧，很多很多的東西在這安寧裡被悄無聲息地撫平了，像風撫平岩石上的瘡痍，像浪撫平沙灘上的腳印。

除夕之所以珍貴，無非是個團圓。韓述安靜地享用他近三十年人生中最「潦草」的一頓年夜飯。夜色終於降臨，他以往從不喜歡黑夜，那呼朋喚友、狂歡嬉戲帶來的所有快樂歡騰恰如一陣風，短暫的充盈後消失無蹤，徒留一個空蕩蕩的缺口和讓他心慌的回聲，而現在，一顆心莫名地就被這安靜的夜填滿。他第一次想到了「圓滿」。

晚飯過後，韓述主動請纓，去廚房洗碗。桔年沒有跟他客氣，兩人一起收拾終歸是快一些。等到一切整理停當，非明還不肯乖乖上床休息，斜斜地靠在正對著院門的一張竹椅上，好在身上還蓋著桔年給她準備的厚厚的毯子。

桔年怕她著涼，走過去摸摸她的額頭，卻發現院子外的雨不知道什麼時候已經停了，只有舊式的屋簷下還有滴滴答答的水滴打落下來，無聲無息地沒入夜色中的枯葉地裡。空氣中有種水氣、腐葉、泥土和爆竹硝煙味混合的濕潤的味道。韓述走到一立一坐的姑侄倆身邊，深深地吸了口這萬家團圓的冬夜裡、清冷庭院細雨初歇後特有的氣息。

非明扭頭看著韓述，突發奇想地說：「韓述叔叔，我好想再跟你打一場羽毛球。」

韓述本想說「好啊，我車上就有現成的球拍」，然而話已經到了嘴邊，他才覺出桔年的沉默和非明一張童稚氣的臉上隱隱的悵然。他差點就忘了，以非明現在的身體狀況，一頓晚飯堅持下來已經足以讓她體力嚴重透支，更遑論激烈的體力運動了。也許就連非明自己心裡也再清楚不過，所以這樣簡單的一個要求，她只說「我想」，而不能說「我要」。因為她知道自己辦不到。

韓述拚命地回憶，十一歲，或者是十二歲，這個年紀的自己在幹什麼。不光是他，所有童真年華的孩子都應該天經地義地享受飛揚瀟脫的蓬勃，而非明，可憐的孩子，也許她只是不想眼睜睜地看著自己虛弱而無能為力地度過這個夜晚，僅此而已，卻不可得。

韓述向來也知道自己最善在言語上討人歡喜，他想讓非明高興一點，然而絞盡腦汁，平日的巧舌如簧竟然不知丟去了哪裡，他這才感到在生老病死的命運面前言語的無力。恰好這時，桔年停在廊簷下的一輛自行車跳入了他的視線，韓述不由得眼睛一亮，興致勃勃地對非明說道：「要不我們來騎自行車？」

非明臉上露出了一點點興奮之色，小雞啄米似地點頭，「好啊好啊，我還不會騎，姑姑說要等到我上初中以後才放心讓我騎自行車上學。」

韓述笑著走向那輛自行車，安慰道：「以後我來教妳，一點都不難。不過今天妳乖乖地坐在後邊，韓述叔叔載妳去轉一圈。」

說話間他已經把車推到了院子裡，試了試腳踏板，卻發覺車子各處都在發出奇怪的哐啷聲，他不由得低頭檢查，原來這年代不明、疑似古董的自行車連車鏈子都斷了，後輪癟癟的露出鋼圈。韓述目瞪口呆，「謝桔年，妳這是什麼破車？」

桔年這才慢騰騰地走過去，繞著車轉了一圈，無奈又無辜地攤開雙手道：「我沒說這是輛好車啊，閒置在這兒已經很久沒有人騎它了。」

韓述不死心，繼續擺弄了一會，終於承認自己回天乏力，更何況眼前沒有任何修理工具，即使想讓它勉強支撐一會也是不太可能。他猶如被人當頭澆了一盆冷水，愈看這破車愈一肚子火，氣得直嘟囔：「這破銅爛鐵早該扔了，留著還有半點兒價值嗎？」

桔年訕訕地說：「不是還可以賣了它安度晚年嗎？」

她避開韓述的氣頭，轉頭卻看到一直不說話的非明有些失望的臉。

桔年想了想，又打起了精神，笑嘻嘻地對非明說：「真想騎自行車是吧？也不是不可以啊。」她微微側著頭，在院子裡朝非明勾勾手，「過來過來，姑姑來騎車載妳。」那輛破車明明還橫倒在她腳邊，非明一臉的莫名和茫然，但又經不起姑姑的一再邀約。

「過來啊，傻孩子，披著妳的毯子，快過來。」

非明半信半疑地披著毯子緩緩走至姑姑身邊，韓述更是睜大眼睛，不知道她玩什麼把戲。

只見桔年雙手扶著非明的肩，把她擁到自己身後站著，然後背對著非明，再把兩隻手伸出去，像是握住並不存在的東西，「坐好了，非明，車子要動了啊！」

她說完雙腳踏著步子慢慢地朝前走，非明傻傻地跟在她後面亦步亦趨。韓述呆了一會，算是明白了，這傢伙在用她假想中的自行車載著非明原地繞圈子。

這時候非明也反應過來了，意外之餘捂著嘴偷偷直笑，但似乎又覺得有點意思，在桔年像模像樣的「拐彎啦，別掉下來啊……」的聲音裡，她也有模有樣地「坐」在姑姑身後，一邊笑一邊說：「姑姑妳騎慢點兒。」

她們是樂在其中了，殊不知這一大一小騎著虛擬自行車的樣子，在一旁的韓述看來要多傻就有多傻。桔年還無比敬業地用右手按著「鈴鐺」從他身邊繞過。

「丁零零，快讓讓，車子撞上了可不好。」他痛苦地半瞇著眼睛揉著腦袋，嘴裡嘀咕著：「天吶，讓我去死吧。」

偏偏非明對這個超級無聊的遊戲玩上了癮，還無比入戲地微微屈著膝，就像她真的坐在自行車後面一樣，熱情地朝韓述招呼，「韓述叔叔，你也來嘛，快來快來。」

韓述無語，頭搖得像波浪鼓，他才不會加入這傻瓜的遊戲。可非明卻一再地催著。

「來嘛，韓述叔叔，我們一塊騎。」

「妳韓述叔叔不會騎。」

「韓述叔叔，沒事的，我姑姑載你啊。」

坐了兩個人的「自行車」再次經過韓述身邊，非明拉了韓述一把，韓述又好氣又好笑，踩著車的桔年忙裡偷閒地回頭看了他一眼，他索性伸手把她們「連人帶車」地攔了下來。

看來騎車是個力氣活，桔年的臉上泛著紅，她微微喘著氣看著韓述，等待他的奚落。果然，韓述一臉看不上的表情，說道：「傻透了。」

「哦。」桔年呆呆地應了一聲。

「我說妳的姿勢傻透了，有妳這麼騎自行車的嗎？難怪車鏈子都騎斷了。」他不自在地說著，咳了兩聲，決定用行動表示自己的鄙夷。

他擠進桔年和非明中間，想了想，又覺得不對，便把非明挪到自己身前，讓桔年在自己身後，嘴裡還指派著，「妳坐前邊橫樑，妳呢，就坐在後面，我來騎車！」

另外兩人從善如流，滿滿當當載著三個人的「自行車」就這麼起程了。起初韓述還有些彆扭，轉了一圈愈騎愈順，非明被他圈在身前，桔年「坐」在他的「車」後面，她的氣息就在頸後，小孩子咯咯的笑聲灑滿院子。

夜涼如水，溫柔的水。腳下的枯枝敗葉還在三個人的腳下吱吱作響，世界盡頭的荒僻院落，連路燈的光都那麼遙遠，沒有人會經過，沒有人會觀望，當然，也沒有人驚擾三個傻瓜的快樂。

「撞牆了撞牆了，韓述你得剎車。」

「妳坐穩一點，再過來一點，要不摔下去可不怪我。」

「姑姑，有老鼠。」

「妳快按鈴。」

「丁零零，丁零零……」

「這車騎出去多遠了？」

「北京剛過，快到東北了。」

「我要去美國。」

「你為什麼不繞銀河系轉一周？」

……

伴隨著一聲尖銳的呼嘯，片刻之後，天空中炸開了一朵絢爛的禮花，不知是鄰家的哪個孩子，心急得等不到零時的到來。這個禮花彷彿一個開啟的信號，不一會，各色焰火陸續從幾個方向升空、綻放。夜沉沉的藍黑色天空，一顆星星都沒有，此刻卻被人間的煙火照亮。

不知道三個人中誰先停下來的，他們保持著騎車的姿勢，站在院子裡，抬起頭，癡迷地看著夜空的斑斕花朵。因這焰火太過美麗，沒有人開口，唯恐言語的瞬間它就凋謝。震耳的轟鳴後，最絢爛的一朵幾乎鋪滿他們頭頂的半個天幕，最極致的怒放，然後如流星般散落。

也許因為長久仰著頭的緣故，它看起來是那麼近，近得讓桔年朝虛空中伸出了手，那一剎那，就連韓述都錯覺它會降落在她的手心。

末了，桔年收回的手聚攏著手指，韓述不知道她是否握住了什麼。一場焰火的演出讓天空比白晝更亮，然後又暗了下來，比夜更黑。

第三十二章　莊生曉夢迷蝴蝶

「騎車」在院子裡繞了好幾圈，非明已經累得不行，她之前一直想著要守歲度過零時，這會已經心有餘而力不足，坐回她的小竹椅沒有多久，就迷迷糊糊地睡了過去。

怕她孱弱的體質在有風處久坐著涼，韓述把她抱回了她的小床，桔年拿著毛毯跟在後面。非明察覺到身子的騰空，喃喃地囈語了幾句，並沒有驚醒。從小她就有在家裡躺哪兒累了就睡哪兒的習慣，看電視、寫作業，都能趴下去就夢周公，假如中途被叫醒，就必然有一通哭鬧脾氣。更小一些的時候，桔年還能將睡著的她弄回房去，可隨著非明的年紀和個子漸長，這個「苦差」桔年是愈來愈力不從心。看著韓述抱起小非明那不費吹灰之力的模樣，縱使桔年覺得她自己足以應付生活中的任何事，仍不得不承認，上帝給了女人一顆完整的心臟，卻忘記了給她們一雙有力的臂膀。

桔年把枕頭塞在非明頭下，為她蓋好被子，見她呼吸漸漸趨於安穩，才悄悄地走出房外，掩上了門。剛轉身，冷不丁與不知什麼時候跟在她後面的韓述相對，平白被嚇了一跳。

韓述便嘲笑道：「怎麼在妳自己家裡也一副被狗追的兔子模樣。」他說出來才覺得這話好像哪裡不對，貌似把自己也兜進去了，不過現在他心情不賴，懶得在這細枝末節上計較。

「謝謝啊。」桔年忽然冒出這麼一句。

「啊？」韓述一時間愣是沒反應過來，不知道她道謝究竟是為了哪樁，虧他腦子還能運作，聯繫她一貫的邏輯，再轉念一想，才明白她十有八九是在謝他剛才主動充當了一回「搬運工」。

「這有什麼好謝的，這孩子能有多重。」韓述滿不在乎地笑著說。

「沒有……嗯……不只這個，非明她今晚很高興，我很感激。」

韓述原想說：「說這些幹嘛，妳留我吃飯我還沒謝妳呢。」但他忽然嗅出了桔年眉間話裡顯而易見的拘謹和客氣，這讓一顆心還徜徉在剛才的快樂融洽中沒出來的他，陡然生出幾分警惕。

韓述喜歡桔年笑，喜歡她生氣時悶悶的無奈，喜歡她偶爾的莫名其妙，喜歡她冷言冷語氣得他半死，喜歡她在他面前終於控制不住地流淚，甚至喜歡她偶爾恨他的樣子，他承認自己有些自虐，可這讓他覺得他不是別人，也讓他和桔年都有血有肉地活在同一個人間。他最怕的是什麼？是她看似原諒的漠然，還有就是眼前這般謹慎而生疏的客氣，彷彿一句話、一個眼神，就可以山南水北地跟他劃清所有的界限。

剛才不是還好好的嗎？韓述很有些挫敗，猶如爬雪山過草地地跋涉長征，自以為已經千山萬水，回過頭才知道還在後院徘徊。

果然，她道過了謝，就開始拐彎抹角地展露冷酷的一面。她故意看了看牆上老舊的掛鐘，說：「咦，這麼晚了。對了，你是不是還要找個落腳的地方？」

韓述憤怒，這個女人，她所在的角度甚至都不能看清那掛鐘的指針。他忍著氣，斜著眼睛掃了她兩眼，沒好氣地道：「我不是那麼沒眼色的人，用不著趕也會走。」

桔年低著頭，韓述只看到她因尷尬而漲得通紅的耳根，沉默了一會，就憤憤然去找他那個巨無霸的行李箱。當他終於把箱子的拉杆抓在手裡，桔年頓時鬆了口氣的表情更是讓他氣不打一處來，更甚的是，桔年還不忘狗腿地說：「我送你出去。」

這樣的刺激之下，韓述索性也不跟她虛與委蛇，她的可惡給了他無賴的勇氣，什麼拉皮箱作勢要走都是假的，老實說，今天進了這個院子，他壓根就沒有走出去的打算。

韓述鬆開手，從剛才的很有骨氣到現在的厚顏，川劇變臉似的。

「我真沒地方去了。」

桔年沒想到他反悔如此之快，不過她也有預感他會演這一齣，才先聲奪人地擺出剛才那個架勢，期待他心領神會自動離開。她是不可能收留韓述在這裡過夜的。不管是出於任何一種考慮，於情於理都不應該，原本指望最好面子的韓述受不得憋屈轉身就走，沒料到他賴起來，什麼都不顧了。

「韓述，我不是故意跟你過不去，你別為難我好嗎？」桔年相當克制地說著。

韓述也擺出講道理的姿態，「妳現在面前站著的是個無家可歸的人，這個時候好的酒店說不定都客滿了，年三十晚上妳要我流落街頭嗎？」

「我很同情你，但我沒辦法，你住在這兒算怎麼回事呢？」

韓述假裝沒聽懂，她就差沒說你流浪街頭是你的事，我管不著。韓述也不是不知道要她做出留下他的讓步很難，以她的性格，就算換作是現在跟她打得「火熱」的唐業，想必也難以得償所願。可韓述想，那又怎麼樣，他不是那個說句話都要思前想後的唐業，他的恬不知恥都是被她磨練出來的。

「怎麼沒有辦法，妳只用收留我一段時間，不用多久的，過完年我就出去想辦法。就當發發慈悲，救救一個可憐的人。」

「上帝救自救者。」桔年木然地說。

韓述氣不過，又忍不住尖酸刻薄道：「難怪上帝也救不了妳，因為妳從來也不肯救救妳自己，妳以為妳一個人老死在這活死人墓就很快樂了嗎？妳太需要一點兒人氣了，真的，不光是妳，還有這座房子。」他繼而又宣告道，「反正我不走啊！」

桔年顯然被他的話氣得有些沉不住氣了，他居然還一副拯救者的姿態。

「你這樣又有什麼意思？」

「反正我不走！」韓述坐在自己的行李箱上，橫豎就是這句話。他在賭她拿不出行動上的實質驅趕。

果然，桔年無奈又冷淡地僵持了一會，終於放棄了跟他繼續糾纏，一聲不吭地扭頭進了裡間，關上了門。她自知拿他沒有辦法，惹不起難道還躲不起，便索性縮進了自己的殼。

韓述頓時暗喜，以她這眼不見為淨的態度，看來是如願以償了。他心情大好地把自己的行李重新放回原先的位置，再想起中午被老頭子驅趕出門的晦氣，深覺古人的智慧了得，要不怎麼說「福兮禍之所伏，禍兮福之所倚」，早在一天之前，他做夢也沒敢想有朝一日還能跟她同住一個屋簷下。

他在空蕩蕩的客廳裡轉悠了一圈，那欣喜的勁兒還沒來得及過去，忽然一個很現實很客觀的問題擺上眼前，那就是，他今晚睡哪兒啊。

桔年住的地方簡單得一如苦行僧修行之所，這屋子只有兩間房，分別被她和非明佔據，所謂的客廳只是個四面牆圍繞的「寒窖」，連張長沙發都沒有，最舒適的位置莫過於非明之前坐過的那張竹質的躺椅。

韓述是那種打死也不睡地板的人，他確認找不到更好的棲身之地，只能鎖定那張竹椅，被褥是不可能了，行李箱裡做為居家旅行常備良品的床單這時發揮了它的功能。韓述將它鋪在竹椅上，然後躺上去，非明可以整個窩在椅子上，以他的身高，兩條腿只能擱在地上。他只脫了外套，用尚有餘地的床單包裹住自己，外邊再蓋上厚外套，便試圖就這麼入睡。謝桔年能這麼放任他在外邊自生自滅，不過是篤定他沒有辦法棲身，他偏要讓她知道，他的辦法多得很，大丈夫能屈能伸，何處不能安身立命。

話是這麼說沒錯，當韓述在竹椅上度過了僅僅十五分鐘，他就知道這一屈一伸是夠難受的。韓述打小沒吃過什麼苦，讀書時參加的唯一一次露營性質的夏令營，在郊外搭了個帳篷，他媽媽孫瑾齡還連夜跟司機一起把被褥送到了他身邊，他嘴上抱怨媽媽多事，可晚上抱著自家的被褥，其舒適與帳篷裡的毛毯自是不可同日而語。桔年家的竹椅夏日還算清爽，在這樣一個冬夜裡卻稱得上苦寒，再加上薄薄的床單不但無法帶來暖意，就連椅子上的些許小凸起都蓋不住，硌得他難受。

於是，「豌豆王子」說過了豪言壯語，結果在這竹椅上卻是輾轉難眠，只覺得身下沒有一寸平坦的地方，雙腿伸直也難受，蜷著更痠痛。比這更難以忍受的是老房子夜裡的寒氣，豈是一條床單和遮頭露腳的外套可以遮擋的。人一靜下來，剛有睡意，那寒氣就像一條惡毒的蛇從腳心一直鑽上來，直至五臟六腑。

韓述愈縮愈緊，他也折騰了一天，好不容易意識陷入朦朧，就進入了一個介於夢和幻覺之間的狀態。他好像在白茫茫的冰天雪地裡迷了路，呵氣成冰，血都快凝結了，不知道已經走了多久。最可怕的是這冰雪的世界不知道哪裡是個頭，積雪中的腳印也被覆蓋，走不出去，又回不去。

終於，有人坐著雪橇降臨在他身邊，那冰雪女王不是謝桔年又是誰。韓述如見救星，連說：「妳救救我，我冷。」

冰雪女王卻說：「這只能怪你自己，你不該闖進我們的世界。」

韓述一陣疑惑，哪來的「我們」，這裡明明只有他和她。

然而，就在這時，韓述竭力不去想起的那張容顏浮現在眼前，那個瘦弱的白衣少年，不知什麼時候出現在謝桔年身邊。他們相視而笑，雙手相牽。

韓述如被狂風暴雪覆蓋，打了個冷顫驚醒過來，最後殘留在腦海裡的是桔年萬古冰霜般的眼。他一骨碌爬起來，從行李箱裡翻出所有能夠避寒的東西，通通堆在身上，可是沒有用，他覺得更冷了，剛才那個夢讓他透心涼。再次入睡成為奢望，他眼皮沉沉，意識混沌，人卻醒著，每一次翻身那破竹椅就吱吱呀呀地響。鞭炮時不時地炸響，還有那牆上的老掛鐘，滴答滴答，滴答滴答，催得人漸生心魔。

當最後一絲忍耐被耗盡，韓述一腳踹開身上披著蓋著堆著的衣服坐了起來，落地就拖著痠麻得如同瘸了的一條腿去敲桔年的房門。

韓述原本就心煩氣躁，下手自然少了分寸，說是砸門也不算過分，但他也萬萬沒有想到桔年常年只跟非明生活在一塊，這屋子也沒別人，她房間的門閂脆弱得可以，完全是個形式主義的玩意兒。事實上，早在他的指節第一下落在門板上時，裡面的門閂就發出一個古怪的聲音，然後那門就開了條縫。

這聲音想必是驚動了房裡的桔年，她躺在床上，原本就睡不安穩，這一響動嚇得她幾乎是立即翻坐起來，第一反應就是去拉床頭的燈。

那燈的開關還保留著最初時的形態，靠著線繩的拽動開啟光源。桔年熟諳線繩的方向，即使在黑暗中也第一時間摸索到了它，誰知她原本就心中有事，這一下被韓述嚇得更是不輕，用力過猛之下，那年月已久的線繩開關唰嚓一回應聲而斷。桔年手裡抓著那半截繩子，心裡暗暗叫苦，身體也不由自主地往後一縮。

天地良心，韓述的初衷只不過是想將門「敲」開之後，向桔年索要一套禦寒的被褥，順便聲討她幾句，僅此而已。然而接下來的混亂狀況都不在他的掌控之中，此情此景，真是跳進黃河也洗不清，別說她，就連韓述自己都覺得自己像個半夜破門而入的暴徒。

房間裡黑洞洞的，韓述過了一小會才適應了一些。

「你……你幹什麼？」桔年拽著那根繩子瑟縮的樣子讓他覺得有些好笑，彷彿真有什麼意外發生的話，那繩子會成為她的救命稻草。即使還看不清她的臉，韓述也能讀出她隱在黑暗中的恐慌。

「我快凍死了！」韓述上前幾步，沒好氣地說。

桔年似乎這才從聲音裡確定這個逆光的黑影的確是韓述，然而確定後並不能讓她的心安定一些。

「什麼……」她抖著聲音問，顯然沒有完全回過神來。

「再不給我一床被子一個枕頭，明兒早上妳就等著給我收屍吧。」韓述提醒道。

「被子？」這下她總算是有些明白了，但是心思仍放在床頭燈的開關上，她直起身子，伸出手去探那根繩子斷在什麼位置，為恢復房間的光亮做困獸之鬥。狹小的空間，暗處的相對讓她本能地恐懼。她摸了許久，最後才不得不接受線繩已從連接處徹底斷掉的現實。

「我家裡沒有多餘的被子了，多餘的被我帶到了醫院裡……我已經說過你不能在這裡過夜的，你進來幹什麼？」她磕磕絆絆地爬起來，試圖下床。

她房間不大，韓述從門口邁進幾步，事實上已到床尾。他看到她擁著的被子，頓時憤憤不平，他冷得都快死過去了，她卻暖洋洋地在被子裡睡大覺。他狠狠地拽了一把她的被角，半胡鬧半賭氣地說道：「那妳把妳的被子分一半給我。」

桔年正六神無主地掙扎著下床，韓述用力的一拽無形中又絆了她一下，她跌坐在床上，細細地驚叫了一聲。

她的驚慌失措是如此的難以掩飾，這讓仗著渾勁走到她床邊的韓述終於感到了一絲尷尬。

他嘴裡說：「我就是想要床被子，真沒什麼歪念頭。」

可他的手還是把唯一一床被子的一角死死揪在手裡。

韓述是個成年人，所以他很快感受到這半源於他、半源於黑暗和混亂的曖昧氣息，這氣息如罌粟一般，和著他的心魔，一點點催開了要命的花朵。

他不知怎麼就坐到了床沿，喉嚨緊了緊，夢囈一般喃喃地問：「妳那麼怕我？」

他甚至都沒有意識到自己的一隻手探了出去，在黑暗之中輕輕觸碰她的臉。他清醒時不敢這麼做，可他現在清醒嗎？清醒的時候他能夠離她這樣的近？他甚至不知道剛才那一場冰天雪地的邂逅和眼前這一幕，一如莊生曉夢迷蝴蝶，哪一個是夢，哪一個是真。

第三十三章　她唯一的回航是海市蜃樓

桔年絆在被子砌成的城堡裡，用手撐著床板往後縮了縮，臉側到極限，去迴避韓述的碰觸。然後出其不意的，她撲往床沿的另一個方向，試圖脫身，好像逃脫了這張床，就能暫時從她的恐懼中生還，然而她的腳剛落地，整個人卻被韓述一手按了回去。

桔年的臉頓時埋在了被單上，驚恐道：「別這樣，韓述，別這樣，別這樣……」

她彷彿只記得這一句，別這樣，她也有她的心魔，惡夢一般無邊無界。

「怎麼樣？這樣？還是這樣？」韓述啞著聲音問，他知道自己現在就像最不堪的登徒子，無恥的臭流氓，而且愈做愈出格，可他的心、他的手，沒有一樣由得了自己。

桔年開始掙扎，韓述的箝制讓她如困獸一般，做瀕死前的努力。

「你發什麼神經，啊？你再這樣，我要喊了。」她喘著氣警告道。

「好。」韓述答得很乾脆。

她不會喊的，否則不會等到現在。零時已近，爆竹聲逐漸喧天而起，她知道她的喊聲註定被吞沒在除夕夜狂歡的浪潮中，除了驚動睡著的小非明，她喚不來誰，可她絕對不希望非明目睹這一切。

韓述的理智飄到了半空，看著為非作歹的自己。桔年的身體很熱，這熱度在熨燙他方才凍僵了的魂，他看不仔細她的臉，可是想必再不會如寒玉般端凝，更不會如冰封般深寒，她再不能置身事外地漠然看著他，再也不能說「韓述，這是我的事」，不管這是不是好事，至少是「他們」之間的事。這感覺讓韓述如中毒般有種極致到癲狂的快樂，雖然他正在撕裂好不容易覆在他們身上的溫情的面紗，做著自己都不齒的事。

許多年來，謝桔年是韓述心中的一道魔障，是他本能追尋的一道熱源，可當他靠近時，體會到的一直是涼。

現在她再也涼不起來了。

桔年的胸口間已有細細的汗珠滲了出來，可她還在試圖推開韓述的臉，她的力度和指甲讓韓述嚐到了自己臉上傷口的血腥味，他不得不分心騰出一隻手來壓制，否則他毫不懷疑她的手指能把他眼珠都摳出來。

在翻覆的糾纏中，韓述抓到一寸布的邊角，它不屬於被子，也不是床單的一部分，因為他摸索到了釦子。

那是件衣服，那不是他的，也不是她的，借著那雙適應了黑暗的眼睛，韓述終於確定，那是件淺色的男人的舊衣服。

桔年也注意到了這件衣服，她竟然放棄了庇護自己的身體，去瘋狂地奪那件衣服。韓述用身體的重量壓制著她，挪開那件衣服，就在她竭力伸出手，只差幾釐米就可以搆到的地方。

幾釐米，桔年就像忘記了韓述在她身上的胡作非為，只是伸出手，在凌亂的被單上摸索，還是差幾釐米。

「誰的？」韓述埋在她胸前問。

他沒有忘記非明說出來的那件男人的衣服，桔年那時的臉很紅，這一刻身上更是煮沸了一般的燙。

桔年的胸口劇烈地起伏著，她根本不會去回答。

而韓述卻在她的失控中找到了答案。

這是道單選題，從來答案就只有一個。

那就是巫雨。

她把衣服疊得整整齊齊地放置於枕邊，讓它伴隨自己入眠。也許那麼多年來，這是支撐她心如止水地度過一個女人青春年華的唯一支點。

韓述說不出是震驚還是悲憐，難道這樣，她就可以假裝巫雨就在身邊？不，就算是巫雨活著的時候，他也未曾這樣躺在謝桔年的身邊，韓述比任何人都有資格證實這一點。她是個自欺欺人到了極點的可憐蟲，然而他何嘗不是，他活著，但他輸給了一個死人，沒有一點兒懸念。

太多的情緒找不到出口，所以韓逑憤怒。

他咬著牙說：「妳忘了巫雨已經死了？」

十一年足夠讓當年那個男孩化為枯骨，韓逑就是要桔年知道，他死了，永遠不會活過來依偎在她身邊。

「他沒死，他一直在我身邊！」桔年終於開口說話了，也睜開了眼睛看著近在咫尺的韓述。她也許鬥不過韓述，但是她至少可以讓他知道，他永遠不能取代她的「小和尚」。

「他一直都在，只是我看不見。」

韓述大笑了幾聲，俯身下去，逼問：「他看得見？那他現在就看得見我們？就在我們身邊？」

他聽到了桔年壓在喉間的一聲驚呼，和著哽咽，她仍抗拒著他。

「如果他在，如果他在乎妳，那他現在在做什麼？他大可以阻止我啊，給我一耳光，把我從妳身上踢下去，他做得到嗎？」

「韓述，你渾蛋！」

「我渾蛋，他什麼都好，死了十一年還陰魂不散！」韓述氣喘吁吁地對著看不見的地方叫囂，「你來啊，巫雨，你不是在嗎？我甚至用不著你動手，你說一句，只要說一句，我馬上放開她……要不你連話都不用說，隨便你用哪一套，給點兒暗示就行，什麼都可以，我馬上從她身上滾下去，馬上滾！」

「閉嘴，你給我閉嘴，我求你了行嗎！」

「我偏不閉嘴，妳不是在等著他附身、顯靈、死而復生嗎？巫雨，她那麼喜歡你，她恨不得讓我滾，你連為她做這點事都不肯？如果你在乎她，你這樣還算是個男人嗎？」

桔年在這時騰出手來，狠狠甩了韓述一巴掌，他終於停止了對巫雨的叫囂。如果說剛才的桔年是痛苦而慌張的，那現在她的眼裡是一種在幻滅和絕望邊緣的瘋狂。她過去一直不肯說恨韓述，因為恨太沉重，可是這一秒，她恨死了他，他試圖打碎她最後一個信念，她就知道他會攪得她永無安寧。他讓她無處安身。

那一耳光著實不輕，韓述的臉被打得重重偏向了一側，然而桔年卻在這個時候開始哭泣。

在此之前，韓述從來不知道一個人會有那麼多的悲慟，會有那麼多的眼淚。

桔年漸漸停止了掙扎。

彷彿她還在等。

巫雨，你真的在嗎？你真的像我以為的那樣，在我看不見的地方陪伴著我嗎？如果你在，求你給我最後的憐憫。

韓述說：「我們不妨一塊看看，假如他還在。」

他的呼吸漸漸變得粗重，附在她的耳邊。

桔年如浪中的一葉孤舟，惶無所獲，她唯一的回航是海市蜃樓。這樣的迷亂她曾見過，那是一個顛倒的夜晚，屬於烈士陵園裡年輕的巫雨和陳潔潔，而不是謝桔年。

並不禁燃煙花爆竹的郊外，震耳欲聾的聲音此起彼伏，外面的天空一定璀璨滿天，可是她看不見。室內連風都不肯光顧，空氣是凝滯的，只有欲望的氣息，窗簾也未曾輕輕掀動一個角落，除了韓述和自己的心跳喘息，桔年什麼都聽不見。

「妳相信了嗎？他不會出現的，因為他早就死了，他沒死的時候想要的也未必是妳。」

韓述贏了，他至少讓桔年相信了一件事。

巫雨是死了。

即使他活著，他也不會在她身邊。最後的一面，他是來告別的。他向她構想過無數次回塞北老家，夢想中的天堂，但當他決意放棄一切投奔那裡而去，他想帶走的並不是她。桔年在巫雨離開的若干年後曾經獨自踏上過那段旅程，當她站在巫雨渴望而到達不了的那片平原上，感覺不到任何熟悉的氣息，只覺得空曠而荒涼。

原來她一直都只有她自己。

桔年流盡了這晚的最後一滴眼淚。

韓述在感官上無比愉悅的一刻感受到桔年軟軟地耷拉在床沿的手。

她臉上沒有任何的表情，彷彿連這肉體都不是她的。

於是他摩挲著她的頭髮，還有她淚痕乾涸了的臉。

「他死了，可妳還有我啊。」

然後，他聽到她空洞的聲音。

她問：「你又是誰？」

他是誰？韓述像被一盆雪水當頭澆下。他是想過要一輩子對她好的人，可是他現在看不到這個人，只看到連自己都噁心的自己。

所有的激情和欲望在這一刻湮滅如一陣青煙，韓述垮了下來，慢慢地伏在一身汗濕的桔年身上，動也不動，死去了一般。

桔年也沒有動，他們長久維持著一個姿態，久得似乎足以腐化為塵。

累，很累。他們好像都睡著了，不知什麼時候都又醒了過來。窗外的世界終於安靜下來。從激烈到沉寂，恍如隔世，天還沒有亮。

韓述翻過身來，平躺在床上。

「妳恨死我了吧。」他愣愣的，彷彿是對著天花板說話。

他以為這個問題桔年同樣不會回答，沒有想到，過了一會，桔年發出一個含糊至極的聲音。

「嗯。」

「我也不知道是怎麼了，為什麼會做這樣的事，魔怔了一樣管不住自己。不過現在說什麼都沒用，如果妳真的那麼恨我，明天妳想怎麼樣都行，我什麼都認。但是我只希望妳能告訴我，在妳心底，我究竟是誰？」

桔年竟悲哀地發現自己也在思索這個問題，他是誰。韓述對她而言算什麼？可以死一百回的惡人，死皮賴臉的膏藥，與她整個青春交集的渾蛋，左右了她命運的看客，破門而入闖進她塵封的世界、揭穿了她的安靜只是因為孤單的人。

他不是她的愛人，卻也不是路人。

有時她寧願把他等同於林恆貴，但是她又知道，他不是林恆貴。

桔年沒有想過要去愛韓述，然而她所有的隱祕記憶都只與他相關。十一年前，他在她身邊，青春尚如澀澀荳蔻，十一年後，老去的只是昨夜今朝，身邊卻還是他。命運的奧祕誰看得透？

「也許妳是知道我對妳的那點兒心思的，從很早以前開始。我不知道該怎麼對妳才好，也做了很多到現在還後悔的事。我後悔拉不下臉跟妳說明白，我後悔那一天跟著妳去了烈士陵園，也許我該讓妳和巫雨走的，後悔出事後相信了我乾媽，我真天真，以為她能把所有的事都打點好，然後我們就可以在一起，更後悔那時候我沒膽子站出來。我做過不下一百次的夢來彌補這個缺憾，沒有用，只能是夢了。我最後悔的還是因為害怕連去看妳都不敢，這十一年裡什麼都沒做……但是唯獨有一件事我不後悔，說出來妳怎麼想都行，可能我真的是個死不要臉的王八蛋，我唯獨沒有後悔過那個晚上，在那個小旅館裡，我跟妳……我知道那不光彩，那是錯的，可是我就是不後悔。」

桔年很難想起那一晚的細節，她忽然發現她跟韓述截然相反，她常常憶起天亮以後接踵而來的惡夢，多年後再一樁樁地為自己開解，唯獨那一晚，她很少去想，甚至故意迴避了，就好像記憶的膠片憑空斷了一截。

「妳說，如果那一晚，我把妳送回家去，或者我們根本沒有遇見，現在會是什麼樣子？」韓述問著可笑的問題。

她可能找到巫雨，真的殺了林恆貴，也可能避開這一劫，看著巫雨入獄，等他，或是最終遇到另一個男人，順利地過一生。如果是無限可能的事，也是從無可能的事。

桔年說：「不知道。不管怎麼活，橫豎都是一輩子。」

他們各自擁著被子的一角，躺在一片狼藉的床上，不知道這一幕該有多荒謬，她可以打他罵他趕他，反正做什麼都好，而不是在這最不合時宜的時候，進行著他們自打相識以來最坦誠的一場對話。

也許他們都一樣覺得身心俱疲，疲憊得無力去承載任何激烈而戲劇化的情節。接著，他們繼續荒謬地昏昏睡去。

最後一絲意識消失之前，韓述這個堅定不移的唯物主義者環視黑洞洞的房間，對著空洞的角落，在心中默念了一句：對不起。

第三十四章 破碎的「假如」

距離天亮只有一兩個小時的那段時間裡，韓逑做著顛三倒四的夢，他甚至夢到了校園門口停著警笛長鳴的警車，他被正義凜然的公安幹警拘捕歸案，周圍圍滿了看熱鬧的人，大家都鄙夷地指指點點，交頭接耳議論的無非是他的下流和不要臉。有人當場暈倒了，那是他媽媽孫瑾齡，而韓院長雙眼血紅，要不是有人死命攔著他，他會當場衝上來親手撕碎這個徹底讓老韓家門風掃地的逆子。韓逑在無數人的推搡中頻頻回頭，他唯獨看不到這個案件的受害者，連她的背影都沒有，這讓他既失落又惆悵，落到這一步，他雖自知並不冤枉，但她若是能在場，哪怕給個大快人心的表情，他也覺得罪有應得到從而心裡會踏實一些。

直到清晨的光線驚擾了他鋃鐺入獄的心路歷程，韓逑才將眼睛睜開一線，用了十分之一秒讓記憶復甦，搞清楚現在的狀況，就立刻跳了起來。可惜還是遲了一步，他此時的姿勢是堪堪吊在床的邊沿，這一蹦而起的姿勢讓他整個人連滾帶爬地摔到地上，還好纏著被子，並沒有很痛。那張昨夜他都沒有看得太清楚的老式木架子床上，空空如也。就連那件男人的襯衫也被收了起來。

儘管韓述一向崇尚自然醒，但他的生理時鐘很準，並不是個睡懶覺的人。反觀謝桔年，他雖沒有跟她共同生活的經歷，但是以他之前相當長一段時間的尾隨觀察來看，只要不上早班沒有特殊的事情，她通常是睡到日上三竿才睡眼惺忪地到財叔那裡拿牛奶。再聯想到高中的時候，她通常都是踩著鈴聲晃進教室的遲到大王，也不知道被他逮過多少回。沒想到這一次他起床竟然落在了謝桔年後面，韓述頓時覺得被動至極。昨夜情景在腦海裡重現，更是讓他心慌臉熱，趕緊匆匆套好衣服，將床單被子略做整理，硬著頭皮走了出去。

非明還沒有起床，大廳的那個破鐘也證實了天色確實尚早。韓述心懷鬼胎地朝院門口探頭望了望，沒有夢裡的警車和執法人員。接著聽到門吱呀的一聲響，「受害者」頭髮濕漉漉地從水氣蒸騰的浴室中開門走了出來，手裡抱著一盆衣服。

韓述有些難堪，便故技重施地咳了幾聲，試圖引起桔年的注意。桔年置若罔聞，放下了盆裡的衣服，找了條乾毛巾擦著頭髮上的水，韓述又加重了咳聲，結果一樣。他終於確信她根本是故意不打算理會他，就算自己咳破了嗓子也是枉然。他心裡沒了底，想到昨晚上的難堪事，不用說他自是罪孽深重，但是死是活、要殺要剮，她好歹得給個話啊。

於是韓述期期艾艾地磨蹭著走到桔年身後，猶豫再三，沒頭沒腦地冒出一句，「妳看……這……怎麼辦？」說完之後，他又想起打自己的嘴巴，這是男人在第二天早上該說的話嗎？

桔年擦頭髮的手停了下來，並沒有回頭看他。不過是喘口氣的工夫，韓述覺得自己都快憋死了。

「你走吧，以後別來了。」桔年的聲音裡聽不出明顯的感情起伏。

哦……她打算讓這件事就這麼過了，就好像沒有發生。看起來他又可恥地逃過了一劫，韓述說不清自己是鬆了口氣還是有些失望。他有些犯賤地想，自己那麼混帳，沒理由就那麼算了，她怎麼能一句話就了結了呢？也怪他自己，昨晚，在那件事發生之前，一切都是那麼圓滿而完美，他甚至可以感覺到自己離她近了，誰知道後來邪靈附體似地鬧了那一齣，好端端的，什麼都毀了。她這個態度，已是仁慈，他就算再不知廉恥，也沒有理由再賴著不走了。

「能讓我洗把臉再走嗎？」事到如今韓述只能這麼說。

桔年沒有說話，他便去翻出了自己的洗漱用具，垂頭喪氣地走到天井的水龍頭旁，剛在牙刷上慢騰騰地擠出一條形狀完美的牙膏，他聽到了院子外傳來的叫門的聲音。

「桔年，妳在家吧？」

這聲音，除了唐業，還能是誰。

當然，桔年也聽到了，她直起身子，下意識地攏了攏半乾的頭髮，看起來也有些不知所措。

敲門聲在繼續著，桔年愣是沒有動。

韓述猜她此時想必是打著掩耳盜鈴假裝不在的主意，便「好心」地說：「用我去開門嗎？」

這句話果然有效，桔年立刻轉身拖住了他，臉上是可疑的緋色。

「你別動。」

她放下擦頭髮的毛巾，急急地應聲出門。

來的果然是唐業，他身上還穿著昨天接桔年和非明時穿的那套衣服，下巴上有泛青的鬍碴顯出，想來是在蔡檢察長病床前守到現在，人是憔悴的，唯獨一雙眼睛仍然清明無比。

桔年開了門，她站在門口，伸手掠了掠耳邊的頭髮，問：「早啊，你來了？」

唐業點頭，笑了笑，「新年好。」

是啊，這是大年初一的清早。桔年如夢初醒地回了句：「新年好。」

她並沒有從門口讓開身子請唐業進來，也不知道他一大早離開需要照顧的繼母來她這裡所為何事，於是便靜靜等待著他接下來要說的話。

唐業卻沒有直截了當地說出他的來意，他用一種若有所思的目光打量著桔年，忽然問了句：「桔年，是不是發生了什麼事？」

桔年倉促間又掠了掠頭髮，那半乾的髮梢擾得人心煩意亂，她想去摸自己的臉，之前照鏡子沒看得足夠仔細，那上面該不會留下什麼形狀可疑的痕跡……她想起來了，難怪他也覺得不對勁，按照本地的習俗，是萬萬沒有新年第一天早上洗頭的道理的。

偏偏就在這個時候，她聽到有人從屋裡走出來。

「喂，那個……我能用昨晚擦頭髮的那條毛巾嗎？」

桔年幾乎是立即掉頭，並不是她那麼渴望看到韓述，而是她不知道如何面對唐業此刻的表情。

韓述一臉無辜地舉著牙刷站在廊簷下，頭髮有些凌亂，就差沒在額頭上寫著「我剛起床」四個字。更讓人受不了的是，他半邊臉上有三道明顯的指甲抓痕，從顴骨直到嘴角。彷彿是為了應對桔年還沒說出口的責難，他有些無奈地說：「我聲明我不是故意打斷你們，妳忘了我的車就停在門口，他能不知道嗎？」

他說完了理由，接下來的話是對唐業說的，「我乾媽她好點了嗎？」

桔年回過頭，唐業的表情遠比她想像中要平靜，甚至可以說是冷靜，還有幾分疲倦，也許那只是徹夜守護病人的結果。他很禮貌地回答了韓述的問題。

「還是那樣，沒有生命危險，但一時半刻是不可能恢復得跟正常人一樣了。謝謝你的關心。」

「她也是我乾媽啊，謝什麼。我遲一些就會去看她。」韓述說完，指了指屋子裡，很自然地說，「要不進來坐著聊？」

他回應了唐業同樣的客氣，彷彿工作上的矛盾和眼前的尷尬都暫時不存在，然而不只唐業，就連桔年也恍然覺得，他這麼一開口，好像他才是這屋子的主人，其餘的人都是不速之客。

「不用了，我說幾句話就走。」唐業片刻都沒有猶豫地說道。

桔年卻側過身子說：「請進吧，外面冷。」

唐業沒有動。此情此景，這一幕，說不出有多詭異，好似什麼都錯位了。

財叔家的鞭炮聲響了，這是傳統的習俗，新年起床第一件事就是開門放鞭炮，取「開門紅」之意。韓述好像忽然想起了什麼似地一拍腦袋，問桔年道：「妳沒買鞭炮吧？這個兆頭還是要的，放放鞭炮去一去舊年的晦氣。要不，我這就去財叔家買。」

他說著就回頭去放他的牙刷，然後三步併作兩步地往財叔家走。沒有人對此表示異議，也許在場的所有人都為他暫時的離開而鬆了口氣。

韓述走遠了，門口就剩了唐業和桔年。

「昨天我失約了，真不好意思。」唐業仍站在原地說道。

桔年是想過要解釋的，她本想告訴唐業，韓述被家裡趕出來了，所以收留他在這兒過了一夜。這本是實情之一，但若說出來，反有欲蓋彌彰的嫌疑。既然說不清，那還不如不說吧。

「別這麼說，你的事比較重要。」她低著頭，半乾的頭髮垂了下來，更顯得一張臉小得堪憐。

他既沒有進來的意思，她邀請的意圖也並不熱烈，兩個話都不多的人便在門口沉默著。好不容易開口，卻又撞在了一起。他們幾乎是同時開口說出下面的話。

「他對妳還挺有恆心的。」

「你現在好嗎？」

然後他們又好像都沒有聽見對方的話，俱是一怔。

唐業先笑了起來，他做出個如釋重負的表情，「我就是想來看看妳好不好，這就回醫院去。」

桔年沒有強留，淺淺地回了個笑臉，「你保重。」

韓述很快就從財叔店裡買到了鞭炮，從他們站著的位置，可以看到他跟財叔笑著揮手說話，然後就要折返。

「桔年，這一次看來我是躲不過了。對不起，我以為的那個『假如』看來只能是個『假如』，雖然我真的那樣想過。我這半輩子都在做不切實際的事。半輩子都在猶豫不決，到頭來恐怕什麼都是空。」唐業忽然上前一步，他說得那麼急，彷彿過了眼前，就再沒有了時間，他和她，也將不再會有時間。「我就是那種非得到了哪兒都不能去的時候，才知道自己最想去哪裡的男人，可惜什麼都晚了……這個妳拿著。」

桔年這才意識到唐業把他一直拿著的一本書塞到了她手裡。那是本平裝版的《西遊記》，桔年第一次到唐業家時曾經翻看過的，當時尚是初識的他們就這本書還有過一次小小的較勁。

書很舊了，卻是唐業最喜歡的。

「這個妳留著。」他說。

桔年骨子裡的敏感讓她在接過那本書的時候本能地翻了翻，她很容易就打開了其中的某一頁，裡面夾著一張銀行卡。

「這……」

韓述愈走愈近，唐業不容置疑地推回了桔年的手，也打斷了她未來得及說出口的拒絕，「錢不多，但每一分都是乾淨的，我原先讓一個朋友代為保管，幸而這樣才得以留了下來，以我背的罪名，恐怕傾家蕩產也不足以抵還，我也不知道有生之年還出不出得來，我阿姨的生活是沒有問題的，所以那筆錢我分作兩份，一份留給姑婆，一份給妳。妳留著，總有個用處。」

他說得由衷，彷彿早已想好打消她所有拒絕的理由。

「這不是施捨，桔年，如果妳把我當朋友就什麼都別說……我只是對妳放心不下。」

唐業說這話時依舊淡淡的，既不憂愁也不煩惱，彷彿只是等著那個已然知曉的結局到來。只是這萬念俱灰的託付讓桔年悲從心起。

她其實是想過對他託付一生的，如果她這一生必須要有個託付的話。也許不夠深愛，但足夠溫暖，他們相互懂得、相互體諒，這已經足以相濡以沫到老。

想不到連一個未必成真的「如果」都碎得那麼快。

桔年太了解監獄裡的種種，不由得更對唐業憂心忡忡。

像是為了化開那些看不見的愁緒，唐業自我解嘲地笑了起來，「剛來的時候看到韓述的車，我真有些傻在那裡了，不過我又想，這也不是件壞事。」

「什麼好事壞事？」韓述耳朵尖，尚在幾米之外也聽到了些話音。

唐業朝他一笑，「我先走了。」

「不多聊一會？」韓述繼續反客為主地扮著糊塗，他也看到了桔年手裡多出來的一本書，沒話找話地問，「咦，妳拿著什麼東西？」

唐業代為解釋道：「我順便帶過來的一本書。」

「大過年的就為送這本書？該不會是什麼珍貴的孤本吧。」韓述半真半假地說道。

唐業何嘗不知道，現在他對於自己的一切財產都沒有處理權，包括一本舊書。

桔年這時面無表情地將書往韓述跟前一遞，揶揄道：「要沒收嗎？」

韓述果然訕訕地沒敢去接，回她：「我什麼都沒看到。」

唐業對韓述說：「我有個不情之請吧，我屋裡的書，假如沒什麼價值，與其到時成了廢紙，不如……我想不如把它們都轉贈桔年，這件事就拜託你了。」

韓述愣了愣，才說道：「在沒有判決之前，說什麼都言之過早。」

唐業也不在這個問題上糾纏，向桔年說了句：「真的要走了，代我向非明問好。」言罷便轉身離開。

韓述拎著鞭炮，看著拿著本舊書沉默不語的桔年，澄清道：「我沒趕他走啊。」他好像忘了，他其實才是那個將要被趕走的人。

「要不要叫醒非明起來看我放鞭炮？」韓述怕引信潮濕，滿院子地找可以掛鞭炮的地方。

桔年也打算去看看非明怎麼樣，她剛起床的時候已經去她房間看過一次，那孩子睡得很熟。

她走到廊簷下的時候，跟韓述同時聽到什麼東西碎在地板上的清脆響聲。聲音是從非明房間裡傳出來的！

韓述幾乎是立即扔了鞭炮，跟桔年一塊往非明房間裡跑。

非明以一種奇怪的姿態趴在床上，落地摔碎的是她床頭櫃上的玻璃檯燈。

桔年六神無主地把非明抱了起來，小心翼翼的，她那麼恐懼，彷彿害怕非明也像玻璃一般，一不留神就碎了。

非明的臉很紅，茫然地睜大眼睛，「姑姑，我的頭有點兒疼。」

「沒事，沒事，我們馬上去醫院。」桔年用一種哀求的眼光看著韓述，她開始慶幸韓述還沒有離開。

非明卻搖著頭說：「也不是很痛，我們等天亮再去吧，韓述叔叔走了嗎？」

她只是很平常地說出這些話，完全沒有意識到兩個大人立即白透了的臉。

此時清晨八點已過，陰天，雖說不上陽光燦爛，但透過非明小房裡的窗戶可以非常清楚地辨別，天早就亮了。而韓述現在就站在她的床頭，只是沒有說話。

桔年如墜寒窖，她抱著非明沒有出聲，只是悄然用牙齒咬緊了自己抖得厲害的唇瓣。

韓述緩緩地伸出手，在非明已然沒有了焦距的眼睛前上下晃了晃。

「姑姑，韓述叔叔昨晚到底走了沒有？他說了他沒地方去的。」非明有些吃力地說。

桔年淒然地閉上了雙眼，韓述的手頹然地垂了下來。

第三十五章　不問因由的愛

大年初一的早晨，非明被火速送回第一人民醫院。韓述的車在掛滿大紅燈籠的街道上疾馳，身邊的一切極速地在窗外擦過，幸而如此，他才用不著看清楚那些人們臉上的歡快喜悅。

桔年抱著非明坐在後排，一句話也不說，反倒是她懷裡的非明像在安慰兩個無助的大人，她說：「就是眼睛不怎麼看得清，其實算不上很疼。」

怎麼會不疼？非明看不見自己的臉，青白顏色，上面都是冷汗。只不過她經歷過更疼的，痛楚在她看來已經是一種習慣。

抵達醫院後，院方立即對非明進行了各項緊急的檢查。這天住院部的病人少得可憐，幾乎所有的醫護人員都圍著非明奔走忙碌著，那樣簇擁著，如臨大敵，讓在外等候的桔年一顆心慢慢沉了下去。

醫生的報告出來得很快，結果也是意料之中，由於顱內的瘤體壓迫視神經而導致的失明在臨床上並不罕見，以非明急轉直下的病情來分析，這是遲早的事情，除了手術，再無別的辦法。

孫瑾齡這天並不值班，但是接到通知後她也在第一時間趕到了醫院。韓沭一見她，就跟著擠進了她的辦公室，在既是權威又是親娘的孫瑾齡面前，他無心掩飾自己聲音裡若有若無的哭腔，一開口就是，「媽，怎麼辦，您說怎麼辦！」

孫瑾齡脫了身上的白大褂，掃了一眼自己的兒子，「怎麼辦？膠質性腦瘤第四期，你知道有多棘手嗎？實話跟你說，我幹這一行這麼多年，見過的病例也不少，這個病到了這一階段，治癒率是非常之低……」

「低到什麼程度？」韓沭追根究柢地問。

孫瑾齡坐下來，沒有說話，韓沭原來抱有的一線希望也在這沉默中被悄然摧毀了。他媽媽是個謹慎的人，如果她沉默，就意味著那個數字真的非常之低，乃至於她不願意說出來看著兒子難受。

「總有辦法的，媽，總有辦法的，她才十二歲不到！」韓沭坐在孫瑾齡身邊，無助地央求。

孫瑾齡說：「傻孩子，疾病對任何生命而言都是一視同仁的，它不會因為年幼或是年邁，可愛或是可惡，貧窮或是富有而區別對待。不管這孩子對你來說意味著什麼，但這就是現實。原本我還存有希望，等待她的身體處於一個相對良好的狀態下再安排手術，盡可能減少手術風險，現在看起來是等不了啦。」

韓述心中依舊沒底，追問：「手術成功的概率是多少？」

孫瑾齡說：「開顱手術必然是存在風險的，何況以她現在的狀況，任何一個小的意外都可能帶來可怕的後果，至於所謂的概率，不發生在她身上就是零，發生了就是百分之百。」

韓述沒辦法不去想非明在自己身邊時的燦爛笑顏，愈想就愈覺得揪心地疼，而他媽媽一席話裡客觀而殘酷的判斷讓他充滿了無力感。

「我不能讓她死在手術臺上，媽，您告訴我更好的醫生在哪裡，國內不行就國外，我不能讓她死。」

孫瑾齡並沒有因為兒子心煩意亂之下對自己專業的質疑和否定而表現出惱怒，相反，她仍然溫和地看著兒子，用最平靜的語調說：「那她或許不會死在手術臺上，而是死在路途中。」

韓述捂著臉彎下了腰。

「我剛才說的是最壞的結果，你可以凡事往好處想，在這種時候也只能這樣了。別為難自己，兒子。」孫瑾齡摸了摸兒子短短的頭髮。

「我當她是我親生的女兒。」

孫瑾齡欲言又止，歎了一聲，「你難過我知道，可你身邊並不是只有這個孩子需要你關心。你去看了你乾媽沒有，還有你爸爸，昨天你離了家門之後，晚飯他都沒動幾筷子，一晚上胸悶氣短。小二，我們都漸漸地老了，父子哪有隔夜仇，你爸那脾氣，難道你要等他開口求你回來？」

「不是我要跟他鬧彆扭，他把話說得那麼絕，您要我怎麼辦？」

「你就不能聽他一次？他也不會害了你。去道個歉，服個軟，有你姊姊的事在前，他不會當真為難你的。」

「這就是癥結所在，平時怎麼罵我、看不上我都沒關係，但是這一回我沒錯，我不會放棄那個案子的，這是原則性的問題。媽，難道您要我明著道歉，陽奉陰違？」

「那個案子比你的家人還重要？」孫瑾齡有些心痛地看著兒子，在丈夫和兒子之間，她的確是兩難。

韓述一臉的疲憊。

「不是這麼比較的，我爸不也一直是這麼教我，他說人一輩子總要有些值得相信和堅持的東西，如果連這都失去了，那未免太悲哀了。這是我第一次想好好去做一件事，我也只剩這點堅持了，別讓我變得什麼都不相信行嗎？」

孫瑾齡不語，過了一會才問道：「你昨晚住哪兒……住她家？」

「滿世界都是酒店，哪兒不能住人啊？」韓述乾笑幾聲，可都說知子莫若母，他那點小心思哪裡逃得過孫瑾齡的眼睛，更何況他還掩耳盜鈴地試圖捂住臉上如此明顯的傷。

「臉上這是怎麼回事？」孫瑾齡豈能心中一點想法都沒有，她這個兒子最看重「臉面」，小時候被他爸爸痛揍，一邊掙扎還一邊大喊：「打就打，不要打臉！」在他臉上下手，就等於老虎嘴裡拔牙。可這回都被抓成這樣哼都不敢哼一聲，不用猜也知道是誰幹的，而她的這個寶貝兒子幹了什麼好事讓一個溫吞吞的姑娘下這樣的狠手，她都不願意深想。

孫瑾齡啐道：「你這個沒出息的！」

韓述果然面紅耳赤得說不出話來。

孫瑾齡感歎道：「你們啊，姊弟倆加上你爸，都是一樣的臭脾氣，沒一個讓人省心。你不是孩子了，再做那些沒分寸的事，小心毀了自己，到時連個哭的地方都沒有。」

韓述從母親的辦公室裡出來，回到病房去看非明和桔年。非明身上連著各種儀器和管子，但是狀態已經穩定下來，正在和桔年低聲說著話。韓述進去的時候正好聽到她說：「看不見也有個好處，我就不用看到李特以後長滿青春痘的樣子，有人說小時候長得帥的男孩子，長大了之後就會變得很醜很醜……」

她說的時候好像是無所謂，走近了才能看見，兩腮上全是眼淚。韓述和桔年一樣，寧願看到她像剛入院的時候不管不顧哭鬧的樣子，她有權利任性和宣洩，總好過現在這個樣子。她這樣平靜，倒讓身旁看著的人心都碎了。

陪著坐了好一段時間，韓述想到三人一早什麼都沒吃，現在已到午後，便尋思著出去找點吃的。剛走到病房外，他不期然看到一個女人安安靜靜地坐在最近的一張椅子上，那是陳潔潔。

韓逑不知道她來了多久，也不知道她為什麼只是在門外坐著。陳潔潔看到他倒是沒有任何意外，甚至還點了點頭。

「你好，韓逑。」

韓逑此時也顧不上風度，堵在門口就冷冷地來了句，「好個女鬼！妳陰魂不散地又來幹什麼？」

陳潔潔定定地說：「我來看我的女兒。」

韓逑被她的態度激怒了，「妳的女兒？少來了，妳問問妳自己配當媽嗎？」

陳潔潔也站了起來，「用不用我給你看親子鑑定？」

韓逑歎為觀止，「妳跟我來這一套？妳有什麼權利在沒有得到孩子監護人許可的情況下進行親子鑒定？再說，就憑一張紙妳就想把孩子要回去，沒這麼容易！如果我是妳我就會識趣些，要消失就消失得徹底，何必到這裡來招人討厭。」

陳潔潔也沒有生氣，彷彿對一切責難早已做好心理準備，況且她從來就是一個邁出去就不懂回頭的人，從來不在乎別人怎麼看。她看著韓逑說：「你討不討厭我這一點都不重要，重要的是我要跟我女兒在一起。」

「妳當她是小貓小狗，不要的時候就扔在一邊，想起來了就看兩眼？妳根本就沒資格來看她。」韓逑面露不屑。

陳潔潔一字一句地說道：「我沒說我是來看她，我要認回我的女兒，以後都不會讓她從我身邊離開。」

她這樣平和甚至是篤定地提出在韓述看來相當無恥的要求，簡直就是在挑戰韓述的耐心極限。他離開病房門口幾步，譏誚地笑笑，「讓我猜猜，周家也快混不下去了，妳已經到了試圖認回私生女，再賣女兒謀生的地步了？要不就是你們家周公子肯戴著綠帽、收留一個拖油瓶？這麼說起來，你們還真是天生一對。」

面對韓述的尖酸刻薄，陳潔潔只是捏緊了肩上的包，「韓述，我感激你為非明做的一切，當然更感激桔年。所以我在門外等，我不想那麼快打擾你們。但是我不知道非明的日子還有多少，我不能等太久。就算我欠桔年的，可是裡面躺著的孩子是我生的，我們才是親母女，這不是我虧欠了就可以抵消的。」

韓述不再跟她糾纏，撂下一句，「妳要認回孩子，那就法庭上見。我告訴妳，從我們這兒妳占不到什麼便宜。」

陳潔潔說：「韓述，你能代表桔年嗎？或者說，你能代表非明嗎？我今天來這裡並不是一廂情願的。非明需要媽媽，是她選擇了我，她願意以後跟我在一起，你懂嗎？」

「妳就信口雌黃吧，反正嘴長在妳身上，非明會跟妳？我都替妳臉紅！」韓述當然不信。

他們在門外的爭吵其實都落入了房間裡的人耳中，非明不再流淚，她茫然地睜著眼睛，在一片模糊的世界裡努力去分辨她生母的聲音。用不著開口說一句話，桔年已然明白，因為她從非明的臉上看不到恨，只看到眷戀。

但是她仍然輕聲地問了非明：「是真的嗎？」

非明猶豫了一會，還是點頭了，她喃喃地說：「姑姑，我捨不得妳，但我不是孤兒，我想要媽媽。我跟媽媽說，我不能馬上跟她走，因為我還要跟姑姑一塊過年，如果我不在，姑姑一個人就太孤單了……我答應媽媽過完年就跟她在一起，現在我在醫院裡，但是假如可以出院，我不想再離開她。」

桔年怔怔地聽完，點了點頭。是她說的，要由孩子來做這個選擇，她希望非明做自己想做的事，選擇自己想要的生活。對於這個結局，她也早有預感。只不過剛剛過去的除夕，讓她有了一種錯覺，她們會平平靜靜地生活在那個小院子裡，永遠不分開。她一直跟非明說的，活著的人談不上永遠。她自己卻忘了。

當然也不能責怪非明，對於一個不知道還有多少時間的孩子來說，那剩餘的每一分每一秒都太寶貴，寶貴得她捨不得拿來去恨去責怪生母當年的拋棄，她只想要愛，迫不及待爭分奪秒地去愛。

桔年起身走出門外，韓述和陳潔潔之間總是火藥味十足的爭執在見到她之後很自然地停了下來。

「妳說好不好笑，她以為什麼都是她說了算，她一天都沒有養過非明，卻以為非明會跟她走?」韓述用一種感覺無比荒唐的語氣對桔年說道。

「她說的是真的,韓述,非明想跟她在一起。」

韓述沒有想到這句話會如此平靜地從桔年嘴裡吐出來,為什麼他反而成了眼前最不能夠接受這個事實的人?

桔年深吸了口氣之後,轉向陳潔潔,「孩子是妳的,誰也帶不走。但現在病成這樣,爭這個有什麼意義,一切等她好轉再說吧。」

陳潔潔面對韓述時是冷漠而倔強的,然而在桔年面前卻忍不住眼眶微紅,「謝謝妳!不過從今天開始,我會來照顧非明。」

韓述不敢置信地認清了這個現實,但他無法理解,繼續質問:「非明要跟她,為什麼啊?一個沒有見過的親媽會比養了她十一年的人還重要?」說著他瞥了一眼陳潔潔,「妳究竟搞了什麼鬼,跟孩子說過什麼?」

桔年顯然也需要一個答案,非明要跟陳潔潔走,她攔不住,但她只想知道那個下午,陳潔潔和非明短暫的交談究竟說了些什麼,以至於非明立即就做了決定。

陳潔潔對桔年說:「我沒有騙非明任何事,我甚至告訴她我錯了,我拋棄過她。她聽了我說的話之後,只問了我一個問題。」

「她問妳為什麼喜歡她?」這對於桔年來說並不難猜,同樣的問題,非明問過她,也問過韓述,但是不管她怎麼回答,非明的眼裡都只有悵然。

陳潔潔有些驚訝，但還是點了點頭說：「沒錯，她就是這麼問的。」

「那妳是怎麼回答的？」桔年忽然無比迫切地想聽到陳潔潔的答案。

陳潔潔說：「我告訴她，我也不知道為什麼喜歡她，也許根本就沒有理由，只是因為她是我女兒。」

桔年啞然了，似乎有些明白了，也許這就是她比不上陳潔潔的地方。不管這些年裡她怎麼悉心照料，可是這麼簡單的一個問題，答案也顯而易見，但是她就是答不上來。因為她沒法告訴非明，她喜歡非明，非明已經是她生命中的一部分，但所有的初衷都是因為這孩子身上有著巫雨的影子。

而非明要的卻是不問因由的母愛。

孩子的心很簡單，卻比成人更容易感受到純粹。

「妳不能這麼任著她欺負。」韓述為桔年憤憤不平。

桔年低頭說：「我本來跟非明就沒有任何血緣關係，現在她親生媽媽出現了，我……我也算放下了一個擔子，這對大家都好。」

她的聲音平淡而漠然，並沒有刻意壓低聲音迴避裡邊的非明，接著又對陳潔潔說：「妳進去看她吧，她一直在等你。待會兒醫生會有些交代，妳跟我一塊去吧。」

「妳……」韓述看著陳潔潔走進病房，卻一點辦法都沒有，最後只能頓足，指著桔年道，「妳叫我怎麼說好呢？」

桔年卻叫住了不甘心就此離去放任陳潔潔輕易贏回孩子的韓述，「你為什麼非得說點什麼呢？」

其實她大可以讓這一幕更慘烈些，相視痛哭、依依不捨、擁抱述說、翻出舊帳、流淚道歉、相互譴責……這並不是一件困難的事，可那又有什麼意義，除了讓所有的人看起來更苦情更可憐更難過，然而桔年已經受夠了這些。更重要的是，這樣艱難的過程仍舊只會指向一個結果，該走的還是會走，因為這是非明自己的選擇。

第三十六章　他們終於一家團聚

桔年仍是非明的監護人，在正式的手續辦下來之前，她徵得陳潔潔的同意，便在醫生辦公室裡簽下了非明的手術同意書。關於手術的風險和可能導致的後遺症，醫生也向她們闡述得相當清楚。手術可能成功，也可能讓非明的生命立刻終結，即便是順利，也許她會留下各種後遺症，除了失明，還有可能行動不便，甚至癱瘓和智力受損。這些都是可能，只有一樣可以確定，那就是不管怎麼樣，非明都再也不會是個健健康康的正常人。

陳潔潔說：「我不管，她若真的熬不過去，我會陪她到最後一刻，她就算殘疾或是成了植物人，只要有一口氣，我都會守著她。」

她和桔年一樣都見證過死亡，愛著的人，哪怕他不再完整，只要他活著，只要還能摸到他的臉，終歸是上天留有一絲餘地，總好過天人永隔的遺憾。

手術安排在六天以後。在非明的一再請求下，陳潔潔決定在初五那天把她帶出醫院，去她生父，也就是巫雨墳前看看。醫院那邊倒沒有實質性的阻攔，因為誰都清楚，即使她去了也什麼都看不見，但這很有可能是她最後一個心願，也是最後一個機會。

陳潔潔並不知道巫雨葬在哪裡，所以桔年必須要帶路，非明視力受限自然行動不便，那條路並不好走，是故韓述也自告奮勇地出現在一行中。

其實，桔年自從出獄後找到過那墳墓一回之後，就再也沒有到巫雨墳前去過，她一直拒絕相信巫雨死了，也不相信他就躺在一堆黃土之下，所以她下意識地躲避著他的埋骨之地。這一次，也許韓述已經打破了她的幻想，也許是多了陳潔潔和非明，一路上她反倒坦然了些。

雖然許多年沒來，那地方還是老樣子，桔年的回憶一直繞過了這裡，可是她發現她仍然記得每一條小路的細節。

那天下著小雨，出行很不方便，必須要步行的距離並不算太遠，但是他們走了很久。

到了巫雨墳前，不出意料之外，那裡已是荒草覆蓋，不留心根本無從發覺那一堆亂草之下還有一個孤塚。站在那些枯草上，桔年把位置留給了陳潔潔母女，自己並沒有走得太近。很奇怪的感覺，不管曾經多麼熟悉親密的人，他的墳墓一樣陌生而冰冷。她甚至無從感歎，也無從悲傷，因為她心中的「小和尚」，從來就沒有辦法跟這裡聯繫起來。

桔年扯著差不多跟她一樣高的一棵樹的葉子，等待著在墳前絮絮低語的非明和陳潔潔。那棵樹被雨水打濕了，葉子是青翠欲滴的顏色，這倒是當年和巫雨一塊沿著小路上學時常見的。她記憶裡的鮮活和眼前的荒涼有如雲泥之別。

「不知道爸爸長什麼樣，還好，在我看得見的時候見過媽媽的樣子。」隔著好幾步的距離，非明的聲音隱約傳來。桔年不想打擾那一家人一生一次的團聚，也就在這種時候，她才發覺，在另一個小世界裡，從頭到尾，她都是不折不扣的局外人。

陳潔潔什麼都沒說，她一直在徒勞地試圖用手拔除墳頭上的野草和樹枝，可那上面長著的小樹樹幹都像手腕一般粗細，靠人力完全不是一時半刻可以清除的。

韓述推著非明的輪椅，不知道為什麼，最後離開時，桔年似乎看到他的嘴唇若有若無地動了動，不知道在自言自語著什麼。

韓述推著非明從桔年身邊經過時，他眼裡有掩不住的擔憂和關切，他問道：「妳真的不用過去看看嗎？」

陳潔潔還留在原地，她到底拔不動那棵墳頭上的小樹，可是當她終於放棄時，最後撫摸那小樹枝幹卻非常溫柔，就像撫摸情人的身體。桔年看見了她手心被草葉割出來的傷口。

陳潔潔對著巫雨的荒墳說道：「我說過恨你一輩子的，可是沒想到一輩子那麼長。非明病了，要是你在天有靈庇佑著我們，讓她好起來，你就再等等我們；要是孩子真的走了，你們就一塊兒等等我。我們總有在一起的那天，這輩子不行了，下輩子我不准你再失約……」

桔年低下頭去，鬆開手，那片葉子就掉了下來。

巫雨，就連下輩子，他也不是她的。

她用搖頭回答了韓述的疑問。回去的時候，依舊細雨纏綿。非明淋不了雨，韓述用一把很大的傘遮擋著她，走得很快。桔年遠遠地跟在後面，過了一會，頭頂的天空被覆蓋，原來是陳潔潔撐著傘並肩走在她身邊。

起初她們什麼都沒有說。直到看到韓述停在路口的車，陳潔潔才停了下來。「桔年，對不起！那幾年的牢，本應該是我去坐的。」

她撐著一把有著豔麗花朵的傘，光線透過薄薄的傘布，在兩人身上留下了各異的陰影，呼吸著的空氣中滿是潮濕的味道。

「是，妳說的沒錯。」

對她們來說，這是一個顯而易見的事實，誰都沒有必要虛偽。

「我只能道歉，因為用什麼都不能彌補，所以我不求妳原諒。」

「我問妳一件事。」桔年看著陳潔潔，她們的身高差不多，所以眼睛是平視著的。

「這十一年裡，妳有沒有過很快樂的時候？」

陳潔潔想了想，選擇了誠實地點頭。她曾經以為自己隨著巫雨已經死了，可是正如她說的，一輩子太長，長到有很多東西可以悄無聲息地填補進來。巫雨走後，她後來的日子並不是沒有過幸福，她無法欺騙自己，也無法欺騙如鏡子一般照見自己的謝桔年。

桔年聽到這個答案，只說了一句：「那也好。」

總算有人是快樂過的。縱然陳潔潔如何愧疚道歉，都不可能挽回桔年失去的那幾年。桔年不打算原諒陳潔潔，也不打算讓別人覺得她有多善良，只不過既然已經失去了，那麼能換回一點東西總是好的。就好像她丟失了生命中某個固定旅程的船票，她再也不能趕在那個鐘點抵達，可是很多年之後，才被告知，有人曾靠這張撿到的船票因緣巧合去了要去的地方，她何必再去恨那個比自己幸運的人？

不是她，就是自己，桔年很早就知道，那是命運裡的一個劫，她們都在這個劫裡面，現在看來，至少有一個人是快樂過的，那幾年回不了頭，可總算沒有徹底地虛擲。

陳潔潔低頭良久，在流淚的瞬間，微笑了起來。

就在韓述推著非明走到車邊的時候，他們都看見一個抱著小孩的男人一直等在小路的盡頭。他抱孩子的姿勢並不熟練，不用走近，桔年也猜到他臉上一定還有未痊癒的抓傷。不知道他和韓述會不會因為彼此的臉而同病相憐？

桔年推開陳潔潔的傘，獨自加快腳步走開。也許她和陳潔潔再也做不回朋友，可她寧願那張丟了就再不屬於自己的船票載著另外一個人走得更遠。

陳潔潔在桔年身後急聲說道：「桔年，快樂沒有那麼難，當他在身邊睡著的時候，就對自己說，假裝他也死了，假裝他也不會醒過來，這麼想著，結果發現自己居然也是難過的——原來這輩子不只一個人讓自己那麼難過，好在，他還會醒過來。到時妳就會發現，真的，一輩子那麼長，求一點點快樂和安慰並沒有那麼難。」

周子翼提出自己開車送陳潔潔和非明回醫院，桔年沒有反對，便與他們在路口分別。陳潔潔一家背對著他們，也許是為著之前的爭吵，他們的樣子很是彆扭，過了一會，周子翼騰出一隻手去拉陳潔潔，不料卻被陳潔潔狠狠甩了一巴掌，他把臉偏過一邊，隨即也高高地揚起了自己的手，然而這隻手落下的時候卻很輕，輕得像在擦妻子臉上的淚。陳潔潔拿開他的手，探身去看他手裡抱著的孩子，就勢也輕輕地抱住了她的丈夫，兩人的手再也沒有鬆開。

非明坐在媽媽推著的輪椅上頻頻回頭看著桔年。自從她和陳潔潔正式相認後，姑姑的態度一直都是淡淡的，非明以為姑姑會跟她一起掉眼淚，雖然那樣她會難過，但是姑姑並沒有這樣。後來非明想，姑姑其實一直都是這樣的，也對，她畢竟不是自己的媽媽，離開了也好，即使她才十一歲，也知道姑姑帶著她，比一個人過日子要艱難得多。

桔年一直看著周家的車愈來愈遠，非明也離她愈來愈遠，只剩她還在原地。

韓述在她身邊開著玩笑，「妳難過的話，我不介意把肩膀借給妳哭。」

桔年真的就扭過頭去，伏在離她最近的那個肩膀上痛哭失聲。

反倒是原本還笑著的那個人，就此繃在那裡，分毫也不敢再動。

韓述把桔年送回了家，桔年沒有拒絕。除夕那一夜過後，他們之間很多頭緒其實都沒有來得及理清楚，結果非明就出了事。有些事來不及說，當事人也不願意再提，於是便不了了之。直至陳潔潔出現，他們從醫院裡回來，不管多不情願，韓述最後還是收拾東西離開了她的小院。這不只是因為韓述到底還是有幾分心虛，到了這一步，他也實在不敢逼得太緊。人說兔子逼急了還咬人，謝桔年絕對就是只悶聲不吭但是急起來會咬得他一佛出竅二佛升天的兔子。家是不能回的，節日期間，也不好打擾朋友，所以韓述就找了個安逸的酒店暫且住下。

幾日沒到這兒來，桔年已經把院門口的枯枝敗葉和鞭炮紅紙通通清掃乾淨，可也說不上為什麼，韓述看到這收拾乾淨後更顯空落落的院子，總覺得它比幾天前更少了些什麼。也許是非明也離開了，這原本就人氣淡薄的地方更如同空城一般。

桔年沒有招呼他，韓述自己找了水來喝，一杯涼水下肚，冷得胃都痙攣了。他本想找到屋主說，不帶這麼過日子的啊，大冷天的，好歹燒點熱水，冷死別人也就罷了，小心自己成雪人都不知道。誰知放下杯子四顧，桔年已經不在客廳。

他找到了屋子背後的天井處，果然看到了她，原來是斜飛著入簷的飄雨打濕了一個神龕上的香爐，從背後看，她正用手撥弄著香爐裡的灰燼，然後找來火柴，重新點燃了一炷香。

韓述心裡犯著嘀咕，都什麼年代了，她還有這麼多迷信的玩意兒，真讓人不知道該說什麼好。不過好像從很久以前開始，她就特別相信命運鬼神這一套。

韓述走到跟前，想看看桔年拜的究竟是哪一路神仙，是土地公公、觀音菩薩、玉皇大帝，還是灶王爺？不但要初一、十五地供奉著，年夜飯也得祂老人家過目後才輪到餓肚子的凡人，就連今天這不算什麼日子的日子，都還要香火伺候，說不定一年到頭都是如此，究竟什麼神仙能享受此等待遇。

他湊過頭去研究了一會兒，卻發現這神龕有點古怪，因為在他這個無神論者僅有的經驗裡，既然供奉著什麼，總要有點暗示，比如觀音、佛祖像什麼的，再不濟也得有張畫著神仙的畫吧，可這兒除了個香爐之外什麼都沒有。

韓述心下有些納悶，不過聯想到她之前拿著條吃了一半的魚都可以「虔誠地」忽悠神靈，在其他地方偷工減料好像也不是什麼奇怪的事。

他促狹地指著天偷偷問桔年：「那位同志對妳的魚沒有什麼意見吧？」

他以為桔年會回他一句「舉頭三尺有神明」什麼的，但桔年沒有跟他計較，一反常態地從旁邊取出了三支香，遞到韓述面前。

「幹什麼？」韓述做出個退避三舍的動作。

桔年說：「你也上炷香吧。」

她竟然用的都不是一個詢問的語態，而是一個祈使句，彷彿在跟韓述說一件再自然不過的事情，可她明明知道韓述一直反覆強調自己是堅定的唯物主義者。

韓述連連擺手，也有些狐疑，她供奉的到底是誰？是神，還是逝去了的人？他頓時心裡有些發毛，很自然地想到了巫雨，但是她從來都不肯承認巫雨已經死去，又怎麼會天長日久地為他焚香祈禱。

他拒絕道：「我不習慣這套，妳自己玩就好，何必拉上我呢。」似乎是怕她不快，他又補充，「我只會給我死去的親人上香。」

桔年的手一直都沒有撤回去，她已經聽到了韓述說什麼，卻仍舊是沒有什麼起伏的那句話，「上一炷吧。」

除了請他遠離她的生活，桔年很少要求韓述去做什麼，她站在香爐前看著他，韓述在這樣的眼神下有些無措，最後還是服了軟。他想，別說是點一炷香，就算刀山火海也是會去的吧。不過是個形式而已，管它是什麼鬼神，就當是讓她高興吧。於是韓述苦著臉照辦了，接過香，桔年低頭劃著火柴。當他終於極不熟練地把香插在爐裡的時候，桔年的注意力已不在他的身上，而是看著前方一個虛無的地方，她的眼睛裡彷彿有一種在日久天長裡已經平靜下來的悲傷。

韓述試圖阻止這種說不清道不明的情緒向自己蔓延，他拍著落在手背上的香灰說：「拜拜也好，反正我最近倒楣得很，什麼都不順利。我乾媽的身體看來是回不了檢察院裡了，這下唯一一個能幫我說話的人也沒了，昨天我們的代理檢察長無緣無故叫我出去喝茶，話說得漂亮，我也不糊塗。別人那是催著我往市院走呢，還暗示城南院這邊我該讓出位子來了，建設局的案子也會由其他同事接手。這算什麼，現在春節長假都沒過完，他甚至都還沒走馬上任，就這麼心急火燎地讓我滾蛋，他也不想想，這幾年城南院拿得出手的業績裡有幾個不是我啃下來的，我到底礙著誰了我。」

他說著自己的牢騷和鬱悶，但心裡其實也是明白的，於是自我安慰道：「算了，也怪不了他，誰讓我們家韓院長的手伸得長，遲早的事罷了。市院也沒什麼不好，嫡系，大把好差事等著，我犯不著幹那吃力不討好的活兒。累死老胡他們這些接手的傢伙。」

他雖一再往好處說，可那不是滋味的感覺傻瓜都聽得出來。沒受過挫折的人，輕輕摔一下就會覺得很疼，何況他還對那個案子那麼認真。

「對了。」他又看了桔年一眼，一副事不關己的模樣說道，「唐業現在已經被拘留了，妳知道嗎？」

桔年果然一震，憂色在她臉上一閃而過。其實也不該意外的，唐業早有預感，她更是無能為力，只得鬱鬱地應了一聲，「哦。」

韓述為自己撇清，「別以為是我整他啊，說真的，我乾媽病得不是時候，就連暗地裡也護不了他了，也合著是他倒楣。我這一走，老胡他們如果不接著查到底，王國華已經掛了，這個黑鍋唐業那小子算是背得慘了。」

他的言外之意無異於提醒桔年，妳就死了那條心吧。

桔年白了他一眼，沒有理他，走開去忙著收拾一些非明常用的東西。韓述的話確實讓她心煩意亂，唐業的遭遇不得不讓她難受和擔憂。她匆匆地在房間裡走進走出，手一時也不能停，一方面忙碌可以讓她心裡不用再去想一些不愉快的東西，另一方面也可以繞開韓述這隻愈趕愈起勁、惹人心煩還在嗡嗡叫的蒼蠅。

好在沒過多久，來串門的平鳳拯救了她。韓述見桔年有了客人，他也不好意思在桔年之外的人面前展示他的無聊，只得悻悻然離開。

第三十七章　平鳳的歸宿

平鳳每年春節都會到桔年家串門，她算得上是過去在這個節日裡桔年唯一的訪客。只不過今年她來得晚一些，換作往常，大年初二、初三她準出現。

桔年見平鳳帶來了一大袋子山貨，才知道她原來是回了鄉下老家過年。這倒是少見的事，平鳳掙的錢雖然多半寄回了家裡，可她不愛回老家，多少年春節都寧願在外面漂著。桔年能體會那種感覺，沒人不渴望家的溫暖，可這種溫暖經不起貧窮和隔閡的消磨。平鳳的家人都知道她在外頭是幹什麼的，他們需要她，卻也鄙視她，平鳳不願意受那口氣。既然這樣，大家就眼不見為淨。所以，平鳳破天荒地回家過年倒讓桔年略驚訝了一會。

「難得回去一趟，怎麼不多住幾天？」

「嘿，別說多住幾天，多待一天我都要發瘋。錢已經拿回去了，我都快忘了他們長什麼模樣，所以趁著過年人齊備回去看一眼，在腦子裡留個印象，再怎麼說這輩子都算一家人，以後不知道什麼時候才見得著。」平鳳說。

雖然早知她和她家裡的那些事，可喜慶的節氣裡忽然聽到她這麼決絕的一句話，桔年也覺得好像哪裡不對。何況平鳳的弟妹裡還有幾個同在這個城市裡上學或打工，無論如何都到不了不知什麼時候才見得著的地步。

她埋怨道：「別說得跟訣別似的，聽得人心裡瘆得慌。」

「被我嚇著了？」平鳳笑得前仰後合，停下來之後她埋頭翻著帶來的特產，無非是筍乾、菜乾之類的東西，桔年喜歡，她一直都記得。她把這些東西都推到桔年面前，說：「特意多帶了些，不值什麼錢，不過以後也難得再給妳捎這些了。」

桔年再也忍不住了，輕輕按著平鳳呼啦啦推著東西的手，正色道：「平鳳，妳說實話，是不是出了什麼事？」

平鳳停了下來，眨了眨眼睛，桔年看到了淚水，更是著急，「說啊，出什麼事了？」

平鳳的樣子很奇怪，她一邊搖頭，一邊擦著眼角，可她並不是悲傷，好像流淚只不過是一種感歎，甚至帶著幾分喜悅。

「桔年，我聽妳的，不打算再做那一行了，我找到了一個願意要我的男人，他要帶我走，所以我準備跟著他離開這裡。家裡人不提也罷，其他的我也沒有什麼可留戀的，就是有些捨不得妳。」

桔年是該為這個朋友高興的，她一直希望平鳳能過得好，現在平鳳說找到了歸宿，但桔年心中卻茫然，不僅是因為平鳳的告別讓她有些突然，更因為一些未知的東西讓她不安。

「我……我從來沒有聽妳說過那個人。」

平鳳的頭低了下去。

桔年最不希望看到的那個答案卻慢慢浮出水面，變得清晰。

她放在平鳳胳膊上的手不自覺地抓緊。

平鳳說：「因為我不知道該怎麼跟妳開口。」

「難道妳說的那個人真的是望年？」桔年抖著聲音問，真希望自己猜錯，更希望平鳳立即就否認。

但是平鳳垂著的頭幾乎難以察覺地點了點。

「妳是聰明人，我知道妳一定早就有預感。」

桔年慢慢收回了自己的手。她是已經察覺到平鳳和望年之間有什麼不對勁，但她一直沒有說，是不想讓好友難堪，也心存僥倖地希望事情未必是那樣。然而事實卻朝著一個她完全無法想像的方向走。

平鳳剛才說什麼，望年要帶她離開這座城市？

「平鳳，我真的不懂。望年他還是個孩子，更重要的是，他小了我們整整八歲……」

平鳳的眼睛也冷了下來，她「嘿嘿」一笑，「桔年，別人怎麼想我不管，我以為妳不會是個在意這些東西的人。其實妳也不是真的不懂吧，妳最介意的是我跟他的年齡差距嗎？說到底還是因為我是出來賣的吧。妳可以跟一個妓女做朋友，卻不能忍受她嫁給妳弟弟！」

「妳這麼想我也沒辦法。」桔年臉色煞白，她和平鳳朋友一場，甚至可以說姊妹一場，也許她內心真如平鳳一語道破的那麼自私且陰暗，但是她實在是無法理解也無法接受，平鳳和望年要遠走高飛這個驚人而荒謬的事實。

平鳳有些黯然，「我想過瞞著妳就這麼走的，但我做不出來，這不是朋友做的事。」她直勾勾地看著桔年，就好像看見當年大家都緘默著的牢房裡，為了護著她而受傷的桔年蜷在地板上，一身的血；別人都看不起她，同監室的犯人私下裡把那些最繁瑣的手工活兒都扔在她床上，只有桔年做完自己的那一份，一聲不吭地再做她那一份，還有她為別人做的一份……這些年，她們也是互相扶持著一路走了過來。她終於找了個不嫌棄她，對她還算好的小男人，可他偏偏就是謝望年。

「我不想再瞞妳，我跟他認識快三年了，妳還記得那時妳帶非明回妳爸媽家過年，結果被他們罵了出來的事嗎？我為妳覺得生氣，憑什麼坐過牢就不是他們的女兒了，妳爸媽老頑固就算了，謝望年他竟然也幫著欺負妳。我氣不過，背著妳找他『理論』了一次，我也沒想到後來會成了這樣，他說他喜歡跟我在一起，我也不討厭他，可我怎麼好跟妳說呢？認識他那會兒，我還沒有出來單幹，而是在崔敏行的夜總會裡混。那時望年剛從技校裡出來，我還介紹他去給崔敏行做了一陣司機，後來他另外攀了高枝，我也從夜總會出來了，可我跟他還一直有著聯繫。在巷子裡撞倒我的那一回，他其實是偷偷開著領導的車來找我，他不知道妳也在那裡，那完全是一場意外，我只有裝傻。本來也沒打算跟他認真，我以為等他厭了我，這件事也就這麼過了，我也無所謂。可是桔年，我沒想到他對我是動真格的，他現在要我跟他走，我可能這輩子再也遇不上這樣的傻小子了，我顧不了那麼多了。」

平鳳站了起來，「該說的我都說出來了，我也不指望妳祝福，那些都是虛的，只有抓得到的日子、數得了的錢和留住身邊的人才是真的。妳諒不諒解都一樣，我一輩子都當妳是朋友，至於妳當不當我是朋友，這都無所謂。我也記得我欠著妳的，這輩子運氣好的話再還妳好了。話就說到這兒，我走了。」

她當真就要走，桔年一把攔住她，「平鳳，我也不怕妳笑話，我爸媽，還有望年那邊我早死了那條心，說放不下的，也只剩那點血緣了，問題是望年他能帶妳去哪裡？他除了開車還有什麼本事？他年輕，可以衝動，但是妳以後怎麼辦？」

平鳳說：「不走是不可能的，以妳爸媽的脾氣……也是，估計哪個父母知道自己的兒子跟我這樣的人在一起，都不可能過上消停日子。不過妳放心，我和望年不久前剛做成了一件大事，錢很快就要到手了，這筆錢也夠我們過上一段時間了。我不求什麼富貴，只要一個對我好的人，日子安逸一些，不用再吃那碗皮肉飯，那就足夠了。」

平鳳說這些的時候，因為桔年的關切，所以重新有了幾分振奮，彷彿好的日子就在眼前，觸手可及。

桔年卻仍回不了神。她跟望年不親近，可這個弟弟她知道的，從小被爸媽寵壞了，他能做得了什麼事？他有什麼能力承擔平鳳這樣一個女子傾盡所有的一生託付？桔年有一種不祥的預感，她害怕他們鋌而走險，就像當年的「小和尚」……她太熟悉那種擔驚受怕的感覺，於是只能央求，「平鳳，妳冷靜點，好歹說清楚，你們的錢從哪兒來的？我爸媽那點家底早沒了，望年到哪兒賺得了這樣一筆，還有，你們打算去什麼地方？」

平鳳的神情開始變得複雜，她迴避著桔年的目光，「別問了，有些事知道得多了對妳沒什麼好處。桔年，妳保重。如果我和望年的事傷了妳的心……」她頓住了，以桔年攔也攔不住的速度，左右開弓地用力給了自己兩個耳光，「對不住了。」

桔年呆在那裡，眼看著幾道清晰的指痕漸漸浮現在平鳳素顏的面頰上，正如悲哀也這麼浮在她心裡。她是不希望平鳳和望年在一起，但是有什麼辦法，要走的人，從來就留不住。

「妳等等，別走，等我一會。」桔年跑回了房，很快又回到平鳳身邊，把一樣東西塞在沒反應過來的平鳳手裡。那是唐業給她的一張卡，裡面是不大不小的一筆錢。唐業是不會收回他的心意的，所以桔年留下了，原本是打算用在非明身上，可是現在非明回到了陳潔潔身邊，而周子翼為了陳潔潔願意接受非明，她的醫療和生活已經不是問題。周家為非明請了專職的看護，桔年甚至不用再日夜守在病房前，她節後就可以回布藝店上班，一個人的日子足夠應付了。她用不上這筆錢，但平鳳也許用得上。雖然平鳳說她很快就會有一大筆錢進帳，可平鳳含糊其辭背後藏著的隱情，讓桔年感到事情也許沒有那麼順利。

「妳拿著，不說去哪裡也好，省得掛念。但是假如望年靠不住了，妳至少得有個防身的錢。拿著吧，就當給自己留條後路。」

平鳳笑得像哭，「有妳這麼不相信自己親弟弟的嗎？再說妳瘋了嗎，非明現在正是用錢的時候！」

桔年只得告訴平鳳，非明跟回她生母了，她現在已經屬於另外一個家庭，輪不到自己來管。

平鳳捏緊了那張卡，她沒有跟桔年推來推去。她知道，桔年從來不是個做表面人情功夫的人。桔年把錢給她，就是認定了她比自己更需要。

「老是我這樣欠著妳的沒意思。」平鳳扭開臉去，不想在這個時候讓桔年看見她一塌糊塗的樣子，所以她拚命地擠出一個笑臉，「求妳啦，總得給我個機會讓我還妳，讓妳也試試欠著我人情的滋味。」

「總會有機會的。」桔年便也試著去笑。

「那孩子找到了她親媽也好，妳別怪我說的不好聽，留她在身邊，妳找個好男人都難，這事沒多少人願意買一送一。桔年，妳也找個人好好過日子吧，沒有過不去的事，人生在世短短幾十年，別苦了自己。」

桔年低頭笑笑，什麼也沒說。

平鳳捅了她一下，「別裝，剛才那個誰不是才從妳屋裡不情不願地走出去嘛。」

桔年說：「他過來逛逛罷了。」

「那他怎麼不到別處逛啊。得了，我能看不出來？說到底就那麼回事，妳見過那發情的狗嗎？腦子裡沒別的，只會在牠看上的母狗身邊晃蕩——我不是罵人啊，我就想說人跟狗其實在這方面沒區別，他都恨不得直接爬妳身上去了。」

平鳳口無遮攔，話說得辣俗，倒也直截了當，桔年窘得滿臉通紅，「說什麼呢！」

「妳勸我，我也來勸妳，桔年，人活著還是得現實點。」平鳳說道理的樣子很詭異，但她卻說得由衷，「以前怎麼樣咱不管，我就認這個理，妳看他，長得好、有錢、有好工作，最重要的是他肯圍著妳轉。妳的好我知道，妳配得上這樣的人，但別人不會這麼看，說得坦白一些妳別惱，在別人眼裡妳坐過牢，年紀也不小了，妳再找不到這樣的啦！」

桔年一笑，「妳不是說過，要我找一個跟我的過去沒有關係的人嗎？」

「問題是妳有這樣的人嗎？」

桔年想起如今身陷囹圄吉凶難卜的唐業，她得承認平鳳說得沒錯，她沒有這樣一個人。可為什麼她身邊必須要有一個人。

桔年不願意再往這個問題裡深究，便對平鳳隨口說道：「他現在自顧尚且不暇，來我這兒訴訴苦罷了。」

「他怎麼了？對了，我記得以前那個冤大頭對妳也很有意思的樣子，現在怎麼人影也不見了？」平鳳總算是想起了唐業。她要走了，留下她唯一的朋友，她只能幫助桔年檢視身邊任何一個有可能的男人。

桔年苦笑道：「他更不會來了，他們兩個說到底是一條繩子上的螞蚱。」

「剛走的那個姓韓的，不是聽說他老子是什麼法院院長嗎，家裡面應該是挺有勢力的吧，按理說沒什麼擺不平的事啊。」平鳳低頭用腳尖在地板上劃著，然後她拉著桔年，索性又坐了下來，接著問，「妳跟我說說，他們到底都怎麼了？」

桔年沒想到她會在這個問題上如此感興趣且刨根問底，不過平鳳走了以後，可能她連找個肯為她這些事情刨根問底的人都沒有了。她並不願意捲進韓述和唐業的案子中去，只是從他們兩人的敘述中得知這件事的大致始末。於是桔年歎了口氣，坐回平鳳身邊，跟她簡要地說了。韓述調查建設局一案，唐業涉案，韓述疑心幕後另有主使，而且已經掌握了一些證據，卻為此與他父親起了爭端，最後人被趕了出來。韓述鬱鬱不得志，案子丟了，工作必須變動，唐業也勢必頂罪……桔年淡淡地說出自己所知的來龍去脈，盡可能地像一個旁觀者，不帶任何感情色彩。可這樣並不精彩的敘述，平鳳卻聽得異乎尋常的認真。

末了，平鳳沉默了很久，才說道：「這不公平，憑什麼一個案子讓妳身邊好不容易出現的不錯的男人都攪得一身爛泥？其實本來沒有那麼糟的，偏偏韓述他老子插了一手，這事跟他也沒什麼關係，他何必上竄下跳，我看他也不是什麼好東西。」

「也別那麼說，總之這些事牽扯得太複雜，我們這些看客怎麼看得清裡邊的內情。」桔年說道，她想，還好韓述沒有聽見平鳳信口亂說他爸爸的那些話。她很清楚，韓述雖然對韓院長有諸多不滿，但是心裡還是非常崇敬這個父親的，他那麼聰明，卻從來不願意從陰暗的角度去揣測他父親在這件事情上異樣的表現，而且他也絕對不會允許任何人污蔑韓院長。

平鳳聲音抬高了八度，「怎麼是看客？桔年，妳糊塗啊，這事關乎妳一輩子的幸福，妳以為妳還有多少機會？姓唐的在局子裡是沒指望了，姓韓的要真的在這件事上摔了跟頭，還指不定以後會怎樣呢，妳說要是沒有那個韓院長，不就什麼事都沒了？」

桔年好氣又好笑地聽著她說這些天真的話。頭腦簡單一根筋的平鳳，偶爾極度市儈偶爾又極度感情用事的平鳳，她唯一的朋友，如今也要走了。

兩人又說了些姊妹間才有的無邊無際的傻話，各自顛來倒去地叮嚀。最後桔年看著平鳳離開，平鳳跟望年，匪夷所思卻堅信未來會幸福的一對，真的會幸福嗎？

平鳳走出桔年家的院門，反手替桔年把門掩上，隔著鐵門，她咧嘴一笑，對桔年說道：「人不可能一輩子不走運。桔年，妳應該有個好的結果，我也是。妳相信我，什麼都會好的。」

桔年笑著點頭，她當時並不知道，這是平鳳對她說的最後一句話。

第三十八章　潘朵拉的盒子

春節長假一過，桔年就回布藝店上班了。日子彷彿又重新回到了原來的軌道上，除了她身邊已經沒有了非明。

正月初七那天，節日的氛圍仍然很是濃郁，但對於布藝店來說，卻是個淡季，因為大多數客人會選擇在春節前採買好家裡的新物件，以圖個萬象更新的好兆頭。桔年上的是白班，一整天都很清閒。

下班的時候，她照舊在布藝店附近的報刊亭買了一份當日的晚報，坐在公車上一路看回家。報紙上花花綠綠的，大都是春節期間各大商家的活動廣告，桔年看完了娛樂新聞又去翻社會新聞，角落裡有個豆腐塊大小的地方，刊登著一則跟春節的喜氣洋洋完全不搭調的血案。說是一對男女在某出租屋裡發生爭執，最後該男子在女子腹部連捅三刀，女子當場死亡，男子企圖逃逸，在案發數小時後被警方在車站抓獲。在新聞的末行還註明，經警方證實，死亡的女子為非法的性行業從業者，行凶男子的身分尚在調查之中。

桔年在晃晃蕩蕩的公車上看完新聞，此類報導近年來層出不窮，那些處在社會邊緣的人，命就像風中的燭火似的，指不定什麼時候就熄滅了，不足為奇。人們看多了，也不怎麼吸引眼球。桔年心想，平鳳的決定也許是正確的，不管怎麼樣，脫離那個行當，找一個哪怕平庸的男人，至少有安定的一生。

平鳳那天從桔年家裡離開就再沒了消息，她不是個婆婆媽媽的人，道過了別，不會再欲走還留。不知道她和望年離開了沒有，已經去到了哪裡？桔年跟父母徹底斷了聯繫，也無從打聽，她想了兩天，已經慢慢地開始接受平鳳跟望年在一起，一個不嫌棄她、對她好的男人，這就是平鳳的要求了。到了這個時候，桔年掛心更多的是平鳳，反而不是望年。所謂的親姊弟，其實只是她自以為。現在她只求望年對平鳳好一些。

快下車的時候，她把報紙摺疊起來收進了包裡，心裡想著的是明天非明就要進手術室了。她昨天下班後去探望過非明一次，還是瘦，但是看得出來她真的是因為回到母親身邊而感到快樂和滿足。陳潔潔不放心看護，整日守在醫院裡，連帶著周子翼下班後都常常在醫院裡跟她們一塊吃晚飯。桔年在非明病床邊坐了一陣，見她一切都好，別人一家幾口都在，她也不好待得太久。不過手術關係重大，桔年是不能錯過的，她特意跟同事調了班，以便可以在醫院裡守候手術結果。悲傷了太久，當這一天終於快要到來，她反倒沒有那麼忐忑。非明若能平安出來，那必然是謝天謝地，假如該來的遲早會來，那麼，桔年這幾天徹夜祈求，也只為那孩子不用再忍受那麼多的痛苦。

經過財叔的小商店，財叔的老伴叫住了桔年，然後遞給她一個EMS快件，說是一個多小時前送到的，見她不在，財叔就代收了。桔年謝過，把那藍白色的硬紙信封拿在手裡，她都忘了自己有多少年沒有收到這玩意兒了。信封上沒有寄件人地址，桔年本以為是斯年堂哥寄的，但是看了看郵戳，是本地的。

斯年堂哥要是回來，一定會在第一時間來看她們的，應該不是他，那，就是韓述，不知道又在玩什麼新把戲。這時財叔也從裡屋走了出來，見到桔年就瞇著眼睛直笑，嘴裡還問道：「小夥子今天有事沒來？他那天撓蚊子撓到毀容的臉好一些了沒有？」

桔年以笑作答。韓述從之前的偷偷尾隨到現在隔三差五正大光明地出現在桔年家附近，更何況大年初一大清早的就從桔年家跑出來買鞭炮，財叔他們都看在眼裡，他早把桔年和韓述當成了一對。桔年也不解釋，說多了只怕財叔也當她是女孩子害羞罷了。

不過財叔隨口問問，說的竟然也沒錯。韓述今天的確有事，他不情不願地到市院報了到，這是上班的第一天，雖然心中不滿，但是他居然還不忘下班後請本部門全體同事吃晚飯，如此擅長人情交際，也無怪乎到了什麼地方他都還算吃得開。

中午的時候，韓述特意打電話給桔年，跟她說起這件事，還說自己今天就不過來了。桔年覺得實在莫名，她本來也沒讓他過來，沒什麼事他老往這邊跑什麼，不來就罷了，居然還用得著為這個專門打電話說明，這樣理所當然，彷彿真的有人跟他約好不見不散一般。她停了一會，韓述就在電話那邊埋怨新環境，一個勁地倒著苦水。這也是沒有辦法的事，假如掛了他的電話，沒準他瘋起來會往店裡的分機打。更無奈的是，他出現得如此頻繁，就連財叔都知道，他要是不來，那一準是有事了。

桔年開門回家。她不是個急性子，儘管對那個快件感到有些疑惑，也一直拿著，等到放好東西，坐在椅子上才慢條斯理地拆開。信封的裡面還有個用透明膠纏得嚴嚴實實的舊報紙包，桔年一一拆開，裡面的東西才露出真容。

不是什麼信件，甚至一張紙都沒有，舊報紙裡只有一疊相片，桔年只看了最上面一張，就再也沒辦法安之若素地坐在那裡，那竟是一對男女以最不堪的姿態交纏在一起。

儘管桔年明知身邊除了自己再沒別人，但是乍然看到這樣的東西，還是禁不住目瞪口呆、面紅耳赤，那照片裡的人究竟是誰？

前幾張燈光昏暗，裡面的人物姿態扭曲，照片的品質很一般，看得不是非常清楚，只能從擺設分辨出那是一間算不上豪華的酒店房間。桔年又拿過信封仔細看了看收件人，地址是她家沒錯，收件人也確實是謝桔年沒錯，可誰會給她寄這些東西？這跟她又有什麼關係？

她一張張地往下翻，男人從頭到尾是光著身子，女人卻有幾張還穿著類似學生裝的衣服，最後桔年的目光終於停在某一張上，她看清了那女人的臉，竟然是她再熟悉不過的平鳳！只不過因為平鳳頭上紮著可笑而落伍的兩個小辮，所以桔年在頭幾張有著側面的照片裡竟沒一眼把她認出來。

事關平鳳，桔年再也坐不住，她站起來，飛速往後翻著。難道郵件是平鳳寄來的？桔年早知道她之前一直做的是這個行當，但是她不會無緣無故把這種照片拍下來寄給朋友。那男人中等身材，但是看得出有些老態了，桔年盯著他正面的樣子看了很久，愈看愈熟悉，不禁背上直冒冷汗。

那張臉她甚至是熟悉的，有她時常見到的一個人的影子，但是年紀要大上許多。儘管她拒絕相信，但是眼睛不會欺騙她，那真的是韓設文，韓述的父親，省高級人民法院院長，望年的領導，小時候曾經住在謝家樓上的韓設文！

這個發現讓桔年遍體生寒，甚至覺得胃裡有幾分不適。韓院長保養得很好，但是從那張臉仍看得出是一個正在逐漸步入老年的男人，這跟平鳳那紮著兩個小辮的素顏面孔形成了相當鮮明的對比，兩個身體，一個蒼老，一個嬌嬈，糾纏不清。

桔年沒跟韓院長說過幾句話，只是憑幼時的記憶和韓述的描述隱約記得他那張嚴肅的面孔。他在桔年的印象裡一直是個雖過於威嚴，但始終是一本正經的長輩，然而他趴在平鳳身上的每一個姿態都是那麼猥瑣，這到處是以面具示人的世界到底還有什麼是真的？

桔年看完了所有的照片，又機械地把它們整理好，牢牢地封存回信封裡，她不敢再看第二次，彷彿那是個潘朵拉的盒子，裡面藏著可以毀滅一切的魔鬼。

她現在算是明白了平鳳嘴裡的「老肥羊」是誰，只怕平鳳也早知道他和韓述的關係，所以才一直沒有說出來。以韓院長今時今日的身分和地位，他有什麼得不到的東西？就算他捨棄家庭於不顧，貪圖美色，有的是女人自願投懷送抱，他怎麼會選擇在窮街陋巷拉客的平鳳？平鳳的打扮相當古怪，這必定是出於嫖客的古怪口味，韓院長壓著平鳳的樣子，就好像他重新征服了屬於他那個年代的青春。莫非他也深知自己的需求是如此醜陋，他那高雅賢淑的妻子不可能接受，正是受限於他的身分，他也不敢對離他更近的女人提出這種要求，所以他選擇了一個跟他有著雲泥之別的妓女，這樣他才可以為所欲為地提出任何要求，這樣他才覺得自己像是在另外一個世界那樣安全？桔年只是想不通，做為平鳳的情人，韓院長的司機謝望年，究竟在這一齣醜陋的戲劇裡扮演了什麼樣的角色？他是無奈地接受，還是樂於穿針引線？在巷子裡撞車的那晚，望年開著一輛黑色奧迪，而平鳳第一次喜孜孜地會過她的「老肥羊」，桔年不願意往下想，否則她會為望年跟自己身上流著相同的血液而窒息。

桔年哆哆嗦嗦地摸出手機，立刻就給平鳳打電話，她要問清楚事情的緣由，假如照片真的是她寄出來的，她怎麼會跟韓院長攪在一起，又為什麼要讓桔年知情。

平鳳的電話關機。她那個老舊的手機，電池早已出現了問題，用不了多久就會自動黑屏，打不通也不是頭一回。桔年心慌氣短地坐了下來，她發覺自己似乎已經想到了那個呼之欲出的答案。難怪那天平鳳聽說韓述的案子時會有那樣不同往常的在意，因為她知道韓述父親的醜事，並且手上已經有了這些照片，或許這就是她和望年幹的一件「大事」，他們串通起來偷拍下這些照片，用以要脅韓院長，或是賣給別有用心的人以圖發一筆橫財，然後就遠走高飛。但平鳳臨走前知曉了唐業和韓述的那些事情，她用她簡單至極的邏輯推斷出一個理論，那就是假如韓院長倒了，沒有人為難韓巡，唐業或許也不用背黑鍋，能夠給予桔年幸福的兩個男人會就此解脫，所以她在臨走前把照片寄給了桔年一份，她希望就此能夠幫到她唯一的朋友。

平鳳是好意，但桔年卻沒有辦法想得那麼簡單。那些人、那些事，就好像零碎的拼圖，在她腦子裡一塊一塊地拼湊，漸漸清晰。

韓院長干涉韓述的案子，可他未必跟建設局的案子直接相關，他的手伸不了那麼長，讓唐業背黑鍋的人應該不會是他，否則以韓述逐漸深入的調查，不可能一點都沒有察覺到。平鳳不僅認識她的「老肥羊」，她還認識給老肥羊付錢的男人，這說明韓院長已經授人以柄，他不可能再像他的外表那樣正義而乾淨，最有可能的是他跟案子後面的人有間接的聯繫，說不定他們是拿過同樣一個人的賄賂，他害怕牽一髮而動全身，遲早把自己牽連進去。本來他以為韓述小打小鬧只是啃個皮毛，就放手讓兒子去查，誰知道他一手教出來的兒子在這個案子上如此較真，要是真揪出了建設局後面的黑幕，城門失火，必然殃及池魚，他慌了，所以才阻止了韓述，甚至不惜父子反目。

平鳳想得太天真，就算她僥倖扳倒了韓設文，唐業身後的人同樣位高權重，這個黑鍋唐業還是得背。至於韓述，倒是沒有人再逼他放棄案子了，但是桔年願意打賭，就算讓韓述放棄一百個案子，他也不願意看到他父親不可告人的那一面。對韓述而言，這些照片足以摧毀他全部的信仰和做為一個兒子對父親的全部感情。平鳳真心實意地幫桔年，但她也同時把一個燙手的山芋拋給了桔年。

接下來，桔年做飯、洗澡、睡覺，腦子裡都是那些畫面和各種各樣的問題。平鳳和望年的「大事」如果真的是靠這些照片謀利益，那她和望年這兩個傻瓜簡直不知天高地厚，他們難道就沒有想過事情的後果會有多危險？還有自己該拿這些照片怎麼辦？

給韓述？韓述會崩潰的，她再不待見韓述，也不願意看到那一幕。

一把火燒了？這些照片平鳳和望年手上還有沒有？他們會拿來幹什麼？勒索韓院長？賣給不懷好意的人？結果同樣不堪設想。如果是這樣，紙包不住火，假如韓述遲早會知情，如果她早一天看到這些照片，是否在傷心之餘能夠趁早做打算，這樣事情就不會朝更壞的方向發展。

桔年把照片壓在枕頭下，輾轉難眠。她從來就是個嘴裡說得少，心裡七竅玲瓏的人，但是想得愈多就愈不安。簡單的人或許更有福一些。

就這麼到了半夜，她終於撐不住陷入夢境，好在睡得極淺極淺，所以手機響的第一聲她就察覺了。桔年以為是平鳳，趕緊抓過來接，然而卻是韓述。

「桔年，妳出來一下，我在妳家門口。」韓述的聲音很鎮定，也很怪異。她看了看時間，凌晨三點十五分。他以前雖無賴，但鮮有大半夜跑來嚇人的。

「怎……怎麼啦？」桔年一緊張就結巴。

韓述不肯在電話裡說，只是讓她出來。

「我有點事跟妳說。」

那種不祥的預感在桔年心裡像暴風雪一般鋪天蓋地而來，不會是連他都出事了吧？她都搞不懂心裡亂成一堆的惶然究竟是為了線頭中的哪一根，然而在下床的短暫瞬間她做出了一個決定。也許她該把照片交給韓述，也許他會因此恨她，但她隱約覺得，那樣是對的。

她從枕頭下摸出那個信封，披件衣服就跑了出去。韓述果然就在門口，背對著她，看著黑乎乎的地方，不知道想什麼。他站立的時候背總是挺得筆直，但是這時卻顯得有些僵硬。

韓述聽到了響動，立即轉身。

桔年開門，「進來說。」

他沉默地點了點頭，跟她進了屋子，兩人都沒有坐。

韓述吸了口氣，似乎在想該怎麼開口，桔年捏著那個信封，同樣猶豫不決。

「我有件事要跟你說。」

他們差不多異口同聲地說出這句話，彼此俱是一愣。

最後桔年先忍住了，「你先說。」

韓述一改往常在她面前沒個正經的模樣，相反，他很嚴肅，嚴肅得讓桔年心中的暴風雪開始凝結成北極冰。

「你說啊。」她壓著心慌的感覺笑了一聲，那笑聲在這樣的夜裡，她自己聽來都如此突兀。

「謝望年出事了，我剛聽說，他殺了人，已經被警方拘捕，妳爸媽都快瘋了……」

「他殺了誰？」桔年的聲音僵硬而空洞。

離得那麼近，她甚至可以看到韓述因緊張而滑動的喉結。

他說：「妳的朋友死了。」

桔年忽然想起晚報上的那則社會新聞。答案早就擺在她眼前，是她後知後覺。

平鳳！

桔年那一瞬間彷彿從手裡那個乾乾淨淨的藍白色信封上看到了血，上面沾滿了平鳳的血！

信封從她手上毫無預兆地墜落，從開啟過的邊緣露出醜陋的端倪。

「妳沒事吧，桔年。」韓述扶著桔年的手臂，然後俯身去撿掉落在地的東西。

然後，他看到了那些照片。

第三十九章　我們還能相信什麼

桔年後來忘了，韓述究竟用了多長的時間一張不落地看完了照片。

她只記得很久之後，他才問了一句：「誰給妳的？」

桔年木然地回答：「死了的人。」

然後他們面對面地站著，誰都沒有哭，誰都沒有多餘的表情。他們只是站著，像兩個傻瓜，像殘破的泥塑，像半夜裡丟了魂的野鬼。

後來韓述離開了，他走出去的背影如困獸一般。

不，不是困獸，應該說是一頭剛剛才眼睜睜看著生養牠的狼群在面前通通死去的小狼。他們甚至無法開口安慰對方，一如打穿了的傷口，你兩頭得捂著，一鬆開，就是血濺五步，再也活不了了。

後來桔年才知道，自己那一晚的猜測竟然八九不離十。真真就是地攤文學裡最愛寫的那類法制故事，看的時候覺得離奇，過後才發覺它的醜陋和血腥。

沒幾年就該退居二線的高院院長韓設文通過自己的小司機偶然結識了對他「仰慕」已久的成功的私營企業家葉先生和崔先生，兩位企業家極盡拉攏之能事，與位高權重的韓院長建立了相當友好的關係。換作幾年前，疾惡如仇、自視清高的韓設文只怕一個好臉都不會給他們，他不缺錢，也不缺權，什麼都不缺，無欲則剛。

可是那兩人出現的時機非常之微妙，因為就在那個時候，韓設文忽然從內部的一紙檔和身邊的種種跡象裡驚覺一個事實——他老了，或者說，他即將老去。他不想擁有更多的名利和前程，但是他不能容忍自己老去，因為他習慣了自己位高權重的威嚴，習慣了力量和雄心。當他老去，當他退休，再沒有圍繞在他身邊恭謹的人們，再沒了一諾千金的分量，他會成為一個在自家陽臺一邊澆花一邊怨天尤人的糟老頭。他願意付出一切換回他的青春，哪怕只是一種錯覺。

最可怕的是，他在和自己一起躺了三十年的妻子身上發現，他漸漸地不行了。

葉秉文和崔敏行這種人，韓設文見過許多，他看不起他們，有點小錢，自以為就可以通天，出現在他身邊的時候，卻像兩條哈巴狗。然而這個時候，兩條阿諛奉承的哈巴狗如同肚子裡的蛔蟲一般驚人地窺探並滿足了韓院長唯恐老去的心態。他得抓住些什麼，否則就再也來不及了。於是他鄙夷著他們，卻在享受他們的奉承，這讓他感覺自己仍有用處，仍有力量。他開始收下那些錢，不只是這兩個人的，還有別人的，他甚至不知道他留著那麼多錢幹什麼。他的積蓄足夠他安逸地養老，他的妻子、兒子、女兒這輩子都生活無憂，他只是需要那種擁有的感覺，瘋狂的擁有，他站在權力的邊緣，再不擁有他就永遠失去了。

接著很自然的，姓葉的和姓崔的巧妙而善解人意地私下帶來個女人。那是個骯髒的妓女，卻也是個盛年的女人。一生清高的韓設文讓那個妓女穿上樸素的衣服，紮著他年輕時候女孩子最愛的小辮，當他趴在這個妓女身上，他可以肆無忌憚地做自己想做的事，他終於感覺他重新征服了他早已不在了的青春年華，那種快感是他的妻子孫瑾齡或是他熟知的任何一個優雅的女人所給不了的。他知道這無恥且危險，但他沉迷。

只是聰明如他卻無法洞察的是，這個妓女跟他的小司機竟然是一對，那個叫謝望年的小夥子一臉憨厚地跑前跑後任勞任怨，卻在背後打著他的小算盤。謝望年和妓女平鳳聯合起來，預謀已久地用房間裡的攝像頭拍下了韓設文的醜態，他們不打算勒索韓設文，不僅因為他們不敢，更因為他們有更好的管道。這故事裡的崔先生和葉先生願意出很高的價格買下這些影像和照片，留著說不定有大用途，而那筆錢足夠這小倆口遠走高飛去享受一段好的生活。

一切罪惡在背地裡悄然滋生、萌芽，長出黑色的觸角。不料平鳳在遠走之前得知了桔年面對的僵局，她下定決心要幫桔年，所以，她想，反正照片拍出來了，她也早對那「老肥羊」心生厭惡，只要順便給桔年一份，就可以讓那老傢伙馬上吃不了兜著走，這樣老傢伙就再也不能從中作梗了。

她偷偷寄出了照片，郵件前腳被帶走，謝望年後腳就發現照片少了幾張，那是他要用來賣大錢的，他等了那麼久，就是為了幹一票大的，一旦照片流傳出去，韓設文倒了，崔敏行他們不是傻子，如何還肯出錢？他的大好計畫都被平鳳這個蠢女人毀於一旦。於是他們在她的出租屋裡爭吵撕打，他問她把照片給了誰，讓她追回來，她不肯。平鳳撒起潑來的時候也足夠他受的，謝望年氣紅了眼。當他冷靜下來時，他已經在那個他喜歡的女人身上捅出了三個血洞……

這是一個低劣到讓人欲哭無淚的故事，但是這個故事幾乎把桔年身邊所有的人都捲了進去。

韓述幾乎砸爛了他父母家裡所有可以砸爛的東西。媽媽傷心欲絕，被他叫作爸爸、一生敬重的那個人低頭沉默。他指著自己父親的鼻子，在一片廢墟裡怒吼：「是誰跟我說要相信這個世界上有正義？是誰讓我活著就要乾淨做人？是你！可你讓我還能相信什麼？我活到三十歲，半輩子都在追趕你，結果你是個不要臉的老王八！」

他的臉很快被甩了一個巴掌，嘴角都裂出了血，可一點兒都不疼。打他的人是他的媽媽孫瑾齡。

「你想要我去死？」孫瑾齡這麼對她最寶貝的兒子說，「小二，算我求你了，把照片毀了。」

她恨她的丈夫，但她也恨不顧一切撕下那塊遮羞布的兒子。

韓逑在媽媽決堤的眼淚中離了家門。他是個不孝子，他的世界垮了，可他也讓媽媽的世界垮了。可他沒有辦法，他嚥不下去這口氣，一想到自己半生敬若神明的父親在照片裡的模樣，他就瘋了。

就在同一天晚上，韓逑在暫居的酒店裡接到姊姊韓琳打來的國際長途。

想必韓琳已經得知了這件事情。

「妳也來勸我毀了那些照片嗎，姊？」韓逑坐在地板上，靠著床沿醉醺醺地問姊姊。

韓琳的聲音聽起來遙遠而模糊，「韓逑，你會怎麼做？」

韓逑反問：「如果是妳呢？」

韓琳曾是國內頂尖法學院的高材生，韓設文引以為傲的女兒，但是她丟開了這些，去了遙遠的異國。此刻，她在弟弟的這個問題面前沉默。

天亮以後，韓逑親手向上級紀檢監察部門呈交了那些照片。他做這些的時候沒有猶豫，然後他回到桔年的小院，卸下一臉的正義，趴在桔年的膝蓋上哭得一塌糊塗。

「我還能相信什麼？我什麼都沒有了，什麼都沒有了。」

他的家庭、他的父母、他的信仰、他的驕傲徹底毀於一旦，只剩身邊這個靜如寒潭的女人，可她也不屬於他。

平鳳的屍體，是桔年出面收殮的，她用最簡單的方式掩埋了她的朋友。桔年站在平鳳的墓碑前，好像還可以看到那張渾不吝的笑臉。

她說：「就讓我幫妳一次吧，桔年，我也就幫妳這一回。」

就這一回，她說到做到，用了她的命。

後來，桔年找到了失去了唯一的兒子和倚靠的父母。謝茂華夫婦彷彿一夜白頭，他們哭得沒有了眼淚，只會像兩個瘋子一樣一人一句地咒罵著那個害了兒子一生的殺千刀的賤女人。

他們都沒有想到桔年會在這個時候來探望。

桔年說，要跟他們一塊去看看望年。

這個提議給了這對老夫婦一個支撐下去的理由，他們用了僅有的錢去打點，終於三個人得以見上望年一面。

望年鬍鬚凌亂，這讓他的稚氣看起來消退了一些，反而有些滄桑。他竟像是長大了，用這樣的方式長大。

謝望年對老父母的涕淚和叮嚀充耳不聞，從桔年進入他視線那刻開始，他就一直用戰慄的目光看著這個有些陌生的親姊姊。

隔著鐵欄，桔年試探著用手去撫摸望年的頭髮，望年低下頭流淚，「我不是故意的，姊。」

桔年柔聲說：「我知道，我知道……」

然後她驟然揪緊了謝望年來不及理短的頭髮，從一側衣兜裡掏出了出門前就藏在那裡的一把小刀。

她沒頭沒臉地捅過去，就像謝望年捅在平鳳身上一樣。

桔年那麼信命也認命的一個人，她見過太多事情，她太乖太柔順，她總想，算了，就這樣吧。可就連她也到了極限，憑什麼她這一生就要這樣不平？她拒絕這樣的命運。

她的第一刀劃在了謝望年遮擋的手臂上，血濺到她的臉上。平鳳，傻到了極致的平鳳，那天她流了更多更多的血。第二刀還來不及落下，桔年就被兩個看守的幹警死死架住，被拖開的時候她如願以償地看到謝茂華夫婦驚呆了的臉。

桔年平靜地詛咒著他們：「你女兒是個搶劫犯，兒子是殺人犯，你們都應該下地獄的。」

謝望年的哭號伴隨著手臂的痛意響徹每個人的耳邊，「我不想殺她的，我真的喜歡她……」

桔年以為自己會再一次坐牢的，對於她而言，裡面的生活跟外邊也許已經沒有什麼分別。沒有了平鳳，也不會有人害得她在監獄裡加班加點了。結果她在拘留所沒有待多久，韓述就把她領了出去。

他們一道走出拘留所的大門，陰雨天氣剛過去，陽光很刺眼。

韓述又恢復了那副笑嘻嘻的樣子，「下次闖禍我就沒本事撈妳出來了。」

韓述的預感是對的，照片遞交上去之後就如同石沉大海般杳無音信。他也回不了城西院了，聽說老胡他們即將結案，他幾乎忘記了老胡是多麼七竅玲瓏的一個人精，而韓院長仍然是韓院長。

正月十三那天，韓述的同仁兼朋友林靜叫他出去喝酒。他們過去經常混在一塊，但是自從林靜有了妻子和兒子，鮮少有工夫再陪伴他這樣的孤家寡人。

說是喝酒，林靜只喝了杯紅的，反而是韓述五顏六色胡亂地喝。

喝到差不多的時候，林靜勸韓述，「行了，夠了就行了。」

他像是說喝酒，又不是說喝酒。

半醒半醉的韓述趴在吧台上，揚起臉看著林靜。

「自家人，何苦呢，沒有幾年他就退休了，他到底是你爸爸。」

「他也是個貪婪的無恥之徒。」

林靜笑了笑，「這世界貪婪的人太多，韓述，我們只能做自己力所能及的事。」

韓述聽明白了，連林靜也在暗示他，他是對付不過老頭子的，老頭子過的橋比他走的路還要多，其實他自己也知道是在螳臂當車。

「你相信嗎？也是老頭子從小教我的，我一直記得。他說人總得有些值得堅持的東西，這一輩子才不冤枉。我想了十幾年，才覺得他就這句話特別有道理。」

林靜笑著搖了搖頭，「但如果這樣的堅持毫無意義呢？我更喜歡有把握的事。」

林靜永遠比他圓融，這也許就是林靜只比他略長幾歲，仕途卻大有可為的原因吧。

就拿照片的事來說，老頭子的位置沒有動搖之前，就勢必是一個要深埋的祕密，林靜現今不過是一個城區檢察院的檢察長，他竟然知情。他雲淡風輕地勸著韓述，就像好心勸著一個跟家人賭氣的朋友，但這樣一個做事再謹慎周密的一個人，韓述也猜不到他代表的究竟是誰。

韓述咬了一會自己的下唇，最後低頭失笑。他拍下自己的酒錢，拿著外套搖搖晃晃地走了出去。

次日，韓述正式提出辭去公職。

第四十章　還沒開始就已結束

從報到後只上了一週班的市院出來，韓逑回頭看了一眼高高的臺階盡頭的莊嚴國徽和堪稱巍峨的灰色門柱，然後他想起也許餘生都要在病榻上度過的乾媽蔡一林常提起的正義女神——蒙眼、白袍，一手執劍一手執天平，象徵著道德無瑕、剛正理智、量裁公平，還將一條蛇纏在棒上，並把一條狗踩在腳下。蛇和狗分別代表著仇恨和感情，真正的正義必須捨棄這兩樣東西。然而，做起來談何容易。

他執意要走，上頭也沒有堅持要留，剩下的只是手續問題罷了。同事們雖不解，但心裡只怕都說，以他這樣的公子哥，到哪兒去吃不開？只有韓逑知道，他的一身輕也意味著一無所有。他曾經信仰的東西已然崩塌，這輩子能不能跟老頭子相互諒解已不得而知，最重要的是，他也確信自己那樣瘋狂而大逆不道的行為只可能有一次，那畢竟是他從小愛著的父親，即使已失崇敬，但是他將不再有勇氣重複那樣的「正義」。

車大燈出了點小故障，仍在四S店裡檢修，那是韓述唯一用自己的錢買下的大件東西，乾媽贊助過一些，已經還了，他不剩下什麼了。韓述索性步行去桔年住的地方，那是不短的一段距離，但是正好可以讓他慢慢想清楚一些事。等到財叔的小商店在望的時候，天已經黑了下來，他看了看錶，走了將近兩個小時。這樣偏僻的城市角落，遠遠談不上華燈初上，稀落的幾點燈光在大片的黑暗中搖搖欲墜，更顯得溫暖而珍貴，時不時地還可以聽到幾聲狗叫。

韓述這一路上已經打定了主意，如果桔年又問「你來幹什麼」，他就應該有多可憐說多可憐，他得告訴桔年，他失業了，什麼都沒有了。這也是實話。

但是如果桔年為此黯然，那也不好，韓述希望桔年有一點點可憐他，又不希望她太可憐他。那他就拿出一副無所謂的樣子吧，就說，其實也沒什麼，對於我這種馬斯洛的五重需求已經從上到下從裡到外滿足過好幾回的人來說，這也是小事一樁。

要是桔年擔憂他以後的生活怎麼辦（雖然這只是韓述自己的臆想，他也知道現實中存在的可能性微乎其微，但也不能不防，他不能讓桔年對他也許存在的一絲信心受到影響），他還得讓她知道，沒到絕路呢，他還有些小小的積蓄，律師執業資格證也考下來了，姊姊也打來越洋電話站在了他這一邊，就算日子不再有往日那般逍遙，但應該也餓不死。

諸如此類，他想了許多，他覺得這輩子自己心裡都沒有裝得那麼滿。然而當桔年的小屋就在面前，一盆冷水就澆在了他頭上——透過鐵門，可以清楚地看見裡面漆黑一片。她不在家，韓述失望了。

這一週桔年都應該是白班，她是不是到醫院看非明去了？非明手術後至今未醒，韓述也聽說了，他在猶豫是給她打電話還是直接到醫院去的過程中忽然有了一個念頭，於是他立刻付諸行動。

他搖了搖鎖好的鐵門，脫下外套，噌噌噌地就攀著鐵棍爬了上去，也不去想自己衣冠楚楚的樣子做個越牆小人有何不妥，更沒考慮鄰里或路人會不會將他誤認為小偷蟊賊之類。既然已經瘋狂了，那再徹底一些有何不可。就算是等，他也要在她的院子裡等她回來。

好在韓述沒有疏於鍛鍊，身手尚算靈活，那個鐵門的高度沒有給他造成太大的障礙，他更擔心的是鐵門承受不了他的重量轟然倒地，那桔年回來了又該煩他了。

當他順利地在院子裡著陸，除了淺色的薄毛衫和雙手沾染了鐵鏽之外，一切還好，落地的時候很輕，沒有驚動什麼人。因為月亮已經出來的緣故，沒有燈的小院近看起來並沒有那麼黑，落盡了葉子的枇杷樹在月光中靜悄悄的，韓述驚喜地發現桔年之前放在廊簷下的竹椅並沒有及時搬進去，天助我也，他不客氣地走過去半躺在竹椅上，遙遙望著被月亮暈染的雲層，想像著她往日就這樣獨自一人坐在廊簷下的樣子。

她的眼裡會看見什麼。

她的心裡在想著什麼。

然後他閉上眼睛，彷彿這樣就可以感覺到她的氣息。

就在他陷入自己營造的完美和諧氛圍中的時候，驚人的事情出現了。韓迷忽然聽到吱呀一聲，他背對著的木門竟然被打開了。他怎麼也想不到屋裡邊竟然有人，頓時被嚇了一大跳。

很顯然，被嚇住的人不是他一個，門裡走出來的兩個黑影更是因為竹椅上的動靜而僵在那裡。

「什麼人？」

韓迷忘了自己也是「非正常管道」登門入內的一員，只疑心經濟不景氣之下這樣破落的地方都招來了賊，於是便喝了那一聲，然後他才發現來人很是熟悉，那被他嚇得有些瑟縮的不是這屋子的正經主人謝桔年又是誰，而待他看清她身邊高高瘦瘦的身影，才發現那竟然是本應仍在拘留中的唐業。

他用雙手撐著從竹椅上站起來，暗叫不妙。

韓迷驚魂一定，指著唐業對桔年說的第一句話就是，「他怎麼會在這裡？誰放他出來的？」

桔年臉上有鮮見的慌張，她護著唐業往後退了一步，沒錯，她護著他。韓迷暗暗地咬了咬牙，同時也可以確定一件事，唐業絕對不是被正當釋放的。而且他發現在這種事關「正義」的當口，他仍然介意一個細節，那就是他們連燈都沒開，黑燈瞎火孤男寡女的在裡面幹什麼？

桔年是了解韓述的，所以她最先反應了過來，趁韓述還來不及有舉動，推了一把唐業，「走！」

唐業手裡拎著簡單的行囊，這是潛逃。

「不行，他不能走！」韓述身子一動，就要攔住，桔年拖住了他，「求你了，韓述！」

這不是她第一次求他，上一回，他們都永世難忘，石榴樹下的五百二十一級臺階斷送了什麼。她兩次拖著他的手時眼神都如此哀怨，卻都不是為了他。

然而恍然以為昨日重現的又豈只是韓述一人，桔年打了個冷顫，為什麼同樣的戲碼要一而再再而三地上演。曾經的巫雨，現在的唐業，他們都要在這種情境下倉皇離她而去，雖然他們臨走前都不約而同地選擇了冒著危險執意要向她道別。

她送走了一個又一個，就好像她的半生都在赴一場又一場將散的宴席。

桔年只知道自己不能讓「小和尚」的結局重演。她也許不是個善惡分明的好人，但她心中自有一套準則。

她整個抱住了蠢蠢欲動的韓述，對怔怔站著的唐業喊道：「走啊，你不是要走嗎？」

唐業猶豫著，看了桔年和手足無措的韓述一眼。

「馬上走！」

還是那句話，她比他更清醒。道別的話已經說完，再不走就來不及了。

他倒退著往門外走了幾步。

韓述漲紅著臉怒聲對桔年說道：「妳明知道他是有罪的！」

桔年抬起頭看著韓述，「你也明知道他留下來擔的絕對不只是他應得的罪！」

是的，他知道。唐業走，沒有公正，但是他留，難道就是公正？

唐業已經到了院門口，但他停了下來，以另外兩人都沒有想到的速度衝回他們身邊，一把推開了在桔年的桎梏下完全喪失了防備的韓述。韓述趔趄地撞在了竹椅上，而唐業抓住了桔年驟然脫開的手。

「跟我走！」

他的手冰冷，但有狂熱的力度。

桔年曾經多麼渴望那一天道別的「小和尚」說出這句話，如果那時他說了，她會海角天涯地跟著他去。可是巫雨沒有，他只是說再見，因為不遠的地方有另一雙手在等待著他。蕭秋水和唐方終究是一場夢。

但唐業回頭了，他拉著她的手說：跟我走！

「笑話！」韓述的震驚瞬間轉為憤怒。

「你有臉帶她走嗎？你能給她什麼？」他的樣子像是要撲上去跟唐業拚命。

唐業說：「我至少能比你對她更好。」

「你他媽放屁！」韓述口不擇言，可是很快他發覺除了這個，他不知道如何反駁。他給過桔年什麼，羞辱、強迫，還有記憶的傷痛，更何況他現在跟唐業差不了多少，喪家之犬，一無所有。

他更看到，桔年夢遊一般被唐業拖著退了幾步，她沒有掙開唐業的手。

韓述不再追過去，他冷笑一聲，「妳信不信，就算出了這個門，只要一個電話，很快，他哪裡都去不了！」

桔年竟然答道：「是嗎，韓述？」

韓述的手死死捏住了竹椅光潤的扶手，「妳真的會跟他走？」

桔年短暫而恍惚地笑了笑，「你會放過我嗎？」

韓述一步步逼近，唐業拖著她，勢必沒有辦法在他眼皮底下脫身，卻也不肯獨自離去。當他終於靠近，唐業只能戒備地伸出手擋在桔年身前。

「你到底要幹什麼？」

韓述推開了唐業的手，「我再跟你說一次，這是我跟她之間的事。」

桔年近在咫尺，她不再往後退。

「妳想要我放過妳？」

「你會嗎？」

韓述忽然詭譎地笑了起來，「那要看妳能給我什麼？妳知道我想要什麼？」

桔年的臉由紅轉白，她聽得懂韓述的暗示，他離得那樣近，近得她好像又能聽到他極速的心跳聲，就像那個夜裡。

她按住了憤怒得就要豁出去的唐業。

「那樣你就會放我們走？」

「藥成碧海難奔」，那命運的籤文是否預示的就是現在？她遇上了他，在每一個轉折的路口。

「是。」

韓述分別捏著桔年的兩個手臂，緩緩將她從唐業身邊拖了過來。

唐業收緊了原本就拉著桔年的手，卻被桔年掙開，她的手心彷彿失卻了溫度。

她被韓述半拖半拽地帶進了屋子，當唐業的臉終於被隔絕在外。韓述俯身貼近了桔年，桔年則閉上了眼。然後，她感覺到一種顫抖而溫熱的觸感降落在她的唇上。

她茫然地看著韓述。

韓述卻像個孩子一樣如願以償地笑了。

他說：「我從來都沒有吻過妳。」

他跟她擁有過世界上最親密的接觸，肢體交纏，呼吸相聞，但是，他竟然從來沒有吻過她的嘴。

「我嚇唬你們的，其實我已經離職了，現在什麼都不是，這些事跟我完全沒關係，只不過我不想讓他知道我倒楣的樣子。你們可以去任何想去的地方。」

韓述說著，為她重新打開門，正迎上有破門而入打算的唐業。

「走吧，我放過你了。但是我不知道別的人是不是也會放過你。」

他竟又施施然地躺回了那張竹椅，貌似閒適地閉上了眼睛，好像他從一開始就是如此，什麼都沒有發生。

桔年的手又回到了唐業的掌心，她感覺到他帶她走的決心。跟他走，還等什麼？她身無長物，她的小世界在她心裡，除此之外，還有什麼值得留戀？

未來如同只存在一瞬的時光隧道轟然打開，桔年回望這個載滿過去的小院，她想抓住她的回憶，就如電影裡周星馳的「今晚打老虎」在時光隧道前抓住了春天的手。可是帶不走的畢竟帶不走，她的記憶瞬間已是紅顏白髮。

她在唐業的牽引下終於朝不可知的未來跑去。

聽著腳步聲漸遠，韓述仍然沒有睜開眼睛，風拂著他的臉，這是他喜歡的天氣。就好像同樣有著徐徐清風的某天，初三畢業的他跟陳潔潔約著一塊去打羽毛球，他們騎著自行車，被一對莽撞奔跑的同齡人撞翻在地，他爬起來，看著年少時的桔年拉著那個白衣男孩的手跑過他身邊，然後她回頭，露出最燦爛的笑臉。他目送他們消失在視線裡，拍去了褲腿上的灰塵。

關於他們幾個人的故事，韓述設想過無數次的結局，但是現在才發現，也許最好是停頓在這裡。一切都來不及開始，一切都不會開始，當然也不會有結局的無奈和眼淚，沒有誰被傷了心。

這樣也好。韓述在心中的那面鏡子裡看到了一如每個清晨醒來時那般無措的自己。他對他的鏡子說：我很好，我會很好的。

說完這些，他沒出息地開始流淚，他想，就當它是欣慰的吧。

第四十一章　假裝他死了

桔年跟著唐業上了一輛在暗處等待已久的陌生的車子，一路疾馳，穿越整座城市，最後停在了一個人跡罕至的港口。

除了停靠在岸邊的唯一一條烏油油的船上亮著盞漁燈，四周一片黑暗。然後，桔年看到除了他們和沒有下車的司機，那岸邊只有一個女人。

唐業在看到這個女人之後有短暫的躑躅，他沒有說話，但是桔年可以從他那一瞬間的指尖和眉梢感覺到他的心涼了下去。

那個一直背對著他們的女人聞聲轉過身來，打量著唐業，還有他一直牽著的桔年。她跟桔年年紀相仿，長髮在腦後隨意地綰了個髻，桔年的存在顯然不在她的意料之內，但是她只是挑了挑眉。她很容易給人一種感覺，那就是無論怎樣萬千的變化，沒有什麼可以讓她亂了陣腳。

「你來了，唐業。」這一聲就如同月下久候的老友。

夜色中的波光倒影在唐業的眼中，桔年幾乎以為他會哭泣。她還沒有看過這個內斂的男人掉過一滴眼淚。

「他沒來？」唐業問道。

那女人點了點頭，「他託我來送你，很抱歉，唐業……」

「他死了是嗎？」唐業打斷了那女人沒說完的話。

「你都知道了？」

唐業撇開臉，去看那海與天黑色的融會點，他不想人看到他哭泣，另外兩人便只當他的失態是為了這一場前路難卜的逃亡。桔年不知道發生了什麼，但她可以想，唐業嘴裡的「他」莫非是那個戴著玳瑁眼鏡的溫和又冰冷的男人，而眼前這個女人，則是手眼通天讓他得以脫身遠走異國的策畫者。

「我只知道如果他還活著，就一定會來。」

「你信不信，他也說過一樣的話，他說如果你沒看到他，什麼都用不著解釋，你會知道他去了哪裡。」那女人笑了起來，眼睛彎彎的，如同月牙一般，她看起來像一隻微笑著的狐狸，通透洞悉，卻溫良無害。唐業意識到她的視線落在了他和桔年緊握的手上。「如果他真的來了，你說他看到這一幕，會不會有些小小的意外？」

唐業看似從驟然的悲慟失神中回到了眼前的現實，也許他並非完全沒有意料到這樣的結果。他對那個女人說：「向總，我有個不情之請……」

那女人意會，「你要帶上她？」

她有一種讓人信服的力量，讓人可以在她面前安下心來，把自己交給她。

唐業點頭。他信這個女人，一如他相信那個永遠也來不了的旅伴。她會把他送到安全的地方，但他不能丟下桔年。

「她就是你的未婚妻？」

「是的。」

那女人居然還跟桔年點了點頭，隨後抬頭看著已經升到半空中的一輪明月，不疾不徐，好像眼前不是一場逃亡，而是朋友間閒散的話別。

「你們喜歡月亮嗎？今天是十四，明天才是滿月，但我更喜歡今天的，因為滿月的下一天就是殘缺，而十四的月亮卻還可以等待明天。滕雲就不同，他只愛十五的滿月。」她的問題似乎不需要答案，她好像從來就是一個自己給自己答案的人。說完了這番話，她對著唐業莞爾一笑，「你知道的，這條船原本就有兩個位子。走吧，一路順風，我已經為你打點好，下了船，有人會帶你去你要去的地方，哦，應該說『你們』。別再回來了。」

唐業拉著桔年走向岸邊。

「謝謝妳，向總。」他由衷地說。

那女人說：「用不著謝，我不是為了你，我答應了滕雲的事就一定會辦到，他值得這些。我只不過在想，假如滕雲知道他用命換來的遠走高飛，結果卻成全了你和你的未婚妻，他應該也會百感交集吧。」

她說完走上了唐業他們來時的那輛車。車沒有立即開走，她像在等待船的起航。

船在淺水處輕輕晃蕩，唐業先上了船，然後再拉桔年。

桔年站在岸上沒有動，她緩緩掙開了唐業的手。

「我是來送你的，唐業。」

月亮半隱進了雲層裡，開闊處的風很大，獵獵地吹動桔年的短髮，也吹動了水面粼粼的波光。她的臉在半明半晦的月光中異常寧靜。

唐業驚愕了，船夫走向纜繩，已經在提醒，「先生，船該出發了。」

「為什麼？」唐業問桔年。

「我本來就不在你的計畫裡，你覺得我可憐，所以帶上了我，謝謝你，唐業。但是應該跟你一起走的人不是我，雖然你等不來他，但那個位置也不應該是我的。」

唐業壓抑著提到那個人時錐心一般的疼，「桔年，其實我也是真的喜歡妳的。」

桔年說：「是，我知道，你喜歡我，因為我是個不錯的人，但你愛他，哪怕他是個錯的人……哪怕他不會回來了。他活著的時候，我們那個『假如』是你自己騙自己的，現在他死了，那就更沒有可能了。」

唐業這樣一個優柔而善良的男人，他本該跟自己真正愛著的人遠走高飛，可他在離別的瞬間丟不下孤單的桔年，如今滕雲死了，卻更徹底斷絕了他和桔年的任何可能，也斷絕了任何幸福的可能。所以他甚至在對滕雲的思念中也是帶著恨意的，滕雲用最決絕的方式要他一輩子記得他，「難道這邊還有什麼值得妳留下來的？妳跟我走，就算我們在一起，但至少有全新的生活。」

船夫鬆開了韁繩，追問：「小姐，妳真的不上來嗎？」

桔年搖了搖頭，鬆了繩的船彷彿下一秒就會漂得很遠。

「唐業，對我來說，哪裡都是一樣的。」

唐業站在船的最邊緣，他沒有放棄說服桔年。

桔年卻在還能觸到他的時候輕輕地擁抱了他，她感覺到唐業驟然收緊的手。然後她掙開，「去你想去的地方，別回頭。再見就不說了，你保重，唐業，我很慶幸有你這樣一個朋友。」

桔年回到她的小院，天已經濛濛亮了起來。

韓述還躺在那張竹椅上，他睡著了，一夜的露水潤濕了他的衣服，他睡著的時候是那麼無辜，臉上的傷結了淡褐色的痂。桔年就搬來旁邊的一張小矮凳坐在他的身邊，從衣服口袋裡悄悄翻出了昨天從醫院回來時陳潔潔交給她的一幅水彩筆圖畫。

那是非明親手畫的，在進入手術室之前，她叮囑媽媽一定要把畫送給姑姑。手術已經結束了。陳潔潔說，非明也許再也不會醒過來了。

非明畫得還是那麼糟糕，桔年想笑，這孩子從來就沒有繪畫的天分。只能依稀看得出畫裡有四個人，兩個女孩，兩個男孩，女孩都紮著馬尾，一個露齒，一個微笑，男孩裡有一個頭上光光的，另一個長著短髮。

那張十二年前的舊照片，桔年夾在非明常用的東西裡送去給她，這也許是唯一一張同時記錄下她爸爸和媽媽的畫面。非明果然看到了，並且還用自己的方式把它描繪了下來。跟照片裡不一樣的是，四個男孩女孩的手牽在了一起。在畫的最下方，歪歪斜斜地寫著原本在照片背面的幾個字：許我向妳看。

也許非明仍然無法理解那些陳年的往事和那五個字裡的寓意，但這是她用她的方式對回憶所做的最美的構想。

廊簷上一滴露水打了下來，滴在韓述的脖子上，他抬起手來揉了揉癢癢的脖子，好像已經醒了過來。

桔年在他睜開眼睛之前說：「別動。」

他真的就立刻僵在那裡，一動也不動，手還擱在脖子邊上，只剩睫毛不聽話，還輕輕顫著。

「噓……」桔年把一根手指豎在唇邊，「假裝你死了，別動，也別說話。」

要是換在以往，韓述早已跳起來「呸」她的烏鴉嘴，可是他沒有，他乖乖地「死」了，「死」的姿勢還有些奇怪，但是很安詳，嘴角微微揚著。桔年想，難道這就是傳說中的含笑九泉？

韓逑保持那個姿勢很久很久，直到身邊再沒了聲息，他的脖子和手都痠痛得不行，於是違規地偷偷睜開眼睛瞄了一下，好在清晨的光線並不刺眼，害他裝死了很久的那個人坐在矮凳上，頭斜斜地靠著竹椅的一側，也一樣閉著眼睛。

「喂，喂。」韓逑心裡很是不平，他小心推著身邊的人，「妳也死了？」

她回答說：「別吵，我一晚上沒睡。」

他又重新躺好，陪著她，等著她。

桔年小寐了一會兒，直起腰，反過去問韓逑：「你醒了？」

韓逑說：「早醒了。」

他們在一個晴朗的早晨傻乎乎地坐著，但有個人心情很好，很高興。

「哎，我說妳的枇杷樹會不會結果啊？」高興的人找了個無聊的話題問道。

「會啊。」桔年回答。樹長大了，就會結果。只不過種樹的人和摘果的人，卻未必是同一個。

「韓逑，你信命嗎？」她迎著太陽升起的方向，微微瞇著眼睛問。

韓逑搖頭，「我才不信。我這輩子只做過一次迷信的事，那天我很倒楣地被人撞得摔了一跤，然後就到附近的一個亂七八糟的廟裡求了支籤。」

「籤裡說什麼？」

「我怎麼知道。」韓述說起來便有些憤憤不平，「廟裡解籤的人也很莫名，我求的那支籤籤文被人從籤板上撕走了。我靠，這世界上居然還有偷籤的人！」

桔年笑著用腳去踢從牆外飄進來的一片葉子，同時不忘狠狠拍掉企圖渾水摸魚拉住她的那一隻手，她偷偷攤開掌心，再一次看了看那命運的紋路。

韓述的肚子咕嚕嚕地響了，活著的人總會感覺到餓。

「走吧。」她跟著他走出了院子，回頭鎖上了門。

尾聲

烈士陵園的拆遷計畫已勢在必行。動之前，韓述陪著桔年在多年後再一次沿著那條熟悉的小路拾階而上。

桔年手裡拿著一把在路邊摘的野花，一邊走，一邊扯著那白色的單層花瓣。

韓述想到自己剛才鄭重向她提起的一件事，心下有些狐疑，更擔心她會用數單雙那麼可怕的方式來決定她的答案。

一路心神不定地走到臺階的盡頭，站在那棵石榴樹下，他想起樹幹的背面刻著的「hs&jn」，他至今也沒有明白，刻下這些痕跡的人是不是她，裡面的「hs&jn」是不是喻示著他們兩人，他覺得是，但好像又不應該是。所以索性不問，他發現自己的思維方式開始變得跟她相似，與其困惑，不如相信自己想要的那個答案。

但是他到底還是學不會她火燒眉毛也不著急的慢性子，假裝看風景看了很久，還是忍不住咳了幾聲，「哎……我剛才跟妳說的那件事，就是上來之前說的……到底怎麼樣啊……嘖，是死是活給個痛快……妳好歹吱一聲啊……」

桔年說：「吱……」

在韓述發飆之前，她把所有的花瓣聚集在手裡，然後攤開掌心。

他們站在高處，風很快把花瓣吹向了臺階之下，又是個他喜歡的好天氣。

桔年說：「我的答案？韓述，有個人跟我說過這麼一句話，他說，世界上最無可奈何的東西有兩樣，一個是往事，一個是飛花雨。」她指著最後一片從手中隨風飄飄蕩蕩而去的花瓣。

「你能追得回它們嗎？」

韓述一愣，「怎麼不早說！不准反悔啊！」他匆匆追著那些愈來愈遠的花瓣而去，聲音從臺階下傳了回來，「只要妳願意，怎麼都可以。」

當只剩下桔年的時候，她聽到身後的石榴樹在風中婆娑作響，回過頭，穿著寬蕩蕩的白色襯衣的「小和尚」就站在樹下，眉目疏淡，一如當年。

桔年說：「我知道你總有一天會來看我的，你還是那個樣子，巫雨，我卻慢慢地老了。」

巫雨回以桔年粲然一笑，十二年來，他第一次看著她，睜開了眼睛。

桔年的腮邊已滿是眼淚。

她再一次與命運握手言和，不再去追問巫雨是否曾經愛過自己，不再追問他究竟屬於誰。這棵從未結果的石榴樹也將隨著烈士陵園的遷徙而消失，「小和尚」再不會徘徊在樹下，一如他渴望中的那樣，他應該是自由的。

她的「小和尚」，他是巫山上的雨，匯入江河山川，幻化成雲，最後，成了桔年心中的一滴眼淚。

番外一　她們都不是朱小北

朱小北上中學的時候，有一次，男同學在週末紅著臉登門造訪，結果她的親娘大人買菜回來正好撞上，想當然毫不留情地驅趕了那個可憐的男孩子，然後搬了張凳子坐在自家大門口，一邊拍著大腿一邊酣暢淋漓地教訓女兒。她說：「妳這死丫頭啊，才多大的年紀，居然就開始動那些烏七八糟的念頭，還敢把那些臭小子往家裡帶，妳這是存心想氣死老娘。我勸妳趁早死了那門心思，妳休想早戀，好好讀書才是正經。妳看妳王叔叔的女兒，名牌大學本科生，對門大妞她哥哥也讀了碩士，妳得給老娘爭口氣，要不然，生妳還不如生塊叉燒。」

朱小北家住在一樓，那天她媽媽悲壯的聲音震撼了整個大院，過往的鄰居、朋友、叔叔、伯伯對端著碗在一旁認真吃麵的朱小北多少投以了同情的眼神。

其實他們大可不必如此，小北的心靈其實並沒有受到多大的創傷。一方面，從小到大，她已經在她老媽的怒吼中把一顆小心臟鍛鍊得如金鐘罩、鐵布衫一般堅不可摧；另一方面，滾滾前進的歷史洪流在若干年之後最終驗證了一個真理，那就是，在這個偶然中的必然事件中，她老媽所受到的創傷要遠遠大於她本人。

十多年後，二十九歲零十一個月的博士後朱小北千里迢迢、興高采烈地衣錦還鄉，回家探望父母，她那可憐又可歎的媽再一次坐在門口的凳子上，拍著大腿一把鼻涕一把眼淚。

「妳這死丫頭啊，妳已經多大年齡了，怎麼能還不動成家立業的念頭？我就沒見過妳把半個男朋友往家裡帶，妳這是存心想氣死老娘。妳這一讀書還有完沒完？妳休想拿那套獨身的新潮玩意兒來糊弄我，找個男人結婚才是正經事，妳看妳王叔叔的外孫都已經會打醬油了，對門大妞去年都生兒子了，妳得給老娘爭氣啊，要不然，生妳還不如生塊叉燒。」

朱小北灰溜溜地摸著鼻子站在門邊，那些變老了、長大了的街坊鄰居、新朋舊友再一次對她投以同情的目光。朱小北終於相信，在她老媽心裡，她這塊叉燒橫豎是做定了，左右都不是人。但是，話又說回來，媽媽鬢邊的白頭髮和眼裡的著急難受是那麼真切，到底還是因為關心女兒啊，這可是她的親媽！

此情此景，用一句話來概括這個悲劇是再恰當不過的，那就是——「早知今日，何必當初」。如果媽媽知道，當年她拿著一把芹菜打走的那個男孩，是有史以來唯一一個到家裡來找朱小北的異性，也是她那不爭氣的女兒「雪白雪白的心靈」裡唯一一個曾經對其伸出了橄欖枝的物件，她會不會悔得當場嘔血。

等媽媽發洩完畢，朱小北「嘿嘿」地笑著給老人家拍著背，說著風馬牛不相及的笑話。

老媽最後也埋怨得累了，戳著女兒的頭歎道：「妳說我怎麼養出妳這樣的女兒？」

這個問題也只有她才會這麼問，就連朱小北那個被欺壓了幾十年、早已溫順如綿羊的老爸都知道嘟囔出那句話，「有其母必有其女。」不明真相的群眾或許會以為朱小北出生於市井陋巷，有一對典型的粗鄙的小市民父母，那就錯了，大錯特錯！朱媽媽不只一次震撼的那個大院是瀋陽某銀行的職工宿舍區，她那給妻子端洗腳水的爸爸正是某分行的朱行長，而總有驚人之語的朱媽媽則剛剛從一個資深銀行會計的光榮崗位上退休。朱爸爸溫文爾雅、工作一絲不苟，朱媽媽業務了得、性格爽利、古道熱腸，一張快嘴，無論在單位還是在大院，都是解決問題的一把好手，可是她唯獨解決不了她即將三十歲的博士後女兒的終身大事，怎麼能不以為是一大恨事呢？

朱小北除了從她老娘身上撿到了大大咧咧、風風火火的爽利脾氣，從小也受知識淵博的父親薰陶，養成了愛看書、逢看書必認真做摘抄筆記的好習慣，看個電視報上的節目簡介她都能總結出若干感想，所以她身上總帶著一個漂亮的小本子，上面人生哲理、生活常識、時事政治、花邊新聞無所不包。這麼多年來，這本子也不知道更新換代了多少，在朱小北青春期的時候，嗅覺敏銳、耳聰目明的朱媽媽曾經試圖把這小本本視為重點監控對象，以便了解女兒的心路歷程，將她「步入歧途」的萬分之一的可能扼殺於搖籃之中。可是朱小北對她的小本本從來就不遮不藏，它時常出現在餐桌上，或者床頭，甚至客廳的任何一個角落，裡面的內容實在太過紛繁，朱媽媽翻過好多頁，發現內容尚算健康，偶爾有些朦朧的少女情懷，這對於從不愛穿裙子的女兒來說也未必是件壞事，可疑的東西是什麼也沒發現。

如果朱媽媽看得再仔細一些，研究得再透徹一點，也許她會注意到，有那麼一段時間，朱小北的小本本裡曾高密度地出現了一些詩句：

江南好，風景舊曾諳。日出江花紅勝火，春來江水綠如藍。能不憶江南？

蘭燼落，屏上暗紅蕉。閒夢江南梅熟日，夜船吹笛雨瀟瀟。人語驛邊橋。

人人盡說江南好，遊人只合江南老。春水碧於天，畫船聽雨眠。

……

這所有的千頭萬緒都指向一個詞彙——江南。

那是很多人的夢裡水鄉，也是一個男孩子的名字。

朱小北初識江南，其實已算後知後覺。那時她高二，一天上學的路上，她的鄰居也是同班同學的大妞屁顛顛地追上她，問：「小北，小北，妳經常跟打籃球那幫人在一起，有沒有見過那個新疆來的轉學生，新疆啊，新疆來的！」

「新疆來的就怎麼了？看妳那沒出息的土樣兒！」朱小北甩著書包用鄙視的目光看著自己的發小，大妞什麼都好，就是花癡的脾氣改不了。不過也不能徹底怪她，從小到大，她們都在身邊那個小範圍的圈子裡生活、上學，念的是子弟學校，高中也在家附近的路段中學。同學不是這條街的，就是隔壁那條巷子來的，冷不丁冒出個新疆人，也難怪大妞跟一些同學一樣大驚小怪。

鄙視歸鄙視，那天放了學之後，朱小北照樣興致勃勃地跟著大妞去籃球館參觀那個新疆來的「轉學生」。當大妞用顫抖的手指為她指明方向時，她深深地失望了。

後來江南問過她為什麼會失望。

朱小北說，她原以為自己會看到一個阿凡提似的人，雖然不一定要騎著毛驢裹著頭巾，但至少應該高眉深目，充滿異域風情。但是沒有，這個從新疆來的轉學生長著一張跟漢人無異的臉。在當時的朱小北看來，他跟王叔叔的兒子、大妞的哥哥、籃球隊的一幫猴子沒有什麼分別。更遺憾的是，他連名字都沒有絲毫的異域風情。

他叫江南，江南的江，江南的南。

長得不突出，好歹也該有個「買買提」之類的名字吧。

當日，朱小北噓了大妞一場，敗興而去。

高中的少男少女已經被荷爾蒙的春風催得情竇初開，不少同齡人心裡都藏著掖著點「小祕密」。大妞也不例外，她偷偷熱愛著同一棟樓王叔叔家的大兒子，但是一點也不專一，至少在王叔叔的大兒子外出求學的日子裡，她今天盯上隔壁班的學習委員，明天又用眼睛享受著轉學生江南，後天的注意力說不準會是小賣部的帥哥店員。朱小北的春心不是沒有，但她不動。她這顆「雪白雪白」的心靈是要留著交給未來的有為青年的，而不是身邊鬍子都沒長全的小屁孩。

平心而論，朱小北長得不賴，用朱媽媽的話來說，女兒遺傳了她的俊目修眉、高挺鼻梁，兼之高䠷身材，雖然不喜太女性化的打扮，可胸是胸，臀是臀，一點兒也不含糊。但是身邊能讓朱小北動心的男生確實半個都沒有，她上高中以後身高就已經竄過了一米七，這個年齡段能讓她仰望的男生還真不多，而朱小北俯視的眼神可以摧毀任何一個少男的芳心。少數稍微入眼的，那都是她的好哥兒們。

第二次留意到江南是緣於班上籃球隊的一場「更衣室」糾紛。那天放學後那幫跟她打球的男生久候不至，朱小北在球場裡等得不耐煩，正要去催，此時大妞火速前來通風報信，據說是那幫人在更衣室裡打起來了，怎麼勸也勸不住。朱小北心中惱火那幫精力過剩的傢伙，於是在一幫同學的簇擁下，一腳踹開了更衣室那脆弱如少女芳心的破門，嚴格地說，裡面不叫「打架」，而是幾個男孩子在欺負他們中的某個，而那個「某」指的就是從新疆來的轉學生江南。

儘管朱小北也看不慣這個從大西北來，卻如同大姑娘一般斯斯文文的男孩子，也不喜歡他因為個子高的緣故被老師強行塞進了班上的籃球隊，但是這並不意味著她認同一幫人合夥欺負一個。這不叫本事，而是「丟份」。

朱小北鮮少打架，但是沒人敢欺負朱小北，按她的說法，她是屬於「氣宗」那一流，純以氣勢壓敵。她破門而入之後，廢話不多說一句，一個籃球朝人紮堆的地方砸了過去，頓時把裡面的人都給鎮住了。沒有人再動手，這是當然的事，因為這地方是「更衣室」，而那些男生之所以挑選了這裡來解決私人恩怨問題，最大的原因是因為這裡是個「隱祕的地方」，女孩子絕對不會出現，更何況帶著一群圍觀者挾風雷之勢破門而入的女孩子。他們用於打架的手這個時候只有一個用途，那就是慌亂地遮掩著自己。江南就是在這種情況下得以脫身，當然，他的脫身是在他倉促地套上衣服之後。這樣尷尬的情景使得他率先衝出更衣室，在途經朱小北身旁的時候，那句感謝的話猶豫了很久，還是說不出口。

事後，朱小北才從「八卦電臺」臺長大妞那裡得知，這場糾紛無非是一次爭風吃醋的事。隊裡的一個男孩子喜歡隔壁班的漂亮女生，那女生卻對江南頗有好感，本來就排外且對「小白臉」看不順眼的隊友們便找了個機會蜂擁而上，群起攻之，最後被朱小北「曝光」於眾人之前。

朱小北對大妞吐著苦水，「我要是早知道為的是那些破事，我才不蹚那渾水，這江南也不是什麼好東西，盡招蜂引蝶幹無聊的事，活該挨揍。」

大妞卻很久都沒能從一群光溜溜的男同學的畫面中回過神來。

其實朱小北的後悔也不是沒有道理的，男生們的爭端來得快去得也快，友誼的出現更是莫名其妙，朱小北還來不及反應過來，再到球場的時候，那群打籃球的男生已經在籃框下跟江南混成了一團。

江南沒有理會隔壁班的漂亮女生，這是大妞後來告訴朱小北的，但是江南開始對朱小北表露出好感和親近之意，卻用不著大妞多嘴，有眼睛的人都看出來了。

球場上流汗的時候，他搶下了她的籃板，卻會對她微笑；運動結束後，他有時會給她遞一瓶水；本該是她擦黑板的日子，他會主動走上去拿起黑板擦擦得乾乾淨淨；放學的時候他會抱著書跑到她和大妞的身邊，說：「小北，我就住在你們家附近。」

朱小北自詡聰明，但是對這個變化卻茫茫然不知所以，在她還渾渾噩噩的時候，她已經和大妞一塊沒出息地吃了人家整整兩大袋的葡萄乾。在搭訕中，她才知道新疆人不是都長得高眉深目，那裡有許許多多跟她一樣的漢族人，還有一個叫作「新疆兵團」的名詞。神祕的喀納斯有成群的牛羊，連綿不斷的葡萄田，一望無際的向日葵在夕陽中輕擺，荒蕪的大漠和戈壁中藏著生機勃勃的綠洲。她還知道在他父母工作調動前，他生長的那個南疆城市盛產雪白的棉花，距離塔克拉馬干沙漠只有一步之遙，傳說中的絲綢之路就在他們足下，美麗得像瓷娃娃一樣的維族少女有一雙夢一般的眼睛，還有羊肉串、烤狗魚、紅燒羊排、烏蘇啤酒……

大妞在差點留下口水之後悄然消失，只剩朱小北一人常常在江南的描繪中傻傻地想像那個神奇的地方。

別人都在傳，江南喜歡朱小北，他一直在朝朱小北靠攏，其狼子野心路人皆知，朱小北卻覺得是無稽之談。她和江南在一起的時間大多數是打球，籃球、乒乓球、羽毛球、排球……單獨聊天的時候她想得更多的是美麗的南疆，無邊的遼闊天地，還有不可思議的阿勒泰大尾羊——吃的中草藥，喝的礦泉水，穿的皮革服，睡的綠地毯，走的黃金道，住的水晶屋，尿的是太太口服液，拉的是六味地黃丸——而不是這個外表看起來文弱的男孩。

可是大家都在那麼說，愈說就愈起勁。江南和朱小北，多麼不可思議的一對，但又是多麼天經地義的一對。

漸漸的，每當他們倆出現在一起，旁邊就會有人擠眉弄眼曖昧地笑，當他出現在她身邊時，「識趣」的同學就會自動離開。這些亂七八糟的東西讓朱小北頭都暈了，好端端的多出些莫名的事讓她心煩，所以她索性眼不見為淨，體育場去得少了，回家的路上就只跟大妞大聲地聊，江南插不進話去，只得無奈地走開。

朱小北以為這件事就這麼過了，誰知道某個週末的下午，她在家百無聊賴地看《天是紅河岸》，卻聽到有人在外面喊她的名字，她一頭霧水地去開門，江南笑著站在外面，遞給她一袋東西，「我爸原來的一個同事從那邊捎過來的葡萄乾，我知道妳喜歡吃。」

從來還沒有男生到家裡來找過朱小北。小北出於正常人的禮貌剛將他請進屋來，她那剛出去買菜的老媽不知道是不是聽到了風聲，恰恰好趕回，唯恐女兒年少無知被人哄騙失身，用一把芹菜將一臉狼狽的江南狠狠趕走。

這次事件之後，朱小北才認真地去思考這個深奧的人生問題，江南真的喜歡她嗎？但是他從來都沒有提起過這方面的事啊。

她破天荒地不恥下問請教大妞，大妞也頭一回以一種居高臨下的情商優勢回答朱小北：「他喜歡妳，這不是明擺著的事嗎，有眼睛的人都看得出來。」

朱小北沒有想過早早地喜歡一個人，更沒有想過這個人會是江南，她的兄弟朋友很多，心卻還是個從來沒有人進駐的角落。也就是從這個時候起，她才開始偷偷打量這個人，很奇怪大西北的風沙為什麼沒有把他的面孔變得粗糙。如同他的名字一樣，江南有著最柔和的眉眼五官，明明是漢族人，頭髮卻有一點自然微捲，柔軟的劉海半覆著明朗的雙眼。

那段時間，朱爸爸買回了一個傻瓜相機，朱小北愛上了攝影，她拍下身邊一切喜愛的或有趣的景致。某個課外活動的午後，江南獨自站在籃球架旁的樹下，怔怔地望著別處，不知道為了什麼而出神。他的側面有著完美的弧度，朱小北的相機留下了這個瞬間。

一個人喜歡上另一個人可以有無數種可能。朱小北就是在這一剎那怦然心動，她也說不上是為了什麼，如果非得有個理由，也許只是因為他那一刻的側臉。

高二下學期的全校男籃賽，朱小北所在的那個以彪悍出名的班級所向披靡，一路殺進了總決賽，因為性別的原因，不得不降格為觀眾的小北跟大妞一塊在旁邊吶喊助陣。兩支球隊實力相當，比分咬得很緊，最後幾秒，江南一個三分球為本班奠定了勝局，身體卻由於激烈的爭奪而跟對方的一名球員發生衝撞。哨聲吹響後，原本就為了冠軍之戰而打紅了眼的兩邊，在這個導火線點燃後迅速扭打在一起，場面極度混亂。

「我靠，妳說他這樣從來不喜歡打架的人為什麼偏偏老惹那麼多事？」朱小北對大妞說道。她看著江南被對方三個以上的男生壓倒在地，再也管不了那麼多，撥開眼前的人就擠上「戰場」，直奔江南，連推帶罵地扯開那幾個衝著他來的男生，把他從地上拽了起來。

這時裁判和老師都出現了，朱小北護著江南，朝對方怒目而視。朱小北在學校人緣極佳，且都是一個學校的球友，對方好幾個男生她都熟識，其中個別甚至還是她的好朋友，他們不會對朱小北動手。但那個時候，就連大妞都幾乎以為「氣宗」高手朱小北會「破功」地給對方幾腳。可是朱小北沒有，她所有的剛性和悍勁在江南的眼皮底下通通使不出來，竟然徹底地化為無形。事實上，她現在已經開始後悔得想打自己幾個大嘴巴子，初識的時候自己為什麼要踢開更衣室的大門，而不能以一種更羅曼蒂克的方式翩然出現在他面前，就像瓊瑤阿姨的小說一樣，即使是撞在一起頭碰頭地撿地上的書這種老土的情節，她也可以接受。

她查看了一會兒江南身上的傷，甚至連對方球隊隊員已經預料到的那句「輸了就打架，算什麼男人」的怒吼也沒有說出口，她按捺著說了句：「別打了行嗎？」就拽著江南走出了球場。

她說別打了，真的就沒人再繼續打下去了。不是因為朱小北的一句話多麼有震撼力，而是那些了解她的人都在為她的表現而大跌眼鏡，哪裡還顧得上打架。

目睹這一切的大妞最後對這戲劇性的場面做出了畫龍點睛而又讓朱小北吐血的點評，她說：「我算是明白了，朱小北啊朱小北，原來妳彪悍的外表裡面藏著一顆溫柔的少女心。」

大妞的話雖然有著讓朱小北恨不得掐死她再自殺的肉麻，卻是一點也沒錯，朱小北那顆「溫柔的少女心」讓她沒辦法在江南面前動粗。

那時她也更深刻地發覺，她是真的喜歡上了江南。

那一天，炎炎的夏日似乎吹著春天的風。朱小北跟江南離開了人群，走到僻靜處，平時侃起來話多得如黃河之水天上來的她，忽然什麼都說不上來，渾身軟綿綿的，沒有力氣。很久之後，她看著臉上有傷的男孩，才埋怨道：「你啊，真是沒用。」

由於這場鬥毆在惡化之前被及時遏制，老師只把它定調為男孩子在球場上的小衝突，教訓了幾句，並沒有做出嚴厲的處理。晚上，恰逢週末，朱小北他們舉班在小飯館裡為冠軍慶祝。臉上傷口已做處理的江南既是球隊傷患，又是得分的功臣，自然被一幫同學灌了不少啤酒。他酒量明顯不行，幾杯下肚已經滿臉通紅，最後跌跌撞撞地去了洗手間，很久都沒有回來。

朱小北自然擔心，便好幾次打發關係好的男生去洗手間看看他有沒有事。第一個男生回來說，沒什麼，他在裡面吐得天翻地覆而已；第二個男生向朱小北彙報，是江南自己說在裡面緩一緩再出來；第三個男生索性說江南已經不在洗手間，不知道去了哪兒。朱小北愈聽愈著急，不由得大罵幾個男生沒出息，連個人都看不住。罵到最後，那些男生勾著朱小北的肩膀說：「看妳急的，別對我們橫啊，有本事自己進去找去，不就是男洗手間嗎？更危險的地方妳也不是沒闖過，有什麼可怕的？」

朱小北遺傳了朱媽媽千杯不醉的功力，但是她也見識過自己沾不得酒的老爸喝醉了之後的熊樣。她是真的擔心江南，他今天贏了，卻沒有太多的喜悅，眉宇間彷彿有了心事。

她當真就掃開那些男生搭在她身上的胳膊，走出包廂就要親自去找，同學們都在後面起哄，嚷著「精誠所至，金石為開」，江南的心思看來沒有白費，就連朱小北這百煉鋼也最終成了繞指柔。

大妞在包廂門口處偷偷截住了朱小北，喝得兩眼冒星星的她還不忘八卦的本能，搖搖晃晃地問：「小北，妳跟江南真的成了？」

「成個屁！」小北說道，「人家也沒說過喜歡我啊。」

「妳這不是脫褲子放屁的擔憂嗎？他當然喜歡妳，旁觀者清，全世界人都知道了。江南那脾氣妳還不清楚，關鍵時候跟個小娘兒們一樣的忸怩，他絕對是不好意思捅破那層窗戶紙！」

「是嗎？」朱小北仍保持著可貴的懷疑精神。

大妞拍著發育不良的胸脯，「妳還不信我嗎，這事我比妳有經驗多了。」

這話說得倒沒錯，據說在智力啟蒙之前大妞就喜歡上了王叔叔家的大兒子。朱小北直到十七歲，心裡才第一次住進了個江南。

「那我該怎麼辦？」她居然又請教起了大妞。

大妞理所當然地說：「他不捅破，那妳就自己來唄，妳不是也瞧上他了嗎，別跟我裝，這不過是誰先開口的問題，妳還計較這個？」她繼而一臉興奮地慫恿著，「去吧，小北，主動跟他說，他不敢，妳就先向他表白。」

酒雖不醉人，卻可壯人膽。朱小北琢磨著大妞的話，似乎沒有什麼破綻，既然是水到渠成的事，他面皮薄，那讓她來又何妨？

朱小北真的去了男洗手間，江南果然不在裡面。她是在小飯店裡某個放雜物的旮旯裡找到他的，他靠著牆席地坐在角落裡，不知道是清醒還是糊塗，至少在她也坐在身旁之後，他還知道睜開眼睛笑著叫了聲：「小北。」

「不會喝你逞什麼強啊？」朱小北悶聲說。

江南嘿嘿地笑了兩聲。

「妳特意出來找我？妳真好，小北。」

不知道他有沒有看見，銅牆鐵壁的朱小北白皙的臉上一片通紅。

「我當然好。」在他身邊時的喜悅讓她決定採納大妞的意見。既然是遲早的事，那麼總要有個人先說出來。

小北清了清嗓子，下一句她就會說：江南，其實我喜歡你。

可是江南早了她一秒鐘。

他說：「今天妳說我真沒用，讓我想起了我喜歡的那個維族女孩，她也說過這樣的話。」

朱小北當時就驚出了一身冷汗，她張了張嘴，又閉上了，隱隱約約覺得自己逃過了一劫，心中卻無絲毫喜悅。江南說完這句話，就繼續歪在牆邊半睡半醒，也許他不知道，身邊有個人已被震得一佛出世，二佛升天。

一直在不遠處靜候佳音的大妞再一次出現在朱小北面前時，小北的第一個反應就是將她按在牆上，伸出自己的雙手就往那死女人脖子上使勁地掐。大妞滿臉憋紅地從朱小北的魔爪下掙脫了出來，「哇哇」地叫著。

「發神經啊，不帶這麼慶祝的啊。」

剛才還似打了雞血的小北頓時垂頭喪氣。她對大妞說：「差點兒就被妳忽悠了，我忽然發現其實我一點也不喜歡江南。像我這樣純潔的人，還是應該一直雪白，永遠雪白。」

大妞揉著脖子不屑一顧，最後還是好奇地問：「那江南他會不會特失望？」

小北勾著大妞回去繼續跟同學喝酒，邊走邊攤著手，特深沉地說：「感情是不能勉強的。」

沒錯，感情不能勉強，朱小北寫滿了人生箴言的小本本裡早就記錄著這樣的真理。後來她漸漸長大，見了愈來愈多的人，讀了愈來愈多的書，可想起自己在江南身邊的那一幕，仍然心有餘悸。他那麼主動地對她示好，也許只是因為在陌生的地方本能地靠近第一個對他好的人。朱小北懵懵懂懂一腳踏了進去，卻拔不出來，然而比起破滅的夢想，她更喜歡將它深埋。從此小北倒楣地陷入了一場悠長的暗戀，暗戀著一個身邊的人都認為明戀著她的男孩。

當所有的人都說他喜歡你，但唯獨他沒有說過，那也許就不是真的。

小北想，等到她快死了的那一天，只剩臨終前的一口氣時，她一定會對她的後人（如果她有後人的話）留下一句遺言：如果你年輕的時候愛過一個男孩，請千萬千萬不要主動說出來。

或許她還會將它刻在自己的墓誌銘上。

江南酒醒之後，完全忘記了那天自己說過的話，朱小北跟他繼續勾肩搭背地做著哥兒們，看起來跟其他的朋友沒有任何分別。高考結束，小北考到了遙遠的G市，而江南則重新以上大學為由回到了父母刻意帶他離開的新疆。

一個叫小北，一個叫江南。難道註定是天南地北？

南下求學之後，小北聽了媽媽的話，她念書，念書，再念書，從沒有談過戀愛，直至這「聽話」成了朱媽媽心中最大的一塊心病。

本科畢業，小北拒絕聽從所有親人朋友的勸阻，考上了新疆一所大學的碩士研究生，越過一望無垠的荒漠和草原之後，也見到了她心中的江南。

江南那時已經在他長大的那個南疆城市有了一份工作，他親自去接的小北。在小北開學之前，他請了好些天的假，帶著她走遍了他曾經描繪過的每一個地方。旅行結束前一天的晚上，他們去看月光下的戈壁灘。千萬年不變的月光籠罩著茫茫的曠野，靜美得像一場夢，有種不真實的虛幻，並肩說話的人便如同在夢境中囈語。

江南絮絮地說著他愛的那個女孩，說著他們的兩小無猜、他們的甜蜜和無奈。他說那女孩也愛著他，如他一般堅貞，但是即使是當下，維族和漢族依舊鮮少通婚，先別說她的族人，就連江南的父母也是堅決不肯同意，他們希望他娶個門當戶對，更主要的是信仰相當的女孩度過一生。

朱小北便問：「你們的感情是很讓人羨慕，但是你爸媽的擔憂也並不是沒有道理。除了她，難道你就沒有試過喜歡過別人，一點點也沒有？」

她原本料定他這樣看重感情的人會有一個她想像中的回答，然而江南卻想了很久。後來他說：「其實是有的，就算感情再堅貞，也免不了意料之外的動心。但是就像綠洲相對於草原，或者就像兩年相對於二十年，很多人都只能選擇後者。」

不用說，他也是那「很多人」中的一員。

也就是這個時候，朱小北才明白，對於當年她來不及說出口的一句話，對於她不遠千里而來是為何而來，或許江南心裡一直是明白的。

他曾經那麼不懈地尋找綠洲，但是最終還是會回到他的草原；他在那兩年裡有過些許的心動，然而這跟二十年相比不過短短一瞬，又算得了什麼？

她就是那個綠洲和兩年裡些許的心動。

朱小北拍拍江南的肩膀，瀟灑地回到了位於烏魯木齊的學校，也回到了她習慣的生活軌跡，每天混跡於各種實驗室之間，再和新的朋友開著無傷大雅的玩笑，日子如風車一般轉過。一年後，她接到了江南發給她的喜帖，他和他的維族姑娘終於不顧一切修成了正果，朱小北用去了自己大半年的補貼趕去道賀時，才發現他們的女兒已經滿月。

那一次，小北才第一次見到了江南心愛的姑娘，她的名字叫坎曼爾。坎曼爾在維語裡也代表著「月亮」，就連一向自視甚高的朱小北也不得不承認，她的臉就像月亮一樣皎潔。真的一如江南所說，她長著夢一般的雙眼。

新生兒的誕生讓兩邊的家長再也無法阻止江南和坎曼爾的相戀，他們結合在了一起，這段排除萬難的感情故事有了個美好的結局。但是，在他們正式結婚的歡慶篝火之夜，並沒有太多道賀的客人，宴席早早散盡，除了懷抱嬰兒的一對新人，就剩下孤零零的朱小北。

後來朱小北才知道他們為了在一起付出了多大的代價。江南父母那邊暫且不提，坎曼爾的家人總算是不再阻撓，但這並不意味著他們從心底接受了江南。即使江南為了坎曼爾改變了自己，也還是不行。坎曼爾跟著江南一塊生活之後，她的整個家族、所有的朋友都疏遠了她，他們不再邀請她參加任何的活動或聚會。當他們打起手鼓，唱著自己的民歌時，這些跟坎曼爾再也無緣，她被她在乎的人們徹底地遺棄了，就像她從來沒有出現過。她漸漸地發現自己身邊除了已成為丈夫的江南和小小的孩子，再也沒有了別人。

為了脫離這樣尷尬的處境，婚後第二年，江南借工作調動的契機，帶著妻兒到了相鄰的一個城市生活。那裡的漢人更多，可坎曼爾的漢語說得並不算好，加上家裡沒讓她上太多的學，找不到合適的工作，便只能在家帶孩子，江南工作愈來愈忙，兩人的差別被不斷放大，這樣恩愛的兩個人也逐漸有了爭執。坎曼爾如同獨自站在一個絕望的孤島上，她日漸消瘦。

當小本本也解決不了朱小北的困惑後，她曾經把這些祕密告訴過她最聰明的朋友阮阮。阮阮說，相對於坦途和崎嶇，有些人也一樣會選擇後者，因為他們覺得需要披荊斬棘的才是真愛。

可真愛也會屈服於太多的坎坷。

朱小北考上博士的第二年，長久鬱鬱寡歡的坎曼爾死於胃癌。朱小北去探望過她，因為放心不下江南。昔日的皎潔明月在臨終前形如枯槁，但是江南抱著孩子看著她時，那眼神一如看著她最美麗的樣子。

坎曼爾臨終前，拉著江南的手死死不肯放。她最喜歡叫江南「艾里甫阿卡」這個名字，「阿卡」在維語裡是女子對愛人的暱稱，而「艾里甫」則是她為江南取的維族名字。那時朱小北在新疆已三年有餘，對這邊的風土人情多少有了些了解。如果江南是艾里甫，那坎曼爾一定把自己當作了賽乃姆。他們的愛情故事在維族的傳說和民謠中代代相傳，就連刀郎都會唱：

從小和你青梅竹馬相約在天山下，
我們本來是天底下最幸福的人啊！

賽乃姆你是花叢中最美的石榴花，
艾里甫我卻是博格達上孤獨的阿卡。
夜鶯的歌聲在每個夜晚都會陪伴她，
我的琴聲卻飄蕩在遙遠的博格達，
為了愛情我被放逐在天涯，
莫非今生和你廝守變成了神話。
……

小北記得，故事裡的艾里甫和賽乃姆跋山涉水歷盡艱辛，最終卻沒有收穫幸福，現實中的江南和坎曼爾不也是如此？

坎曼爾死後，朱小北守了江南近半個月，照顧著他和孩子的衣食起居，直到始終沒有掉下眼淚的江南對她說：「妳走吧，小北。」

小北說：「你以為我願意看你的死樣子？可我不能讓你真的就這麼死在這裡。」

江南抱著他的女兒搖了搖頭，「我不會死的。小北，別為我耽誤了自己，找個好人嫁了吧。」

都說孩子不能沒有媽媽，他真的就聽從家人的安排在一年後開始不斷地相親。朱小北不得不接受一個現實，即使她認真思考過冒著被老媽打死的危險去做後媽的可行性，然而事實上，江南考慮過很多素未謀面的女人，卻從來沒有考慮過她，即使她曾經是他的綠洲和兩年的心動。

他說過：「小北，妳太好了，所以我不能要。妳一個年輕漂亮的女博士，完全沒有必要留在一個喪偶的普通男人身邊。我害怕妳有一天會發現，其實我遠沒有妳想像中的美好。」

她真希望有他說的那麼一天，但是從來都沒有過機會。他總說她好，可那麼好的朱小北，他為什麼不要？

拿到博士學位之後，朱小北如他所願回到了G市，老媽的高壓政策讓她心驚肉跳，身邊的朋友紛紛嫁為人婦，別說隔壁家的大妞早已如願以償嫁給了王叔叔家的兒子，就連鄭微這樣的都成了孩子的媽。小北開始努力地去找能讓她嫁掉的「好人」。她有過結婚的好對象，後來又沒了，也不過是一眨眼的事情。

與她那心有旁騖的檢察官男友攤牌後，正值江南的女兒阿古依患了場重病，半是躲避這邊的爛攤子，半是放心不下江南，朱小北再一次返回新疆，這次一待就是大半年的時間。她看著阿古依的病一點一點地痊癒，出院前不久，阿古依自作主張地把朱小北阿姨叫作了「媽媽」。

說起黃色笑話都面不改色的朱小北在這一聲「媽媽」面前竟然滿面通紅，一旁的江南若有所思，竟然也沒有制止。當年朱小北回G市之前，他一場又一場地相親，也不過是為了讓年幼的阿古依有個媽媽。他條件不差，即使喪偶又帶著個孩子，也有不少女人願意嫁給他，可是直到小北再次返回，他身邊並沒有多出一個女人。

出院回家的路上，阿古依睡著了，江南沉默了很久，他終於說出了那句話：「小北，妳願不願意做阿古依的媽媽？」

這樣的暗示朱小北等了不下十年，她也以為自己會感動得流出熱淚，但是她沒有，僅是怔了怔之後，她給出了自己的回答。

「對不起，江南，我不願意。」

她寧願如鄭微所言，等到白髮蒼蒼那天，她和江南在老年大學裡遇見，他們或許會佝僂著背一塊打乒乓球，說不定那時的江南會愛上朱小北，那她一定會老婦聊發少年狂地嫁給他，而不是現在，點點頭，去做阿古依的媽媽。

這一次告別了江南和阿古依，朱小北返回了東北，那裡雖然有扯著耳朵罵她沒出息的朱媽媽，可那也是能讓她撒嬌耍賴的親娘啊。朱媽媽又急又跳腳地摟著掉眼淚的女兒，朱爸爸慌不迭地給女兒剝了顆糖。朱小北把那顆大白兔奶糖含在嘴裡，還是她喜歡的味道。轉念一想，其實有些事也沒什麼大不了。

回過神來之後，她天馬行空地想起離開G市前，實驗室裡由她指導的一個小男生依依不捨地問：「師姊，妳什麼時候回來啊？」

當時朱小北賊兮兮地占著那孩子的便宜，她摟著他的肩膀，做出個誇張的心痛表情，「怎麼，你會想我？我們是沒有可能的……」

那個才念大四的小孩竟然紅著臉結結巴巴地追問了一句：「為……為什麼……」

想到這裡，朱小北不由得有了仰天長笑的念頭。怕什麼，路還長著呢，多少唇紅齒白的青春少年正等著她去染指。

幾天後，她重新收拾行囊整裝待發，鄭微給她打來了電話，聽說她和江南最近發生的事情之後，鄭微更是著急得跳腳，「豬北，妳笨死了，韓述那麼好的一塊到嘴肥肉妳都能讓他飛了，人家江南好不容易開了這個口，這不是妳一直等著的嗎？妳到底要幹什麼？讓妳找個男人有那麼難嗎？」

朱小北「嘿嘿」地笑，其實這事說容易也不容易，說難也不難。

很多人都說，只要女人願意將就，很多人都可以與之攜手走過幸福的一生，生活本身就是一場又一場的妥協，許多人都是這樣過來的。小北也知道，可是這跟她有什麼關係，別人是別人，她們都不是朱小北。

番外二 心結

「妳要把店轉讓出去？」桔年手裡還攥著剛脫下的工作服馬甲，面露愕然。

方燈說：「確切地來講，我是想把店面轉讓給妳。」

「我？」桔年知道自己重複老闆講話的樣子一定呆到了極點，她侷促地笑了笑，「這怎麼可能。」

「為什麼不可能？我不會再回來了，除了妳，我不知道還有誰更適合做這裡的下一個主人。」

桔年沒有吭聲。她在這家布藝店整整幹了八年，從一個普通的店員到店長，早已經把這裡當作了自己生活的一部分。然而她兢兢業業地工作，哪怕店裡的大小事宜她甚至比身為老闆的方燈更為清楚，卻從未有過非分之想。她只知道自己需要這樣一份收入，而當初因為背有前科四處找工作無門，走投無路的時候是方燈給了她機會，更給了她信任，這才使得她得以無風無浪地安然度過這些年。

現在連方燈都要走了。桔年不敢多嘴問她要去哪裡。站在自己眼前的人是她的雇主和恩人，但對於對方的事她知之甚少，當然，從其他店員那裡她並非沒有聽說過關於老闆的一些捕風捉影的傳聞，可這都跟她沒有關係。她和方燈最長的一次談話來自於到店裡應聘的那天，當時，年輕得讓桔年大感意外的女店主也是這樣把她單獨叫到店面一側的小休息室裡，問她是從哪裡學到的縫紉技巧。桔年老老實實回答說是在監獄裡，對方竟沒有流露出驚訝和懷疑，而是露齒一笑，說自己是從孤兒院學到的這門手藝。

桔年從沒有想過方燈會捨得下這個小店，因為她說過，她關於家的記憶早就模糊了，唯一清晰的只有一扇垂掛著厚重暗紅色簾子的窗，她無數次在夢裡奔跑著想要靠近那扇窗，掀開窗簾看看她眷戀的地方，然而每次都在手指觸碰到窗簾的那一瞬間醒來。那暗紅色簾子的視窗是她關於往事僅有的寄託，可惜現實中怎麼挑選拼湊，都找不到和回憶中完全吻合的布料。方燈開玩笑說這就是她執意要開一家布藝店的原因。

莫非她已經找到了她的那扇窗？

桔年沒有問出口，方燈那如貓一般狡黠的眼睛卻彷彿已窺到她心中所想。

「或許是到了改變的時候。」方燈笑得很曖昧，語氣裡若有所指，「我們都一樣。」

桔年不知道她刻意強調的那個「我們」暗指什麼，前一陣韓述又厚著臉皮到店裡來接她，當時距離下班的時間還有十來分鐘，他大大咧咧地進到店裡，還和與她一塊當班的店員聊得不亦樂乎，逗得兩個小姑娘嬌笑連連，正好被臨時到店裡看看的方燈撞個正著，他還以為來的是個客人，笑嘻嘻地上前打算給對方介紹店裡的貨品，還大言不慚地說自己是店長。桔年當時都恨不得挖條地縫把他塞進去。

想到這裡，她的臉心虛地泛紅了。方燈都看在眼裡，說道：「妳也該為將來打算，妳不可能永遠做一個布藝店裡替人打工的店長。」

「恐怕我拿不出那麼多錢。」桔年實話實說。她對這家店確實有感情，然而畢竟心有餘而力不足。

方燈說：「我對妳開出的價碼並不是天文數字。桔年，我給妳考慮的時間，但是要快，我等不了太久。」

一路上，桔年都在想著方燈的話。桔年是個遵從於慣性的人，改變對於她而言並不是個令人愉悅的詞彙，然而如果方燈要走，布藝店易主是必然的事，想要維持現狀最理想的辦法莫過於盤下這間店。她很難克制去想，要是她擁有了屬於自己的小店會怎樣，尤其是一間八年來她日復一日投入心血的小店。

方燈開出的價碼低得超乎桔年的想像，她暗想，要是那些傳聞都是真的，她的老闆並不缺錢，所謂的轉讓金，更多地像是一種託付的形式。但桔年也確實是囊中羞澀。因為撫養著非明，這些年她並沒有攢下什麼錢，最後一筆積蓄也用在了料理平鳳的後事上。現在她僅有的財產莫過於幾年前斯年堂哥轉到她名下的那套房子——「小和尚」生於斯長於斯，困住了她所有思念和牽掛的房子。

她心裡有事，又習慣性地低著頭，走過家門口的小商店時，差點被財叔的大嗓門嚇得左腳絆到右腳。

「我說桔年啊，妳再不回來我可就要留你們家韓述吃飯了。」財叔的語氣裡暗含責怪，彷彿她是個不稱職的妻子。

桔年抬起頭，果然看到韓述從財叔小商店前圍著的一圈人裡閃了出來，不用說，「股神」又在向淳樸的「城中村」大叔大媽們傳經佈道了。他們對於他的熱愛要遠甚於在此生活了多年卻獨來獨往默默無聞的謝桔年。因此，桔年也不願意和搖著蒲扇的財叔解釋韓述是不是「她家的」的這個問題，這只會引來街坊們更多的調侃。

韓述與她並肩朝老房子走去，笑著說：「我餓死了！」

「可是我吃過了。」桔年沒有騙他，她確實沒預料到他會來。事實上，幾天前他們剛有過一場爭執，更確切地說，是他剛大發了一場脾氣，差點沒又一次踢壞老屋的破鐵門，那怒氣洶洶的樣子彷彿是鐵了心要和她老死不相往來——至少她沒想到他會出現得那麼快。

「那妳也得給我再做點吃的。」韓述理直氣壯地說。

桔年的聲音愈來愈小，「呃……我三天都沒買菜了。」

與嚴苛地講究生活品質的韓述不同，桔年素日裡是怎麼簡單怎麼過，以前非明在的時候，做飯那是沒有辦法的事，後來非明走了，韓述又賴在她那裡好長一段時間，自己不動手也就罷了，嘴巴還極其挑剔，老纏著桔年變著花樣給他做，然後一邊吃一邊大肆點評，鬧得桔年焦頭爛額、煩不勝煩。他不在的這些日子，她樂得輕鬆，下了班就在店旁的麵館解決用餐問題。

韓述的臉色明顯變了變，桔年幾乎以為他又要不高興了。不管他在外面的樣子多得體，骨子裡還和從前一樣孩子氣，愈是在熟悉的人面前愈是易喜易怒，非要人哄著他順著他，脾氣來得快去得也快。沒料到他竟也沒有發作，只悶悶地踢著腳邊的小石子，嘴裡道：「哦，好像也沒多餓。」

桔年想到那天他摔門而去、氣得渾身發抖的樣子，又見他眼前這般忍氣吞聲，不由得心一軟。「好像家裡還有速食麵和雞蛋，你要想吃的話……」

「妳整天都吃些什麼垃圾食品！」

「那算了……」

「什麼算了，速食麵要用開水煮了，把水濾掉，再放調料。雞蛋要煎的，五分熟。對了，速食麵什麼牌子的？」

說著說著，他又興致勃勃地說起了最近發現的一家很特別的越南菜館，非要哪天帶著她去嚐一嚐。

桔年笑著聽他說，在鐵門前摸索著鑰匙。韓述看到搖搖欲墜的鐵門，訕訕地搓了搓自己的臉。「我吃了飯再去財叔那找工具修修。」

桔年都想得出財叔的表情，年輕人就是精力過剩，要不老和那扇鐵門過不去幹什麼。

進了屋子，桔年放下東西就到廚房給韓述煮麵。他在等待的過程中就滿屋子地瞎轉，好像他離開了十年八載似的。

「嘖嘖，妳看這裡都漏水了，難怪角落裡會長出青苔。」

「妳不覺得房樑都長白蟻了嗎？說不定睡夢中屋頂塌下來把人給埋了。」

「門口的樹葉妳能不能掃一掃，不知道的還以為這裡住了個五保戶。」

他說累了，找了張椅子坐下來，不期然聽到老朽的竹椅發出詭異的「咯吱」聲，他低聲咒罵了一句，然後用剛好足以讓桔年聽到的聲音「自言自語」道：「這個地方簡直太好了，跟個歷史博物館差不多，到處都是文物，難怪妳打死也不肯離開，還有犯賤的人要買票來參觀。」

桔年按捺著，就好像什麼都沒聽見。最近他們無論說什麼最後都會回到這個話題，這也是之前他們爭吵的導火線。她知道韓述不喜歡這個地方，而他之所以一再地去而複返，是因為他想要帶她一起離開。

其實韓述在這老屋也住了為時不短的日子。他父親韓院長以那種不光彩的方式退下來沒多久就因心衰而離世了，就如同一棵枝繁葉茂的大樹傷了根脈，在一夜之間枯竭。這對於韓述來說無異於當頭悶棍。他口口聲聲說自己恨老頭子，也看不起對方的為人，可這所有的不滿都需要一個活著的韓院長來承載。韓設文的驟然離世擊潰了韓述一切的正義凜然，不管他在世時做過什麼，是個什麼樣的人，當噩耗傳到韓述那裡時，他失去的是父親，從小對他嚴厲無比卻僅有他一個兒子的父親。他甚至不敢在父親的遺體前流淚，因為發病前幾天媽媽給他打過一個電話讓他回家，他明知道背後是老頭子的意思，卻固執地不肯去。而直到最後他也不知道是否自己的舉報成了給父親的致命一擊。

那段時間他就躲在桔年的老房子裡，哪也不肯去。桔年雖知道不該留他，卻也狠不下心落井下石，兩個人原本就說不清道不明的關係更加混亂。直到韓琳回國料理父親的身後事，最後找到並帶走了韓述。

桔年知道韓述和姊姊一貫親密，她並不知道韓琳用什麼方式開解了韓述，只知道他一定痛快地哭了一場。韓琳是個明朗而爽快的女子，韓述非要把桔年帶到她的面前時，她沒有多說什麼，就像對待家人一樣對待桔年，然而在離開的前一天，她單獨對桔年說了一番話。

韓琳說，韓述對不起桔年，這一點誰也不能否認，但是站在親人的立場，她懇求桔年看在韓述死心塌地的份上，要不就愛他，如果做不到的話就對他狠一點，讓他徹底死心，權當放了他。

桔年當時面紅耳赤，她知道自己的含糊和猶疑都被韓琳看在眼裡，然而韓琳是對的。韓述用盡全力也追不回飛花雨，誰也改變不了往事，但是他們依然需要一個答案。

然而在她得出這個答案之前，送走了姊姊的韓述就急不可待地想要把桔年帶離這個老房子，在他看來這裡不僅不適宜居住，更重要的是無處不充滿著巫雨和回憶的鬼魂，而這些正是他極力盼望桔年擺脫的東西，就連他媽媽都默許了桔年的存在，他等不及要和她有全新的生活。

桔年卻沒做好斬斷與老房子所有牽連的準備。永遠斑駁搖晃的舊鐵門、漏雨的屋簷、落滿枇杷樹葉的破舊庭院，她彷彿半生都繫於此。還有非明，她走得太早，小小的魂魄會不會仍記得這個曾收容了她的舊地，還有陪她在這裡生活了八年的姑姑。

為此便有了那場激烈的爭吵。桔年拒絕搬離老屋，而韓述咬牙問她是不是因為這是巫雨生活過的地方，她回以沉默。「那我算什麼？我算什麼？」韓述的質問聲猶在耳畔。她就像院子裡那棵枇杷樹，不管一開始為什麼栽種在院子裡，重要的是它已生了根。

韓述消失的這幾天，桔年不只一次想過韓琳的懇求。愛他，或是放了他。前者她不知道，但至少後者她是做得到的。

彷彿被她的沉默所感染，韓述竟也不再出聲，想是不願再挑起之前的不愉快，既然解不開一個死結，那他唯有繞過去。

可這樣的安靜畢竟讓他不安。過了一會，韓述又找到了一個話題。

「烈士墓的拆遷後天就動工了，妳知道嗎？」

在廚房裡煎雞蛋的滋滋聲中，他好像聽到桔年「嗯」了一聲。

她的漠然處之讓韓述有些意外，想了想，又覺得沒什麼好奇怪的，於是自我解嘲地喃喃道：「也對，他摔下來的地方還在不在有什麼關係，反正在妳心裡他一直還活在這屋子裡。」

他的聲音並不大，幾乎被鍋鏟聲蓋過了，過了一會，桔年關了火。

「你錯了。他現在已經和非明在一塊兒了。」桔年一本正經地把麵條端到韓述面前，額頭上都是亮晶晶的汗珠。「雞蛋煎過頭了，你將就著吃吧。」

「和非明在一塊……妳知道了？」韓述拿起筷子才反應過來，愣愣地看著桔年。

非明死後不久，陳潔潔將巫雨從荒山野草中的墳墓裡遷出，和女兒葬在了一起。這事韓述一早就知情，但他在桔年面前守口如瓶，並再三囑咐陳潔潔不要在桔年面前提起此事。

桔年坐到他身邊，同樣殘破的椅子在她身下聽話得很。

「你為什麼不告訴我？」她問。

韓述沒有回答。

他知道用這個可以刺傷桔年，讓她知道巫雨死了也不是她的。然而在爭吵的盛怒中他也沒有把這件事說出來，因為他怕桔年太難過。

「上個清明我去看過他了，墳墓已經被遷走。我猜沒人會對一個孤魂野鬼有興趣，除了他的家人。其實這樣也挺好的。」桔年低聲道。

韓述吃了幾口麵條，他在事務所忙了半天，午飯都沒吃上，實在是餓壞了，也沒力氣挑剔她的廚藝。他有些奇怪，桔年一向沒有上墳的習慣。

「妳真的覺得這樣挺好？」他試探著透過麵條熱騰騰的霧氣打量她的神色。

她還是一貫淡淡的表情，看不出悲喜。

「他要是還活著，也應該是和她們在一起的。」

韓述原本想說話，卻被麵條嗆得狼狽不已。桔年無奈地給他拍背。

「你急什麼，誰也不跟你搶。」

韓述好不容易停止了咳嗽，找回了自己聲音，急著又要開口。

「慢點兒。」桔年說。

「不是，我想說，妳不想搬走也可以，但是得讓我住進來。」他用嗡嗡的怪聲調對桔年說，接著飛快地避開她的眼神，繼續埋頭吃麵。

桔年一言不發地看著韓述，多麼奇怪，這麼多年，在她對於「小和尚」的所有幻想裡，竟然從未有過如眼前一般的畫面：她靜靜的，微笑著坐在他的面前，看他大口大口地吃自己親手煮的一碗麵。如此世俗且真實。

韓琳說，有時我們會發現為之付出了所有的信念竟然是一場謬誤。

方燈則說，我已經記不起那扇窗的樣子了，說不定它根本就不是我想像中的顏色，好在現在我還有一扇門。

「不行。」桔年回答韓述。

「為……為什麼？」他重重地放下筷子，臉漲得通紅，彷彿完全接受不了這樣的答案。

桔年說：「因為我要賣了這房子，好用來盤下現在工作的那家布藝店。」

「那妳住在哪兒？」

韓沭說完這句話，忽然覺得自己傻透了，然後他搓著自己的臉，就這麼望著她笑了起來。

番外三　莊嫻

莊嫻是大二那年迎新生座談會上認識他的，那時他只是一個剛剛脫離高三苦海的大一新生。

莊嫻平日裡最怕人多的地方，院裡系裡的活動，能免則免，還不如在床上睡大覺，那晚她瀕臨感冒的邊緣，頭暈喉嚨痛，可是同宿舍的姊妹郭榮榮慫恿她說，大二的女生，就像開始發蔫的黃花菜，同級或高幾級的男生那麼長時間都沒有伸出「橄欖枝」，估計是不用指望的，還不如去開墾新生那片「希望的田野」。

郭榮榮信誓旦旦地說，不去一定會後悔的。莊嫻跟郭榮榮關係好，一向由著對方拿主意，於是也就傻乎乎地跟去了。至於那一晚，假如莊嫻真的不去，服一粒感冒藥，在九點鐘爬上宿舍的架子床一覺睡到天亮，事後會不會後悔？這已經永遠成為一樁懸案了。事實是，她去了，遇見了他，卻著實後悔了好些年頭。

法學院是這所學校的重點院系，每年招來的學生不少，熱鬧熙攘的座談會現場，跟趕集似的。轉悠了幾圈之後，郭榮榮忽然使勁用手肘頂著莊嫻，附在她耳邊小聲說道：「哎哎，看啊，快看那邊，黃衣服那個！」

其實那個時候莊嫻已經看到了他。難道是怪他亮色的T恤在人群中太過吸引眼球？還是她身處的角落太容易跟他形成光與暗的對比？她很少會這樣用視線細細去描繪一個異性的輪廓，這回是個意外。

周圍的人群顯得他個子高挑，皮膚被明黃色的T恤襯得更顯白皙，黑黑的眉毛讓他看上去並不陰柔，更重要的是，他有一雙不笑尚且含情的眼睛，這和那略顯矜持的嘴角構成了一種矛盾而奇妙的和諧。

他站在小範圍人群的中心，與身邊的人談笑風生，應對自如，舉手投足之間盡顯自信，彷彿早已習慣成為人群中的焦點。假如不是他臉上飛揚的朝氣，加上身邊的郭榮榮都一再地強調從來沒有在學校裡見過這號人物，莊嫻幾乎覺得有些拘謹的自己比他更像又傻又遜的大學新鮮人。

一晚上，學院活動中心亮如白晝，這讓原本已有輕微感冒症狀的莊嫻頭昏目眩，夢裡顛來倒去都是高明度的黃色，像正午最耀眼的太陽；還有他細細擦拭雙手的紙巾，皎潔的白。

都說眼睛是心靈的視窗，可是透過他的眼睛，還來不及看清裡邊的風景，凝視的人心中已悄然打開了門扉。

第二天，郭榮榮從外面給莊嫻帶回來了感冒藥，也帶回了他的名字。

他叫韓述。

關於韓述的一切，莊嫻是在消息靈通的郭榮榮那裡，以及自己在校園裡偶然或「貌似偶然」的一次次擦肩而過中留下的印記一點一滴勾勒起來的。就像一幅油畫，起初是寥寥的幾筆速寫，漸漸地有了層次和色彩，看起來栩栩如生，一如她心目中期待的樣子。

莊嫻是個害羞而內向的女孩子，她有一張漂亮的面孔，大眼睛，長髮烏黑，活脫脫就是同齡男孩子夢中情人的形象。剛踏入這所大學的時候，追求的男生猶如過江之鯽，但是大多數在觀望階段或剛接觸不久就宣告放棄了。其中最大的原因就是莊嫻性格太過拘謹，她在不夠熟悉的人面前說話總是結結巴巴，走在人多的地方總是不知道手腳該往哪兒放；她怯於跟人視線交流，不善表達內心的情緒。偶有欣賞她文靜羞怯之美的男生，近距離相處一段時間後，常因太過乏味而放棄，久而久之，勇於挑戰自我的男生也不容易出現了，莊嫻「木頭美人」的名聲也衝出法學院，走向全校。就連郭榮榮也在跟別人的玩笑話中戲稱自己的這個好友是「美則美矣，全無靈魂」。

莊嫻羨慕同班、同宿舍的好友郭榮榮的能幹和爽利，郭榮榮是班上的團支書、院學生幹部、文學社骨幹。她風風火火，敢做敢說，永遠知道自己要走向哪裡。莊嫻知道自己永遠也成不了郭榮榮那樣的女孩，或許這也是她與郭榮榮如此親密投緣的原因。儘管郭榮榮的一張利嘴不饒人，莊嫻時常要吃點啞巴虧，可這並不妨礙兩個女孩的友情。

政法大學的出色男孩子不在少數，然而韓述的風頭依然不弱。他曾是不少女生宿舍熄燈後的談資。他有沒有女朋友？他對什麼樣的女孩感興趣？他跟誰誰誰走得很近？某某系的某某某又對他大獻殷勤？

女孩子的臥談會不就是由一個又一個八卦而曖昧的話題構成的嗎？任何一個地方，總有他這樣的男孩子，扮演著那些話題裡的主角。

韓述愛玩，這一點是眾所周知的，他並不像其他出色的男孩子一般神祕。相反，他精力充沛，活力無限，似乎對一切新奇有趣的事物都充滿著興趣，愛熱鬧，也愛紮堆，入學不到一年，男男女女的朋友遍地都是。羽毛球社、籃球社、文學社、合唱團、電腦協會……他通通參加，大大小小的活動中都可以找到他的身影，在老師和同學中同樣受歡迎。可是認識他的人多，特別交好的少；對於女孩子他也不刻意保持距離，別人對他好，他照單全收；有人約他出去玩，只要不是單獨的一對出行，他很少拒絕。可愈是這樣，他的感情生活愈顯得撲朔迷離，「有可能」的對象名單長長一串，可是坐實的一個也沒有。

郭滎滎是少有的不把韓述放在眼裡的女孩子，韓述加入文學社，做為副社長的郭滎滎當眾給過他不少冷臉。新社員寫的稿子裡，她不只一次地挑出韓述的作品，唸著唸著，然後感歎上帝果然是公平的。

莊嫻曾經偷偷問過郭滎滎，為什麼特別不喜歡韓述。郭滎滎答道：「我最討厭他這樣自以為是白馬王子的紈袴子弟，如果沒有一個好家世和好皮相，他什麼也不是。」她常常在莊嫻面前毫不留情地嘲弄那些在韓述面前「故作嬌羞」「毫無尊嚴」的「狂蜂浪蝶」，每當她們自以為成功卻竹籃打水一場空的時候，她更是興高采烈地大肆譏諷。

「就算真有王子，也不是每一個普通女孩都可以成為灰姑娘的，灰姑娘是什麼，灰姑娘就是除了有個後媽這件事之外，其他方面統統圓滿的女人。」這是郭榮榮經常掛在嘴邊的一句話，不知道是有意還是無意的，每當莊嫻聽到這句話，總覺得特別地窘迫，她好像可以感覺到郭榮榮的這句話是說給她聽的。

是啊，郭榮榮怎麼可能看不出莊嫻的那點小心思。莊嫻自以為藏得很深，其實那些少女的心思都寫在臉上呢。有關韓述的傳聞，她聽得那麼入神，有時竟然不知不覺就滿臉通紅；當韓述從她身畔十米範圍內出現的時候，她的緊張和興奮是那麼明顯。她長得不錯，可韓述身邊的女孩子哪一個不漂亮？不消郭榮榮點破，莊嫻也知道自己是癡人做夢。

可郭榮榮不放過她，一個院的學生，見面的機會不少，每當她們出現在某個有韓述的場合，莊嫻已經夠手足無措了，郭榮榮還要拚命用手肘頂她，憋著笑擠眉弄眼地暗示。

郭榮榮還會心照不宣地屢屢帶回關於韓述的傳聞——他是大法官的兒子；他父親的相片被掛在歷屆優秀校友的榮譽展廊裡；聽說系主任跟他家關係密切；他的羽毛球打得很好；他和隊友代表學校在某大學生辯論賽中得了名次；他是某某教授眼裡唯一的關門弟子……儘管莊嫻不關心這些，她看到的只是韓述似笑非笑的眼睛，羽毛球比賽候場時偶遇的沉默走神，還有歡快時總傳達不到眼底的笑意，可她還是一次次在郭榮榮繪聲繪色的敘述中面紅耳赤。

有一次，文學社組織全體社員到郊外踏青燒烤，郭榮榮非拽著莊嫻這個編外人員參加，從頭到尾，莊嫻都躲在人最少的角落裡給大家烤東西吃，任憑郭榮榮如何鼓動她上去跟韓述打個招呼，她也是紋絲不動地縮著。原以為這樣可以躲過，可韓述偏偏湊過來不計前嫌地跟郭榮榮打招呼。

他走過來站定在她們面前那一刻，莊嫻就成了一個人形紅番茄。郭榮榮和韓述在一旁說話，她絞著手指，一門心思地看著自己的腳尖。

「郭榮榮，妳同學是不是不舒服？」韓述打完招呼竟也不急著走開。

郭榮榮大笑起來，不由分說抓著莊嫻的手，對韓述說道：「對了，忘了給你介紹，這是我的好朋友莊嫻，她可是你……」

那一刻，莊嫻覺得自己會因緊張過度而窒息死去，真的，被他知道了，她也不想活了。也許是出於自我保護的本能，她另一隻先前還烤著雞翅膀的手突然伸到她和韓述面前。

「我……我……我的翅……翅膀，給……給你……吃……」

很久之後，莊嫻都沒能從自己那時的「瘋狂」舉動中釋懷，她手中的鐵叉上還冒著熱油的雞翅膀險些捅到韓述的臉上，幸虧他閃避及時才逃過一劫，一旁的郭榮榮早就笑彎了腰……莊嫻當時恨不得咬掉自己的舌頭，語無倫次得不知道說些什麼，活該在他面前丟人現眼。

郭榮榮笑畢，大概也知道了玩笑的底線，接著之前的話頭繼續為韓述引薦，「我剛才還沒說完呢，她可是你的……師姊啊。」

韓沭一邊笑，一邊擦拭著剛才濺在自己衣服上的燒烤油，然後竟然也再自然不過地接過了莊嫻手裡的燒烤叉，嘻嘻一笑，「給我烤的嗎？謝謝莊嫻師姊……妳的翅膀味道還不錯。」

韓沭不知道，就連郭榮榮也不知道，那一次他接過燒烤叉時留在莊嫻指尖的溫度，很久之後都還在觸動著她。

這件事後，脾氣就跟麵糰似的莊嫻也跟郭榮榮生了好幾天的悶氣，她暗惱郭榮榮玩笑開得過了火。換作以往，受不得冷清的郭榮榮早就換著法子逗莊嫻笑起來，可這一次，竟也像較著勁似的，兩個好朋友冷戰了不少日子，郭榮榮才主動開口邀莊嫻陪她去學校的交誼舞會。

此時，莊嫻已然消氣。她就郭榮榮這麼一個好友，冷戰起來也怪孤單的，對方給了個臺階，再傻也知道順勢下來。換套裙子，她就跟著郭榮榮去了舞會。

黑黝黝的舞廳擠滿人，莊嫻和郭榮榮剛坐定，就留意到了舞池的中心，衣冠楚楚的韓沭環抱著民商法學院的一個漂亮女孩在一支快三的曲子裡如蝴蝶穿梭般滿場起舞，金童玉女，配合得天衣無縫。

「那女的我認識，外號『公共汽車』……」極低的可見度裡，莊嫻看到了郭榮榮勾起一邊的嘴角，她也沒心思去聽，一心一意地隨著他們的舞步。他們跳得真好看，莊嫻想。

她甚至沒有嫉妒，當她知道自己永遠不會是光環裡陪在他身畔那個人，心中便只剩了心悅誠服的欣賞。

韓逑和他的舞伴在舞步中游走，跳著跳著就轉到了莊嫻身邊，莊嫻怔怔的，也不知道是誰暗地裡使了把勁，將她一推，她毫無防備，就這麼跌跌撞撞地撲了過去，正撞上了韓逑的舞伴，那女孩子停下來，驚叫了一聲。

莊嫻繞著舌頭吞吞吐吐地道歉，可嘴巴不聽使喚，身邊吵吵嚷嚷的，都成了模糊的一團，聽不清辯不明。然而，韓逑鬆開他的舞伴，扶直了莊嫻，竟然就著她的手，在未完的曲子中領著她跳了下去。

在宿舍的衛生間裡，只有一個人的時候，莊嫻曾不只一次偷偷哼著只有自己聽得見的小調，張開手，與虛空中的另一半共舞，她本以為那只能是她一個人的夢。

忘了那一夜是怎麼結束的，莊嫻躺回了她的架子床，可是心還在舞池裡，被他牽引著跳一曲圓舞，轉啊，轉啊，夢也在旋轉中無邊無際。

還是郭榮榮澆醒了莊嫻的夢，她說：「韓逑這個人，就是太輕佻，妳別走火入魔，聽我的話，城堡裡只有一個王子，想做灰姑娘的人卻是千軍萬馬過獨木橋！」

莊嫻心裡想，她不要過橋，有過那場共舞的夢，也就足夠了。

誰知道，一切才剛開始。

儘管郭榮榮一再點醒莊嫻不要做灰姑娘的夢，可是如果有一天，王子提著一雙正合碼數的水晶鞋施施然走過來，妳要不要穿？

很快，韓述找莊嫻的電話在宿舍裡時常響起，他的身影也不時出現在她宿舍樓下。別人都在風傳韓述看上了法學院的「木頭美人」。郭榮榮有時也一個人愣愣地自言自語：「可能嗎？」

莊嫻不管可不可能，他是她的光源，她是無悔撲火的蛾，於是紅著臉，期期艾艾地去赴一場場如夢之約，她照例是不善言辭，緊張起來渾渾噩噩，與他揮別後常想不起相處時的細節，而韓述注視她的眼神竟似比她更專注。

「我……我是不是看起來很傻？」莊嫻怕這個夢醒得太早，唯恐自己的乏味讓他打了退堂鼓。

可韓述卻一再重複強調她的好，一遍一遍，語氣鄭重，彷彿要讓她記住。妳怎麼可能傻，我可不會跟傻瓜考上同一個大學；妳怎麼可能比別人差，難道妳從來不照鏡子嗎？他的話猶如催眠，說得多了，莊嫻竟也慢慢讓自己相信了一點，每天早上照他說的對著鏡子唸：我很好，我很好，我很好……人前人後，居然自信了不少。

「可是我很無趣，你跟我在一起會不會很煩？」這是莊嫻最後一個疑慮。跟她以往對韓述的感性認識完全不同，韓述很少帶著她去玩去鬧，兩人相處的大多數時間，他都很安靜，也不介意莊嫻話少。一塊上自習的間隙，莊嫻偶然抬起頭，會發現身邊的韓述支著下巴怔怔地看著她，碰上她的視線，眼睛卻迴避了。

韓述總說：「妳這樣就好。」下一句話卻開始嘻皮笑臉，「有沒有人說過，妳不說話的時候沉靜如海？」

當然沒人這麼說過。莊嫻在他孩子似的貧嘴中，幸福如火中燒，這幸福讓她暫時忘卻了別人注視的眼神，也忘卻了好友的冷臉規勸。

郭榮榮說，妳就傻吧，他有這麼好？沒後悔藥吃的時候，哭都來不及。

可是後悔藥不都是事後才吃的嗎？她要的是現在。

韓述上大二的那個情人節晚上，莊嫻鼓起勇氣送了他一條羊毛圍巾——圍巾是寒假裡她纏著讓媽媽教會的，手工拙劣，卻是他喜愛的大紅色。莊嫻害怕郭榮榮笑話，一直把圍巾藏著掖著，直到那天晚上才偷偷拿出來。

他們約好一起出去，莊嫻到韓述的宿舍，等他慢慢收拾好自己。他這樣一個急性子，在打理自己儀表時居然能耐心地一絲不苟。眼看宿舍四下無人，莊嫻羞澀地把那條圍巾手忙腳亂地繫到韓述脖子上。

「你喜歡嗎？」莊嫻低聲問。

韓述沒有馬上說話，她不敢看他的表情，侷促地低著頭，特意修飾過的披瀉下來的長髮搔得臉有些癢，心裡卻像有成千上萬的螞蟻在爬。

等待他反應的瞬間，在莊嫻看來無比漫長，她慌慌張張地別開臉四處打量，讓自己看起來沒有那麼緊張。可視線卻掃到了他整潔的書桌上，隨意丟放著的一雙褐色手套。

莊嫻頓時就懵了。這手套她怎能不認識，那手背處的花紋是她親眼看著拆了又拆，一針一針地織出來的。

手套出自郭榮榮之手，上個學期末，考前緊張的複習時間，莊嫻就看到郭榮榮經常縮在床上織著這雙手套。郭榮榮也是生手，偏又生性好強，看不得一絲瑕疵，反覆地拆了再織，虎口都被毛衣針磨起水泡了。莊嫻在一旁看著，也就是那時生起了要給韓述也織點什麼的念頭，又不好意思開口讓郭榮榮教她，這才拖到寒假才動工。

莊嫻也曾問過郭榮榮是織給誰的，郭榮榮當時淡淡地說，「愛給誰給誰唄。」那時她們小姊妹倆之間不知怎麼回事，不似之前那般無話不說，莊嫻也不好意思追問，她猜想這樣的東西一定是送給最重要的人，可是，卻萬萬沒有想到，這個人竟然是郭榮榮嘴裡最不以為然的「輕佻的紈袴子弟」。

韓述也注意到莊嫻看著手套發呆，揀起那雙手套，不由分說就往莊嫻手上套。莊嫻的眼睛一紅，手微微往回撤了撤，韓述的手卻抓得很緊。

「妳喜歡嗎？」他不回答她的問題，倒反過來問她同樣的一句話。

「不……不……我是說，我喜歡，可……可是，別人……」莊嫻心裡亂得很，很久不在韓述面前出現的口吃又回來了。

韓述不讓她的手往回躲，抓住了，只一聲聲追問：「那些妳別管，我就問妳喜歡嗎，你不喜歡嗎？說啊，說話啊！」

鬼使神差的，莊嫻眼角流下一行淚水。她不是一個好的朋友，郭榮榮打著電筒織手套的情景在她眼前浮現，當時她竟從來沒有留心地細想過……可是即使她知情又能如何，此刻比愧疚更強烈的是手心的溫暖。

她低著頭回應韓述的追問。

「喜歡。」

她可以感覺韓述的手徘徊在她的髮間，連聲音都是沒有聽過的遲疑和溫存。

「妳再說一次。」

莊嫻做夢一般呢喃，「我真的喜歡。」

那個情人節的晚上，韓述撫摸著莊嫻的長髮，第一次吻了她。

也是從這時開始，莊嫻彷彿看到心中的城堡大門真的朝她打開。她真的成了韓述的女朋友。

韓述其實是個很矛盾的人，他愛熱鬧，卻找了個不善言辭的沉悶女友；他說喜歡莊嫻的安靜，然而當她柔順如綿羊般地守在他身畔時，他眼裡常有一閃而過的失望；他沒有在莊嫻的旁敲側擊中承認過她是他從小到大最親近的女孩，卻在無意中透露，那個情人節，是他第一次親吻女孩子的嘴；他是莊嫻見過的最陽光的男孩，可是總有一些時候，看起來心事重重；他明明就在莊嫻身邊，可莊嫻還是覺得太不真實；他不笑的時候眉梢眼角仿若桃花蕩漾，笑的時候反倒淡了……幸而她習慣對想不通的事情拋之腦後，很少追問，很少探究，這是她讓自己安享快樂的一種方式。

關於這段感情，別人預言的閃電分手和韓述的移情別戀，都沒有成為現實。很難相信韓述和莊嫻就這麼相安無事地相戀了兩個年頭。

在那段幸福的時光裡，唯一讓莊嫻遺憾的是她和郭榮榮之間友情的中止。而這一切的導火線是郭榮榮暗戀韓述一事在傳出去之後，韓述被別人問起為什麼看不上法學系大才女時，戲謔的一句話，他說：「去年一滴相思淚，至今還未流到腮。」

郭榮榮各方面的條件都很好，人長得也不賴，偏偏臉長得稍長，嘴上雖不說，心裡也頗為遺憾。韓述這引經據典的調侃話一傳開，郭榮榮捂在被子裡痛哭了整晚，次日就想盡一切辦法搬離了莊嫻所在的宿舍。當她走出那扇門時，莊嫻也知道她們也許再也不是朋友了。她甚至沒有辦法開口去解釋和規勸，每一種說法都像是勝利者的宣言。

對此，莊嫻難免對韓述頗有埋怨。韓述卻說，他早看不慣郭榮榮的自以為是和對莊嫻的欺負，這回是故意讓她下不了臺，這樣的朋友不要也罷。莊嫻雖感遺憾，然而正身處熱戀中的她，又能怎麼辦呢？

郭榮榮也不是好欺負的主兒，沒過多久，她就在文學社刊物這塊自留地裡不指名道姓地對韓述進行一場口誅筆伐。她文章寫得好，筆鋒犀利，一時間，誰都知道〈就怕流氓有文化〉和〈論登徒子的膚淺戀愛〉中那個貪圖表像，不重內涵的紈袴子弟正是韓公子。一番宣洩後，郭榮榮心裡好受很多，從此更是挺胸抬頭做人，對韓述和莊嫻這一對情侶再不理會。

韓述讀大三的那年長假，莊嫻跟他一塊到三亞旅行，同行的還有他的兩個發小。這次旅行對莊嫻來說意義非凡，這是韓述第一次把她帶到了他的好朋友面前，這意味著他對她的進一步認可。莊嫻竭力讓自己不在他的朋友面前丟臉，可是韓述的兩個朋友嘴上雖沒說什麼，一路上卻反反覆覆、上上下下地打量過她很多回。這樣的異樣目光和他們私下裡心照不宣的目光交流，全被並不敏感的莊嫻看在眼裡，而韓述似乎滿不在乎，一路興致高昂。

在三亞度過的第一個夜晚，幾個人興高采烈地跑到住處附近的沙灘大排檔吃海鮮。莊嫻中途去洗手間，找不到路，回頭來打聽，遠遠地看到那個叫方志和的男孩子從自己的背包裡掏出了一件東西遞給了韓述。韓述接過，只是草草地看了一眼，二話沒說就順手扔進了一旁的垃圾桶。

在海角天涯綺麗的落日餘暉中，韓述說「今天高興」，拉著周亮跟方志和喝了不少的酒。嬉鬧間，周亮作勢嚷著要灌莊嫻一杯，韓述冷著臉攔下來，沒等對方發話，他就悶聲不吭地連喝了三杯。周亮與方志和面面相覷，沒有再鬧下去。

之後，韓述醉了，俯身在一側的沙灘上吐得一塌糊塗。莊嫻和另外兩個男孩子一道半扶半抬地把他送回了房間。安頓完畢，周亮與方志和都藉口要到海灘夜遊，把莊嫻和韓述單獨留在了房間裡。

此次出行由方志和負責找賓館，但是黃金週期間，火爆的景區住宿緊張，大小酒店人滿為患，他們找到的這間小賓館並不理想，幾個人中，最挑剔的莫過於韓述，可他竟然出奇地沒有計較。

莊嫻陪著沉睡中的韓述在房間裡靜靜坐了很久。陌生的城市，陌生的地點，陌生的朋友，就連這身邊熟悉的人也開始陌生。

他為什麼高興，他真的高興嗎？莊嫻像是忽然發現，他高興的時候心裡想什麼，難過的時候心裡想什麼，自己竟然渾然不知。

她也不知道自己是什麼時候起迷迷糊糊地躺在他身邊睡著的。一直到半夜，韓述翻身的動靜驚醒了她。房間裡的燈已經熄滅了，只有一扇面朝大海的窗敞開著，鹹而潮濕的海風隨著月光一道飄了進來。莊嫻知道他醒了，可是誰也沒有說話，漸漸的，兩個人的呼吸都變得粗重起來。

在混亂和黑暗中，年輕的男孩和女孩，該發生的事就這麼順理成章地發生了。從頭到尾，韓述都沒有說過一句話，莊嫻在緊張和甜蜜的無聲伴奏中迎來了她第一次的疼痛，儘管沒有她幻想中那麼神奇和美妙，可她愛著身邊這個男孩，這種承受顯得如此圓滿。她先前的一絲疑慮在身體的疲憊和心靈的滿足中漸行漸遠。

三亞的氣候濕熱，莊嫻在激情中緩過神來，才發現自己一身是汗，雖然眼皮愈來愈沉，可是仍禁不住想要起來沖洗一番。韓述的呼吸變得安詳而悠長，她猜他也許累了，又陷入了夢境，於是起身的動作自然小心翼翼。

可是她身軀微微一動，頓時覺得頭皮一疼，才發覺髮梢不知被壓在了哪裡，這時韓述的身體很快便貼了過來，緊緊抱著，像個孩子似的，頭和臉都埋在了她微微弓起的背上。

這個出奇親密而依賴的姿勢讓莊嫻心裡感覺既甜蜜又好笑。

「你……」她剛想開口說點什麼。

「噓……」韓述打斷了她。

她一度以為他會有下一步的動作，然而他沒有，就這麼緊緊地擁著她、貼著她。夜很靜，這樣的依偎似乎讓人墜入天長地久之中。

莊嫻不敢動，可長時間保持這個姿勢，讓她開始覺得腰和脖子都痠疼。她也不知道過了多久，在半醒半夢之間，她聽到了隱約的哭泣聲。

起初她以為是自己的錯覺，不由得嚇了一跳，回過神來，才意識到壓低的哭泣聲，竟然來自從始至終擁著她的韓述。

熱鬧活潑的韓述，在靜謐的黑暗中，像個迷路的孩子一般擁著她哭泣。

「妳騙我……」他說。

這是屬於他們的第一個晚上，這是莊嫻所記得韓述說過的唯一一句話。

次日，在方志和與周亮曖昧的笑容中，韓述恢復如常，對於那一晚的異樣，在莊嫻面前他也再沒提起。

他嘴裡反覆呢喃的一句話，還有濡濕了她背部的眼淚，成了一個讓莊嫻震驚卻費解的夢。那是她從不了解的韓述，又或者她從來都不了解韓述。

回到學校之後不久，已經大四的莊嫻投入了找工作的洪流。忙起來的時候，見韓述的機會就少了，韓述也沒有太主動地找她。誰也想不明白，持續而穩定的愛戀，怎麼會在最親密最激烈的交會之後漸漸冷卻了呢？

莊嫻習慣了不往深處想，她只是發現了一個更顯而易見的事實，最初的時候，她一天見不到韓述就心慌得厲害，後來慢慢習慣了，這個間隔期變成了三天……一週……兩週……一個月……從什麼時候開始，因韓述而變得自信的莊嫻發現，即使沒有韓述的陪伴，其實天還是一樣的藍。

莊嫻的成績並不拔尖，她不像郭滎滎一樣輕易考上了本院的研究生，找工作也不算太順利。最後，總算在鄰省的一個中小型城市裡的法院謀到了一份書記員的差事。離開學校的那段時間，她一直在等待一件事，她知道，自己在等韓述開口說分開。

可是韓述沒有。

直到韓述提出送她去火車站，他說的仍然是：「其實妳沒有必要去外地，妳留下來，我爸爸出面……還是可以找到不錯的工作的……」

莊嫻搖了搖頭。

分手的建議是畢業將近一年之後，莊嫻在一封電子郵件中提出來的。韓述只在郵件中回覆了三個字：「好，珍重。」

工作兩年後，莊嫻嫁給了工作單位裡的一個同事。那男人很普通，也很體貼，莊嫻也變得愈來愈開朗外向。這不是她第一次感受到幸福，可這份幸福卻是腳踏實地的，而不是漫步在雲端。

韓逑也考上了本院的研究生。關於後來的他，還是從郭滎滎一點一滴的描繪中浮現在異地平靜生活的莊嫻心中——已經決裂多年的郭滎滎以老同學的身分參加了莊嫻的婚禮，時過境遷，重歸於好，兩人的友誼雖不再如從前親密，但經歷了一段誰也沒有得到的爭奪，畢竟重拾了一份情意。莊嫻也開始明白，有些東西，淡一點，才能久一點。

郭滎滎提到韓逑時仍舊充滿不屑和敵意，然而她就在這不屑和敵意中樂此不疲地討伐他——他做課題時走的後門、後來的女朋友長得怎麼彆扭、找工作時如何依靠的家庭關係……莊嫻聽著，有時覺得忍俊不禁，這個郭滎滎，這個韓逑啊……

其實他們都沒怎麼變，也許變的只是她。當她平靜地微笑著回想他們的時候，也許那些過去，才真的過去了。

她是一個「木頭美人」，喚醒她的人是韓逑，可如春風般呵護她開出花朵的是將要陪伴她一生的那個平凡的男人，雖然，那花朵也是平凡無奇的，可這才是觸手可及的生活，再不會聽到夜半時分那壓抑至無聲的哭泣。

再次見到韓逑，是在一個本系統的內部交流會上，那時莊嫻已經是一個五歲孩子的母親，她和韓逑的相逢意外而略帶驚喜，一如老友，彼此誇張地相互吹捧。兩人都感歎，兩個人之間的距離並非天各一方，怎麼那麼多年都沒見著？也就是這次重逢，讓莊嫻覺得眼前的韓述比曾經的任何一個時刻都要顯得更真實、更可愛。

韓述還是喜歡開玩笑：「有件事我應該找妳算帳，說真的，我們在一起的時候，我家老頭子未必有多贊成，可是聽說分了手，他也不信我解釋，非說我始亂終棄，不分青紅皂白地把我揍了一頓。妳見過活那麼大年紀還被老頭子揍的倒楣傢伙嗎？那就是我。說起來，明明是妳對我始亂終棄。」

莊嫻笑了好久，最後，仍是沒有按捺住多年以來的好奇，多嘴地問了一句：「你介意告訴我，那個人騙了你什麼嗎？」那曾經是她心頭的一根刺，現在只是一個女人的八卦。

韓述起初還笑著，漸漸的，那笑也掛不住了。

「妳還記著啊。」他有些尷尬。

「當然，任何一個女人都會記得。」莊嫻笑道。

韓述用手背搓了搓面頰。

「……有個人對我說過，很多事情，只要不去想，就是忘記了。後來我才知道，根本不是那樣。」

莊嫻沒有告訴韓述，也許她知道「那個人」是誰。許多年前在三亞的第二個早晨，她鬼使神差地去翻了韓述丟棄東西的那個垃圾桶。不知是她幸運還是清潔工懶惰，那東西居然還在。

那是一個退回來的包裹，上面的位址，來自於一個她完全陌生的地方。

「我還是不明白，他都沒有主動提出，妳為什麼要跟她分手？」

當年的隱情，在很多年後，會被時間沖洗得毫無祕密可言。後來已經是一名成功律師的郭滎滎對莊嫻提出了這樣的疑問。郭滎滎和韓述在一個城市裡，她單身，仍然憎惡韓述，工作中只要有接觸，處處跟他作對。

莊嫻這樣回答：「我想起了妳對我說過的灰姑娘理論。妳錯了，我想我還是穿上了水晶鞋，可忽然有一天我發現，王子的城堡裡，那盞光明的燈已經被先前經過的人熄滅了，裡面黑洞洞的。我害怕。」

【全文完】

國家圖書館出版品預行編目資料

許我向你看 / 辛夷塢 著. -- 初版. -- 臺北市：商周出版：
家庭傳媒城邦分公司發行, 2014（民103.04）
面： 公分. --（3/4文學；29）
ISBN 978-986-272-564-1（平裝）

857.7 103004384

許我向你看（下）

作　　者／辛夷塢
企畫選書人／楊如玉、陳思帆
責任編輯／陳思帆

版　　權／翁靜如
行銷業務／李衍逸、黃崇華
總 編 輯／楊如玉
總 經 理／彭之琬
發 行 人／何飛鵬
法律顧問／台英國際商務法律事務所　羅明通律師
出　　版／商周出版
城邦文化事業股份有限公司
台北市民生東路二段 141 號 9 樓
電話：(02) 25007008　傳真：(02) 25007759
Blog：http://bwp25007008.pixnet.net/blog
E-mail：bwp.service@cite.com.tw
發　　行／英屬蓋曼群島商家庭傳媒股份有限公司城邦分公司
台北市民生東路二段 141 號 2 樓
書虫客服服務專線：(02) 25007718、(02) 25007719
服務時間：週一至週五上午09:30-12:00；下午13:30-17:00
24 小時傳真專線：(02) 25001990、(02) 25001991
劃撥帳號：19863813；戶名：書虫股份有限公司
讀者服務信箱：service@readingclub.com.tw
城邦讀書花園：www.cite.com.tw
香港發行所／城邦（香港）出版集團有限公司
香港灣仔駱克道193號東超商業中心1樓
E-mail：hkcite@biznetvigator.com
電話：(852)25086231　傳真：(852) 25789337
馬新發行所／城邦（馬新）出版集團【Cité (M) Sdn. Bhd.】
41, Jalan Radin Anum, Bandar Baru Sri Petaling,
57000 Kuala Lumpur, Malaysia.
Tel: (603) 90578822　Fax:(603) 90576622
email:cite@cite.com.my

封面設計／蕭青陽工作室
版型設計／小題大作
排　　版／新鑫電腦排版工作室
印　　刷／高典印刷有限公司
總 經 銷／高見文化行銷股份有限公司
電話：(02) 26689005　傳真：(02) 26689790
客服專線：0800-055-365

■ 2014年（民103）04 月 29 月初版1刷

Printed in Taiwan
城邦讀書花園
www.cite.com.tw

定價260元

《許我向你看》，辛夷塢 著
中文繁體字版　©2014年出版

ISBN 978-986-272-564-1

商周出版

廣 告 回 函
北區郵政管理登記證
台北廣字第000791號
郵資已付，免貼郵票

104台北市民生東路二段141號2樓

英屬蓋曼群島商家庭傳媒股份有限公司　城邦分公司

請沿虛線對摺，謝謝！

商周出版

書號：BL8030　**書名：**許我向你看（下）　**編碼：**

請於此處用膠水黏貼

商周出版

讀者回函卡

不定期好禮相贈！
立即加入：商周出版
Facebook 粉絲團

感謝您購買我們出版的書籍！請費心填寫此回函卡，我們將不定期寄上城邦集團最新的出版訊息。2014年2月28日前，將此回函卡寄回商周出版，還有機會參加抽獎活動，獲得起點中文網台灣分站線上閱讀金10,000PO（五名）及POPO數位書城《致我們終將腐朽的青春》（辛夷塢 著）電子書（五名）。（回函卡影印無效，寄回日期以郵戳為憑）

姓名：________________ 性別：□男 □女

生日：西元________年________月________日

地址：________________

聯絡電話：________________ 傳真：________________

E-mail ：

學歷：□ 1. 小學 □ 2. 國中 □ 3. 高中 □ 4. 大學 □ 5. 研究所以上

職業：□ 1. 學生 □ 2. 軍公教 □ 3. 服務 □ 4. 金融 □ 5. 製造 □ 6. 資訊
□ 7. 傳播 □ 8. 自由業 □ 9. 農漁牧 □ 10. 家管 □ 11. 退休
□ 12. 其他________________

您從何種方式得知本書消息？
□ 1. 書店 □ 2. 網路 □ 3. 報紙 □ 4. 雜誌 □ 5. 廣播 □ 6. 電視
□ 7. 親友推薦 □ 8. 其他________________

您通常以何種方式購書？
□ 1. 書店 □ 2. 網路 □ 3. 傳真訂購 □ 4. 郵局劃撥 □ 5. 其他______

您喜歡閱讀那些類別的書籍？
□ 1. 財經商業 □ 2. 自然科學 □ 3. 歷史 □ 4. 法律 □ 5. 文學
□ 6. 休閒旅遊 □ 7. 小說 □ 8. 人物傳記 □ 9. 生活、勵志 □ 10. 其他

對我們的建議：________________
____
____

【為提供訂購、行銷、客戶管理或其他合於營業登記項目或章程所定業務之目的，城邦出版人集團（即英屬蓋曼群島商家庭傳媒（股）公司城邦分公司、城邦文化事業（股）公司），於本集團之營運期間及地區內，將以電郵、傳真、電話、簡訊、郵寄或其他公告方式利用您提供之資料（資料類別：C001、C002、C003、C011 等）。利用對象除本集團外，亦可能包括相關服務的協力機構。如您有依個資法第三條或其他需服務之處，得致電本公司客服中心電話 02-25007718 請求協助。相關資料如為非必要項目，不提供亦不影響您的權益。】
1.C001 辨識個人者：如消費者之姓名、地址、電話、電子郵件等資訊。
2.C002 辨識財務者：如信用卡或轉帳帳戶資訊。
3.C003 政府資料中之辨識者：如身分證字號或護照號碼（外國人）。
4.C011 個人描述：如性別、國籍、出生年月日。

請於此處用膠水黏貼